부모님의 결혼식 사진

돌 때의 내 모습

어머니 임정수(林貞洙)

고등학교 시절(1955년 성주)

고등고시 합격증을 들고 김세훈 사장님 가족과 함께
(1960년 성주)

할아버지 김태인(金泰仁)

막내딸의 고등학교 졸업식 때의 아내

외무부 근무를 시작하며(1962년)

내 젊은 날의 모습(1970년 주 스페인 대사관 장설차 대사
대리로 부임. 유학생들의 환영 만찬에서)

파라과이 스트로에스너 대통령과 함께(1985년 12월)

겸임국 몰타공화국의 타보네 대통령과 문병록 참사관
과 함께(1982년 2월)

옐친 대통령에게 신임장 제정(1993년 5월 13일 크렘린 궁에서)

주 일본국 특명전권대사 신임장 제정식날 금마차를 타고(1998년 6월 26일)

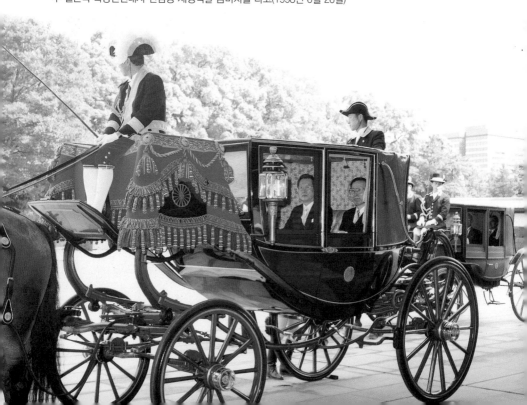

오부찌 게이조 일본 총리와 함께(1999년)

주 일본 대사 시절

아시아 여성 친선협회주최 바자회에서 일본
마사꼬 황태자비를 맞이하는 아내(1999년)

큰딸 가족

아들 가족

막내딸 가족

외교관*40*

외교관 *40*

저자 김석규

1판 1쇄 인쇄 2019. 12. 15
1판 1쇄 발행 2019. 12. 28

펴낸곳 예지 | **펴낸이** 김종욱
편집디자인 신성기획 | **제작** 공간

등록번호 제1-2893호 | **등록일자** 2001. 7. 23
주소 경기도 고양시 일산동구 호수로 662
전화 031-900-8061(마케팅), 8060(편집) | **팩스** 031-900-8062

ⓒ 김석규 2019
Published by Wisdom Publishing. Co.
Printed in Korea.

ISBN 979-11-87895-14-5 03040

예 지 의 책은 오늘보다 나은 내일을 위한 선택입니다.

이 책을 내 아이들에게 남긴다

나이가 들수록 되돌아볼 지난 세월도 더 많이 생겼다. 나에게도 부모의 사랑을 받던 어린 시절이 있었고 어려웠지만 추억의 학창시절이 있었다. 그리고 40년 열정을 바쳐 봉직했던 외교관 시절이 있었다. 먼저 간 아내와 살아온 세월을 돌이켜 보고 두고 갈 아들 딸 손자들을 생각한다.

이제 이 세월을 마무리 하면서 한 권의 책으로 엮어본다. 나의 첫 책은 내 나이 고희인 2005년에 발간된『코리아게이트의 현장에서』다. 여기에 내가 태어나 자라온 세월과 외교관 40년의 이야기를 담았다 그리고 1970년대 한미관계의 굴곡 속에 내가 현장에서 지켜본 소위 "코리아게이트" 사건의 모습을 남기고 싶었다. 두 번째 책은 2013년에 출간한『파킨슨병 아내 곁에서』다. '투병 10년의 고통 간병 10년의 고뇌'라는 부제를 달아 출간한 이 책은 파킨슨병에 걸려 죽을 때까지 10년 동안 고생한 아내의 모습과 곁에서 돌 본 나의 간병기록이다.

이 두 책의 알맹이들을 간추려 정리하고 여기에 나 홀로 살아온 이야기들을 보태서 '한세상 이렇게 살았습니다' 하고 한 권의 책으로 남기고 싶다.

차 례

제3장 파킨슨병 아내 곁에서

구겨진 이력서

제
1
장

구겨진 이력서

구겨진 이력서

만주에서 시작한 국민학교

나는 경북 영주의 사례라는 마을에서 아버지 김정수(金正壽)와 아버지보다 4살 아래인 어머니 임정수(林貞洙)의 장남으로 1936년 3월 10일(음력 2월 18일) 태어났다. 아버지는 24살, 어머니는 20살에 나를 낳으셨다. 아버지는 대구농림을 졸업한 후 당시 금융조합에 취직하여 영주조합으로 부임하였다. 영주금융조합 이사로 계셨던 임수근(林守根, 평택 임씨) 외할아버지는 일찌감치 아버지를 맏사윗감으로 점찍으셨다 한다. 아버지는 외갓집 안마당에서 어머니와 혼례식을 올렸고, 나와 여동생 경주(卿珠), 영주(榮珠)를 낳았다.

그 후 아버지는 만주의 산성진(山城鎭: 지금 중국의 신양 근처)으로 가서 철공장(경상도의 도명을 따서 경상공사[慶尙公司]라는 이름의 철공장이었다)과 엿공장을 하고, 봉천에서는 세탁소를 운영했다. 처음 만주에는 아버지, 어머니와 큰 여동생만 가고 나는 할머니와 함께 대구에 그대로 살고 있었다. 아버지가 만주에서의 사업이 자리 잡히자 나는 할머니와 같이 만주에 갔다. 그때 내 나이 6살이었던가.

나는 산성진 재만(山城鎭 在滿) 공립국민학교에 입학했다. 일본 애들이 다니는 학교였다. 나는 지금도 그때 배운 일본말 실력의 덕을

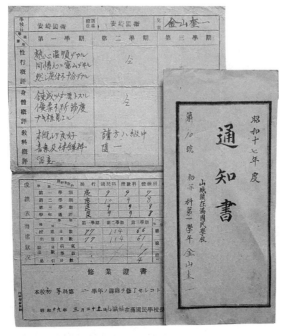

나의 만주국민학교 통지표

볼 때가 있다. 나는 소화 17~18년 당시의 성적표 모두를 잘 보관하고 있다. 이 통지표에는 내 이름이 가네야마 게이이찌〔金山圭一〕로 되어 있다. 가네야마〔金山〕는 창씨한 우리 집안의 성이고 내 이름 석규(奭圭)가 일본어로는 발음하기 어렵다고 해서 일본 교장이 게이이찌라 지어 학교에서 사용하게 했던 것이다.

할머니에 대한 기억

만주에서 나는 늘 할머니와 같이 있을 수 있어 좋았다. 할머니는 경북 고령과 합천이 합쳐지는 시골 강양 이씨(江陽 李氏) 집안의 둘째 딸로 태어나 청도(淸道)의 나의 할아버지 김태인(金泰仁)에게 시집 왔다.

아버지는 내가 잘못한 일이 있을 땐 엄하게 다루셨다. 집 안마당에는 겨울철 음식물의 저장을 위해 땅을 파고 움막을 만들어 그곳에 김치 독이나 감자 등을 묻어 두었는데, 아버지는 나를 그곳에 가두고 내가 잘못했다고 용서를 빌 때까지 벌을 주었다. 그때마다 할머니는 내 편이었고 결국 나는 할머니 덕으로 방면되곤 했다.

그 할머니가 이역 땅 만주에서 돌아가셨다. 나는 할머니의 유일한 친손자로서 검은 외투에 삼베 띠를 두르고 할머니 장례에 시종 참가했고, 할머니가 산성진의 북산에 묻히시던 순간까지 옆을 떠나지 않았다. 할머니가 돌아가신 날이 음력으로 정월 4일이었는데, 지금도 차디찬 북산에 할머니를 묻고 내려오면서 보았던 보라색 도라지꽃이 눈앞에 선하다.

영주에서의 어린 시절

할머니가 돌아가신 후 전세(戰勢)가 일본에게 불리해지고 한국 사람에 대한 차별도 심해져 학교에서 운동화 배급이 나오면 나를 제외한 일본 애들에게만 주었다. 그래서 아버지는 나에게 더 좋은 구두를 사주시기도 했다. 상황이 어려워지자 아버지는 식구들을 한국으로 귀국시키기로 했다. 그때 우리가 미리 귀국하지 않고 종전을 맞이했더라면 만주 벌판에서 우리가족은 흩어졌을 것이고 지금쯤은 아마도 중국의 조선족이 되어 있을지도 모른다.

어머니는 1944년 나와 동생들을 데리고 외가가 있는 경북 영주로 귀국했고, 외가집의 보살핌 속에 어렵지 않게 살았다. 우리가 만주에서 돌아올 때는 추운 겨울이었다. 완행열차를 여러 번 바꾸어 타고 압록강을 건너왔다. 압록강을 건널 때가 마침 아침 해가 떠오르는 시간이라 하늘과 강물이 모두 분홍색으로 물들어 무척도 아름다웠던 것으로 기억한다.

나는 영주 동부국민학교 2학년에 들어갔다. 봄이면 복사꽃 피는 아름다운 동네에서 뛰놀고, 뒷산에 올라 참꽃을 따 먹고, 여름이면 냇가에 나가 미역을 감던 시절이 주마등같이 떠오른다. 아직도 태평양 전쟁 중이었으므로 우리는 길에 다니면서 철물을 수집했고 산에 가서 솔갱이(송진이 많이 붙은 소나무 가지)와 퇴비의 책임량을 학교에 바쳐야 했는데, 대부분 외갓집 일꾼들이 대신 해주었다. 공습경보가 울리면 산으로 피신하기도 했다.

1945년 8월 15일, 나는 동네 약방 앞을 지나다 일본천황의 무조건 항복 육성방송을 들었다. 온 읍내사람들이 조선독립만세를 외치며 길거리로 쏟아져 나오고 일본 경찰서장 관사 등 일본사람들 집을 쳐들어갔다. 영주는 당시 경경(京慶)선 철도의 요지라 일본사람들이 부산을 통해 귀국하는 중요한 길목이었다. 기차역에 나가 보면 일본 패잔병과 귀국하는 일본사람들의 초라한 모습을 거의 매일같이 볼 수 있었다.

해방 후에 우리는 한글을 배웠고 몇 달 안에 쉽게 익힐 수 있었다. 외갓집 옆에 교회가 있었는데, 친구들과 교회에 가서 '하나님은 나의 목자시니 내게 부족함이 없으리로다'라는 찬송가도 배우고 놀았다. 해방 직후라 주로 독립을 찬미한 노래들을 많이 불렀다. '아침은 고울시고 삼천리 동산 자유의 종소리 들려오누나, 동포여 모여라 손

마주 잡고 나가자 굳세게 새 광명에
로…'라는 노래도 기억난다.

　외갓집은 상당량의 무명을 짜고
삼베도 하고 누에도 키웠다. 나는
밤늦게 길쌈을 하거나 목화 물레를
돌리는 외숙모 옆에서 졸기도 하고,
때로는 명주실을 뽑는 외할머니 옆
에서 번데기를 주워서 먹곤 했다.
아낙네들이 방망이 점을 한다고 밤
늦게 모여앉아 주문을 외우는 옆에

영주 동부국민학교 표창장(1946)

서 신기한 듯 구경하던 일도 생각난다. '천(千)아 천아 천장군아 만
(萬)아 만아 만장군아 어리설설 나려오소'라는 주문을 계속 합창하
면 다듬이 방망이를 잡고 있던 여인의 손이 흔들리기 시작하고 주위
에서 알고 싶은 것을 물을 때 방망이를 옆으로 흔들면 '아니라'는 것
이고 콩콩 아래위로 찍으면 '맞다'는 것으로 해석하는 점이었다. 방
망이를 잡은 여자의 마음이 순하고 고운 처녀라야 주문이 잘 먹힌다
고 했다.

　어머니는 계꾼 아주머니들이 모이는 잔치에 자주 갔다. 어머니는
외갓집에만 의존하는 것이 미안했던지 농사일은 거들지 못하고 삯
바느질을 조금씩 했다. 그때 어머니가 삯바느질을 하며 흥얼거리던
노래는 '창경원 사쿠라는 못 보면 한이 되고…'와 '이 풍진 세상을 만
났으니…' 등이었다. 이렇게 어머니와 우리 삼남매는 아버지 돌아오
실 날만 기다리고 있었다.

아버지의 귀국

많은 한국 사람들이 만주와 일본으로부터 돌아오기 시작했고 '돌아오네 돌아오네 고향산천 찾아서'라는 귀국선(歸國船) 노래가 유행하기 시작했다. 어머니는 소식이 끊긴 아버지가 무사히 돌아오기만을 일구월심 초조하게 고대했다. 어머니는 용하다는 점쟁이는 모두 찾아가 아버지가 언제 돌아올 것인지 물어보곤 했다. 아버지는 2차대전이 끝난 1946년 봄에 귀국했다. 우리 삼남매가 바느질하는 어머니 주위에 모여 졸고 있던 어느 날 밤 '내가 왔다'고 하시며 시골집 방문으로 들어서시던 아버지의 모습과 놀라움과 기쁨에 울음을 참지 못하던 어머니의 모습이 50년이 지난 지금도 선하다.

이렇게 가족이 다시 모인 지도 얼마 되지 않아 아버지는 곧 우리를 데리러 온다고 약속하고 서울로 먼저 떠나셨다. 이어서 어머니는 우리 모두를 데리고 서울로 아버지를 찾아갔다. 오래 헤어져 있었고 그토록 기다렸던 남편과 더 이상 떨어져 있지 않겠다는 어머니의 각오가 결연했다. 이로써 정든 영주의 생활이 끝이 났다. 정든 친구들도 정든 외갓집도 다 뒤로 하고 우리는 서울로 어머니 손을 붙잡고 떠났다.

우리 식구가 서울 생활을 시작한 곳은 지금의 인현동 소재 2층 빌딩인데, 2층의 큰 다다미방 하나를 차지하고 1층의 부엌을 썼다. 아직 전학하기 전이라 아버지가 사준 사육신 같은 위인전 책을 많이 읽었다. 근처에 악초극장(일본시대의 '와까구사' 영화관이다)이 있었는데 영화간판이 너무 멋있어 보였다. 근처의 중국집에서 아버지와 같이 자장면을 처음 먹어봤고 그때 아버지가 사주신 국화빵(지금의 천

안 호두과자와 비슷한 붕어빵을 국화모양으로 만들었다)의 맛은 지금도 잊을 수 없다.

우리는 오래지 않아 을지로 3가로 이사를 갔다. 나는 을지로 입구에 있는 청계공립국민학교에 전학했다. 전학시험도 경쟁이 심했는데, 시험은 국어 교과서의 '거북선'을 읽는 것이었고 산술은 곱셈과 나눗셈 등이었다. 나는 시험에 합격했고 4학년 1반에 배치되었다.

집을 출발해서 을지로 입구와 화신 백화점(지금의 종로타워) 앞을 지나 종로 3가를 돌아오는 마라톤도 자주했다. 서윤복 선수의 보스턴 마라톤 우승으로 저녁이면 길거리를 달리는 것이 유행이었다. 방학 때면 청량리역을 출발하는 열차를 타고 외갓집 영주에 가서 친구들을 만나 서울 이야기를 자랑스럽게 해주기도 했다. 방학이 끝나 서울로 돌아올 때는 먹을 것과 입을 옷감 등 한 보따리 선물을 싣고 왔다. 하나라도 더 챙겨주려고 하시던 외할머니의 손길이 아직도 따스하게 느껴진다.

오! 나의 어머니

보통학교(국민학교의 옛 말)만 나오고 집안도 넉넉지 못한 어머니가 다른 어머니들처럼 내가 다니는 학교에 가는 일은 별로 없었다. 학부모들의 큰 모임이 있어 딱 한번 학교에 갔을 뿐이었다. 아들 학교에 간다고 며칠 동안 준비를 하고 한복을 곱게 입고 가서 선생님과 다른 학부모들도 만나보고 돌아왔다. 만나는 사람들마다 "어쩌면 그렇게 공부 잘 하는 아들을 두었느냐, 김 군의 어머니가 어떤 분인지 궁금했었다"는 등 찬사가 끊이지 않았다 한다. 어머니는 너무도 자랑스러웠다고 몇 번이고 되풀이하셨다.

이러한 어머니가 병이 드셨다. 늑막염에 복막염이 겹쳐 배에 물이 차 있다는 것이었다. 요즘 같으면 쉬운 병일 텐데 그때 어머니는 이 병을 이기지 못하셨다. 외갓집에서 좋다는 한약과 풍기인삼을 줄이어 가져오고, 걱정이 된 외할머니는 아예 서울에 와 어머니 옆에 사셨다. 어머니는 병세가 더 악화되어 을지로 2가에 있는 내과병원에 오랫동안 입원했다.

이 무렵 나는 어머니의 완쾌를 기원하며 아버지와 같이 남산에 올라가곤 했다. 해방 전에 남산에는 조선 신궁(神宮)과 노기(乃木)신사가 있었고 과학관은 해방 후에도 남아있었다. 봄이면 동네친구들과 벌지를 따먹곤 했다. 아버지와 나는 남산 바위 위에 앉아 이야기를 나누었다. 많은 한국 시조를 줄줄이 외우는 나를 보며 대견해 하시던 아버지의 모습이 지금도 선하다. 특히 정몽주의 '이 몸이 죽고 죽어 일백 번 고쳐죽어 백골이 진토되어 넋이라도 있고 없고'를 잘 외웠다. 아버지는 나에게 '항상 바다와 같이 넓은 마음을 가져라, 그리고 커서 훌륭한 사람이 되어라'라고 말씀하셨다. 이것은 나의 자식에게도 내가 늘 하는 말이 돼 버렸다.

어머니는 1948년 11월 15일, 아버지와 우리 삼남매 그리고 외할머니, 외할아버지의 정성을 뒤로 하고 저세상으로 가셨다. 서른셋이라는 젊은 나이로 호강 한번 못해 보고 돌아가셨다. 을지로 3가집 아래층 어두운 온돌방에서 어머니의 마지막 모습을 보았다. 내 나이 13살 국민학교 6학년, 동생 경주는 11살, 막내 영주는 국민학교 1학년이었다. 아들을 그토록 자랑스러워하시던 어머니가 이제 돌아올 수 없는 먼 곳으로 가셨다. 나는 화장한 어머니의 뼈 가루를 한강에

뿌렸다. 모자의 인연 13
년, 긴 세월이 아닐지 모
르지만 어머니에 대한 생
각은 고희(古稀)가 되어
서도 한없이 애달프기만
하다.

청계국민학교 상장(1949)

　동네 학예회에서 '따
오기'라는 노래를 들을 때면 엄마 생각이 나곤 했다. '내 어머니 가신
나라 해 돋는 나라'라는 가사가 가슴에 뭉클하게 와 닿았다. 그 후에
도 나는 스와니 강의 '날 사랑하는 부모형제 이 몸을 기다려'라는 가
사를 들으면 눈시울이 젖어오곤 했다. 한강은 부모님이 흘러가신 곳
이다. 그 한강을 지금도 아파트 창 너머로 내다보며 어머니를 그리
곤 한다.

아버지마저

　홀로 되신 아버지는 사업도 여의치 않자 술을 많이 드셨다. 하루
는 대학병원에 다녀오신 후 위염이라고 하는 것을 들었는데, 아마
위암이었던 것 같다. 우리는 소송에 걸려 있던 을지로 3가집에 있지
못하고 돈암동에 방 두 칸과 부엌이 있는 문간채로 이사를 갔다. 아
버지가 병석에 누우신 것이었다.

　어려운 가운데서도 나는 청계국민학교를 졸업하고 당당히 경기
중학교 입학시험에 합격했다. 아버지는 합격자 발표를 몹시 기다렸
고 나의 합격소식을 들은 후 1949년 음력 7월 4일 돈암동 문간방에

서 돌아가셨다. 어머니가 돌아가신 지 1년도 채 안 되었다. "너희 3남매는 이제 고아가 된다. 고아원으로 갈 수밖에 없다. 그러나 꼭 훌륭한 사람이 되어라"라고 하시는 아버지의 앙상한 다리를 주무르던 그때를 생각하면 지금도 눈시울이 뜨거워진다. 돌아가신 아버지의 요 밑에는 내 입학금이라고 준비해 둔 몇만 환이 있었다. 돌아가시면서도 아들의 경기중학교 합격과 입학금 걱정을 하신 것을 생각하면 가슴이 또 한 번 저며 온다. 아버지는 우리 3남매를 천애의 고아로 남겨두고 38세의 젊은 나이로 운명하셨다.

흩어진 삼남매

우리 삼남매가 어디로 간단 말인가. 막내 동생 영주는 외갓집이 있는 영주로 갔다. 경주는 대구로 할아버지를 따라가고 나는 서울의 고모할머니 댁에 기숙하며 우선 중학교에 다니기로 했다. 이 고모할머니는 할아버지의 여동생으로 합천 부잣집에 시집가서 아들 셋, 딸 넷을 낳고 서울 돈암동에 살았는데, 가족 모두 내게 너무도 잘 대해 주었다.

그때 외갓집은 외사촌이 서울농고에 진학하므로 청량리 전농동에 집을 마련해 외사촌과 외갓집 식구들이 와 있었다. 나는 고모할머니 댁에 의탁해 살면서 주말이면 청량리 외갓집에 가곤 했다. 외할머니는 나만 보면 "저 불쌍한 것을 우짜노." 하시며 눈물을 흘리셨다.

경기중학교에 입학하는 날이 다가왔다. 교과서 값은 외할아버지가 마련해 주셨다. 지정교복을 살 수 없어 고모할아버지가 옛날에 입던 국민복을 염색하고 학생복으로 개조해서 입고 갔다. 흰줄 하나에 가운데 중자(中字) 모표를 단 경기중학교의 교모를 쓰고 등교하는 나의 모습을 모두 대견해 하면서도 뒤에서 눈시울을 적시고 있었다.

6 · 25와 고난의 90일

내가 중학교 2학년 때 6·25가 발발했다. 내가 외갓집에 가 있던 일요일이었다. 3일 만에 북한인민군은 내가 살던 돈암동 쪽으로 탱크를 앞세우고 들어왔다.

미군의 공습이 심해지고 쌀값은 금값이 되었다. 우리들의 식사량도 반으로 줄었고 점심은 아예 걸렀다. 나도 장사를 시작했는데 처음에는 담배장사를 했다. 목판에 담배를 보기 좋게 담아 목에 걸고 "공작담배나 샛별 담배요!"라고 외치며 돈암동 일대를 돌아다녔다. 처음에는 목소리가 잘 나오지 않았으나, 나중에는 곡조까지 곁들여 소리 질렀다.

다음엔 신문팔이로 발전했다. 광화문에서 인민일보와 해방일보를 한 20부 정도를 받아 겨드랑이에 끼고 돈암동 쪽으로 달렸다. 다른 신문팔이보다 먼저 가야 잘 팔리기 때문에 모두가 달렸다. "내일 아침 인민일보와 해방일보 나왔 음 음…" 끝말은 적당히 흐리는 것이 고참 신문팔이 같았다. 비가 올 때도 쉬지 않고 달렸고 의외로 잘 팔렸다. 한번은 나를 불러 세우고 "모두 몇 부 남았나?"고 물으며 남은 신문을 다 사주시던 고마운 신사분도 있었다. 그 다음에는 동대문 시장에서 참외장사를 했다. 참외를 사서 아무데나 펴놓고 파는 것인데, 잘해야 참외 두세 개 남는 장사였다. 그래도 먹고 싶은 참외로 배를 채울 수 있어 좋았다.

점차 전황(戰況)이 인민군에게 불리해지기 시작했다. 서울의 병원마다 부상한 인민군으로 가득했다. 미군의 공습이 잦아지자 고모할머니 댁 분위기도 이상해졌다. 고모할머니는 나를 불러 "너는 귀한 자손이니 데리고 갈 수도 없구나. 외갓집으로 가거라"라고 하셨다. 나는 우선 청량리 외갓집으로 갔다.

전쟁 중에 창신동이 제일 안전하다는 풍설에 따라 외할아버지와 외사촌도 창신동 친척집에 임시 피난하고 있었는데 나까지 한몫 짐이 됐다. 인심과 의리가 살아있던 시절이었다. 9·28 서울 수복 직전 서울 시내에서는 시가전이 있었고 인천 앞바다의 함포사격이 서울까지 흔들었다. 공습은 더 심해지고 포탄이 날라 오는 소리가 귓전에 파열음을 연이어 냈다. 우리는 담요나 요 한 장식을 들고 창신동 근처 다리 밑으로 몸을 피했다. 드디어 천지가 조용해지고 유엔군이 동대문으로 들어왔다. 마침내 서울은 수복되고 이어 유엔군은 북진했다.

고된 피난살이

나는 그 후 얼마동안 청량리에서 외숙모와 같이 지냈다. 이번에는 군밤장사를 해보았다. 청량리역 근처에 자리를 잡았다. 하루 종일 "그 군밤 얼마요?"라고 물어주기만을 기다렸다. 외할아버지는 "세상이 위험하니 너는 남쪽으로 가야 한다"고 하시며 나를 대구 할아버지에게 데려다 주셨다. 대구로 갈 때 우리는 서울역에서 가까스로 기차를 얻어 탔다. 기차 지붕에도 사람들이 가득했다.

나는 대구에서 친할아버지를 따라 청도 큰집으로 갔다. 당시 큰 당숙은 청도읍장으로 계셨다. 몇 달은 6촌 형제들과 같이 지내며 청도의 유명한 감도 실컷 먹고 농사일도 따라다니면서 거들었다. 얼마 후 나는 삼촌 내외

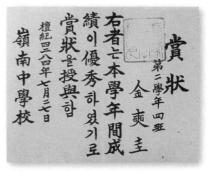

영남중학교 상장(1951)

와 같이 청도읍에서 약 20리쯤 떨어진 우리 본적지 화양면으로 방 두 개를 얻어 이사를 갔다. 한겨울을 그곳에서 지냈는데 연 날리고 팽이 돌리며 철사 줄로 앉은뱅이 썰매를 만들어 신나게 얼음 위를 달리기도 했다. 초가지붕 밑을 들쳐 참새새끼를 잡기도 했다. 정월 대보름날에는 청솔가지로 집을 짓고 달이 떠오르면 불을 질러 연기를 날리는 '달집태우기'에도 한몫 어울렸다. 화투그림을 종이에 그리고 초를 입혀 이웃애들과 화투놀이도 했다. 제기도 여러 가지 방법으로 잘도 찼다.

청도읍으로 가는 길에 미군부대가 있었는데, 그곳 미군부대에서 일하는 은색 점퍼차림의 한국 하우스보이가 부러웠다. 나는 그때 영어실력으로 "I want to be your house boy"라고 말하며 미군들에게 접근하기도 했다. 한번은 한 미군장교가 관심을 보이는 듯했으나 운이 없었는지 안 되었다.

한겨울을 화양면에서 보내고 우리는 다시 대구로 갔다. 당시 피난학생은 개성중학교와 영남중학교에서 수용키로 했는데, 나는 영남중학교에 들어갔다. 경기중학교에 다니다 피난 온 옛 친구들도 만

나 잘 어울려 다녔다. 하교길에는 '영선' 못(지금은 매립됐다)에서 수영도 했는데, 이러한 대구의 생활도 오래가지 못하였다.

성주와의 인연(과수원과 정미소 시절)

나는 할아버지를 따라 성주(星州)로 갔다. 할아버지의 동서인 도문환(都文煥) 이모할아버지 댁에 나를 의탁시키는 길이었다. 나는 우선 사과과수원으로 갔다.

나는 피난학생 자격으로 성주중학교 3학년에 청강생으로 들어갔다. 과수원 초당 방에서 머슴들과 같이 자고 먹으면서 산 너머 학교로 통학했다. 정식학생이 아니기 때문에 졸업식에 참석하지 못했다. 나는 학교 뒷산에 홀로 앉아 들려오는 졸업식 노래를 들으며 눈시울을 적셨다. 성주중학교 수료증을 가지고 가면 경기중학교에서 졸업장을 준다고 하나 무슨 필요가 있겠는가.

고등학교에 진학치 못한 나는 과수원 일을 많이 배웠다. 사과나무에 약도 치고 접과도 하고 전지(剪枝)도 거들었다. 쇠죽도 끓이고 소신도 삼으며 겨울철에는 머슴들을 따라 먼 산에 나무하러 가기도 했다. 이른 봄이 되면 일당(日當)을 받고 과수원 일을 하기 위해 읍내에서 오던 순덕이, 인분이 그리고 다른 처녀들과 같이 열심히 일했다. 내가 감독인 셈이었다. 즐겁고 아름다웠던 시골의 추억들이다.

나는 과수원에서 읍내의 정미소로 갔다. 정미소 뒷방에 기거하면서 현미를 빼서 정미를 도정하고, 제분기에서 밀가루 만드는 일도 도왔다. 쌀가마니를 차에 싣고 내리는 일도 제법 했다. 전기 공급이 안 좋던 시절이라 새로 설치한 중유발전기 기술자의 일도 도왔다.

잠은 방이 있었지만 인부들이 많아 정미소 안의 쌀가마니 사이에서 잤다.

정미소에서 트럭 한 대를 장만하자 나는 차 조수가 되었다. 한번은 산판에 나무 실으러 갔다가 차가 고장 나, 며칠 밤을 산속에서 차를 지켰다. 또 한번은 대구 가는 길에 또 차가 서 버렸다. 엔진오일이 샌다는 것이다. 운전기사는 대구에 부속을 사러가고 나는 근처 집의 호의로 하루 밤을 보냈다. 나중에 알고 보니 그 집 주인은 문둥병환자라고 했다. 당시 왜관 근처 신동고개에는 나환자 수용소가 있었다.

양조장에서 일하다

나는 또다시 성주 양조장으로 옮기게 됐다. 나는 술도 거르고, 고두밥도 찌고, 청소도 하고, 술도 파는 일을 했다. 술 배달도 했다. 장날은 아주 바빴는데, 양조장 안에서 술도 팔아야 하고 시장구경도 나갔다. 닷새 만에 서는 시골 장날은 축제나 다름없었다. 양조장에는 술을 좋아하는 학교선생님들도 자주 왔다.

임종용 씨라는 성주의 과수원 부자가 기독교 계통의 성광중학교를 설립하고 있었는데, 고등학교를 새로 만들어 학생이 2학년까지만 있었다. 양조장 김 사장과 양조장에 자주 들르시던 선생님들의 덕분으로 나는 성광고등학교 2학년으로 들어갔다. 중학교를 나온 지 3년 만에 새로 교모를 쓰고 등교하는 것이 나에겐 더없이 기쁜 일이었지만 무척도 쑥스러웠다.

내가 성광고등학교 3학년에 올라갈 때쯤, 대학 진학을 생각하는 성광고등학교 학생들이 많이 성주농고로 옮겨갔다. 친구들도 많이 성주농고로 갔다. 당시 같은 면(面) 안에서 전학은 원칙적으로 금지되어 있었다. 학교에서 전학승인서를 해주지 않으면 사실상 불가능한 일이었다. 그러나 그때까지는 학생 본인이 원하면 성광고등학교에서 전학서를 써 주었다.

성주농고를 졸업하다

성주농고 출신들이 대거 서울대학교에 합격했다는 소식과 대학을 가기 위해서는 성주농고로 가는 것이 좋겠다고 판단한 나는 어느날 성주농고에 가서 선생님들과 학생들에게 인사까지 했다. 이 때까지 보고만 있던 성광고등학교 임(林)교장 선생님은 김 군은 절대 안된다고 반대하면서 경북도청 교육위원회에 전학의 불가함을 주장하기에 이르렀다. 경북도청의 장학사가 조사까지 나왔다. 성주농고의 김용대(金容大) 선생님을 비롯한 주위 분들의 적극적인 도움으로 결국 내가 일단 성광고등학교로 되돌아가 정식 전학서류를 구비하여 성주농고로 다시 가도록 내락이 됐다. 나는 난처한 꼴이 되었으나 임 교장 선생님의 호의로 이내 전학서류를 받았다. (이때의 이야기는 '김용대 선생' 기고문에 자세히 언급되어 있다)

성주농고에서의 공부가 시작되었다. 군(郡)과 경북 도(道) 웅변대회에서도 자주 수상을 했고, 도내 수학 경시대회에서도 우등을 했다. 그때 받은 상금으로 내 생전 처음으로 시계를 샀다. 나는 성주농고를 수석으로 졸업하며 졸업생을 대표해 답사를 했다. 국민학교 졸업식 때 답사를 하고 두 번째다. 나는 성주농업고등학교 제6회 졸업

성주고(1957)와 성광고등(1956) 상장

생이 되었다.

고등학교에 다니는 동안 나는 양조장에서 자며 일을 도왔다. 내가 아침에 콩나물을 넣어 끓여 주는 해장국을 일꾼들은 맛있게 먹었고, 나도 여기에 고두밥을 말아서 포식을 했다. 나는 양조장의 한적한 모퉁이에서 고두밥을 씹으면서 공부를 했다. 양조장에서도 나는 공부하는 사람으로 취급해 사장은 물론 일꾼들도 모두 후원자가 되어 주었다.

잊을 수 없는 고마움

성주농고를 졸업한 나는 1957년 서울대학교 문리과대학 정치학과에 당당하게 합격했다. 주위에서는 내 처지를 감안해 일하면서 공부도 할 수 있는 대구 청구(靑丘)대학교 야간부에 갈 것을 조언하기도 했다. 그러나 나는 나중에 청구대학교를 가더라도 실력을 한번

테스트해 보겠다고 그 당시 한국에서 커트라인이 가장 높은 문리대 정치학과에 지원했던 것이었다.

서울대학교에 합격은 했으나 그 많은 입학금은 어떻게 마련하며 서울에서의 숙식과 학비는 어찌한단 말인가. 암담하기만 했다. 내 문제는 이제 성주 사람들의 관심거리가 되었다. 양조장의 김세훈(金世勳) 사장이 앞에 나섰다.

나의 등록금이며 얼마간의 생활비까지 마련해 주신 김 사장의 은혜를 잊을 수 없다. 그 후에도 등록금을 항상 전담해 주었다.

서울에서 나는 도영원(都英媛) 고모(아버지의 이종4촌)의 덕으로 그 집에서 기숙하며 대학을 다니게 된다. 고모네는 여러 번 이사를 다니면서도 나를 계속 한식구로 보살펴 주셨다. 잊지 못할 큰 고마움이다. 고시 합격 후 군에 다녀와서도 그리고 외무부에 다니면서 결혼할 때까지 아 고모네와 같이 살았다. 이 고모님이 2008년 7월 19일 92세로 돌아 가셨다. 세배하러 가면 수척한 모습으로 나를 반겨주시던 모습이 선하다.

다시 찾은 외갓집

대학에 들어간 첫해 외갓집 생각이 치밀어 서울대학교 교복을 입고 외갓집 영주를 찾아갔다. 실로 몇 년 만이던가. 아직도 옛 모습이 남아있는 동네 어귀에 들어서자 옛 생각이 가득히 차올랐다. 양철지붕의 외갓집은 주인이 바뀌었고 외숙모는 6·25때 외아들마저 병사한 후 도랑 건너 초갓집에 홀로 계셨다.

나를 대구에 맡기고 떠나신 외할아버지도 그 후 영주와 서울을 오르내리면서 손자의 병치레를 하다가 어느 날 길 떠나신 후 소식이 없어 집 떠난 그날을 제삿날로 한다는 외숙모의 말이 더욱 슬펐다. 아마도 전쟁 중 먼 길을 돈을 가지고 걸어서 다니다 변을 당하신 것 같다는 이야기였다. 외할머니와 작은 이모마저도 전쟁을 겪으면서 돌아가셨다. 이렇듯 한집안이 한꺼번에 멸문하였으니 전쟁이 이 집안에 준 참화는 어떤 말로도 형언할 길이 없었다.

나에게 외가 쪽으로는 어머니 아래 이모님 한분이 살아계셨다 영주 부석 소천리에 산다고 해서 늘 소천 이모라고 불렀다 그 이모님은 서울에서 2011년 2월 12일 91세로 돌아가셨다. 청량리 성 바오로 병원 장례식장으로 찾아뵈었다. 이모님은 나에게 어머니를 생각할 수 있게 하는 하나밖에 없는 분이었다. 우리가 어려운 시절 도와주지 못했다고 미안하다고 늘 말하던 이모님은 노년을 큰 병 없이 지나다 가셨다. 나에게 가끔 전화해서 그 카랑 카랑한 목소리로 안부를 묻고 내가 아내 간병하느라 고생 많다고 위로도 해 주셨었다.

고등고시 행정과(3부) 합격

나는 대학교 3학년 때 고등고시를 치르기로 마음먹었다. 가난한 내가 살길은 이것뿐이라고 생각했다. 선배로부터 몇 권의 책을 얻어 공부를 시작했다. 나는 영양실조를 면할 정도로 끼니를 이으며, 대학 도서관에서 하루 종일 공부와 씨름을 했다.

공부를 시작한 지 5개월이 되는 그해 8월에 시험을 치렀는데 합격했다. 3백여 명 가까운 고등고시 행정과 3부(외교)지원자 가운데 4명이 합격했다. 노창희(盧昌熹), 서석준(徐錫俊), 이정빈(李廷彬)과 나

였다. 학과시험 합격이 1959년 11월 11일이고 구두시험 후 최종합
격자 발표가 12월 12일에 있었다. 그래서 우리 제11회 고등고시 합
격자들은 매년 12월 12일에 만나 옛이야기를 나누고 있다.

성주에서는 성주농고 출신이 둘이나 합격했다고 군(郡) 주최로
축하행사를 했다. 나를 지원해 주신 김세훈 사장 가족과 합격증을
앞에 들고 사진을 찍었다. 김 사장님은 자신의 노력이 결실을 맺은
것처럼 너무도 기뻐하고 자랑스러워했다. 그분에게 나의 합격이 조
금이나마 그동안 도와주신 데 대한 보답이 되었기를 바랐다. 김 사
장님은 그 후에도 나를 많이 도와주셨다.

나는 고시합격 후 1960년 봄, 군에 입대했다. 취직하기 전에 그리
고 대학 졸업 전에 학보병으로 병역의무를 마치는 것이 좋겠다고 판
단했다. 서석준과 같이 대구에 가서 지원하기로 했는데, 원하는 시
기에 자원입대하는 것도 그리 쉽지 않았다. 성주군수를 지낸 남봉진
씨가 경북도청 과장으로 있어 그분 도움으로 지원병으로 뽑혔다. 우
리는 대구역을 출발, 대전을 거쳐 논산훈련소로 갔다. 머리를 깎고
대한민국 국군이 되었다. 나의 군번은 10676783이다.

성주가 맺어준 평생의 인연

나는 1963년 10월 6일 아내 송혜옥(宋惠玉)과 조선호텔에서 안호
삼 선생님의 주례로 결혼했다. 내가 아내를 처음 본 것은 그가 성주
중학교 2학년 여학생이고 나는 성주양조장 일군으로 있을 때였다.

송 양의 어머니이고 성주중학교 선생이시고 훗날 나의 장모가 된
주의경(朱宜卿) 선생에 대해 적어두고자 한다. 주 선생은 함경남도

1963년 10월 6일에 있었던 결혼식 사진

함흥 영생여고 재학 중 항일 학생시위 주모자로 퇴학을 당하고 서울
용곡여고에 편입하여 졸업했다. 그 후 이화여전을 나왔고 이화여전
3학년 때 경성제국대학 의학부의 의학도 송춘식(宋春植)과 1936년 9
월 3일 결혼했다. 원산에서 순천병원을 개업하여 일에 몰두하던 남
편이 병사한 것이 주 선생 나이 겨우 28살 때였다. 딸 혜옥이 겨우 3
살이었다.

주 선생은 북한에서 해방을 맞이하고 함흥에서 여고선생으로 일
하였으나 1·4후퇴 때 한 달만 피난한다고 딸 둘을 대리고 뱃길로 포
항으로 월남한 것이 영원히 돌아갈 수 없는 길이 되었다. 주 선생은
어린 딸들을 데리고 언니가 있는 경북 성주 월항면으로 피난 오게
되고 성주중학교 교사로 취직하게 된다.

오랜 세월이 흘러 내가 서울대학교에 입학하고 송 양도 이화여대
에 진학한 후 나는 주의경 선생 집에 가끔 놀러가는 경우도 있어 송
양의 성장한 모습을 다시 보게 된다. 우리는 1962년 10월 9일 약혼
하고 이듬해 결혼했다. 장모님은 우리가 외국에 근무할 때 몇 번 다
니러 오셨다. 장모님이 계셨기에 아들 우찬이를 마음 놓고 한국에
두고 외국근무를 할 수 있었다. 가장 사랑하던 손자 우찬이 결혼식
을 보시고 너무도 기뻐하시던 장모님의 모습이 지금도 선하다.

장모 주의경 선생은 중앙여고에서 22년간 봉직 후 은퇴하여 3·1
여성 동지회회장을 오래 역임하면서 홀로 외로이 사시다가 1998년
4월12일 83세를 일기로 돌아가셨다. 따뜻이 모시지 못한 것이 못내
후회된다. 모란공원 묘지에 있는 장모님의 묘비엔 "스승으로서 여성
지도자로서 그리고 어머니로서 우리 가슴에 영원히 살아계시리"라
고 새겼다.

모란공원은 서울에서 가깝고 경관도 좋아 나도 이곳에 묘소 하나를 얻고자 관리소장에게 몇 년간 공을 들인 끝에 2005년 1월 17일 모란공원묘지 양지바른 남향 특 남 4지구 337호를 분양받게 되었다. 그날은 마침 눈이 내리고 있었다. 묘지 분양계약을 하기 위해 차를 몰고 모란공원으로 가는 경춘가도에서 나는 생각했다. "지금 내가 살아서 가는 이 길은 다시 돌아올 길이지만 언젠가 이 길을 내가 마지막으로 가면 다시 돌아오지 못하겠지" 하며 감회에 젖었었다.

내 인생을 좌우한 두 번의 시험

나이 80이 넘으니 가끔 살아온 인생을 되돌아 볼 때가 많다. 내 인생에 중요한 두 번의 시험이 있었고 이 두 번의 시험에 합격하지 못했으면 어찌 되었을까 생각해 본다.

경북의 시골 성주농업고등학교에서 서울대학교 문리대 정치학과에 합격한 것 그리고 대학 3학년 재학중 처음으로 응시한 고등고시(행정 3부)에 합격한 것은 지금 생각해도 정말 나에겐 기적 같은 일들이다.

천애의 고아로 양조장의 고두밥으로 배를 채우면서 시골의 농업고등학교를 겨우 1년 반 다니고 대한민국에서 가장 어렵다는 서울대학교에 문리대 정치학과에 합격한 것과 책 살 돈이 없어 남의 책을 물려받아 공부하고 밤에는 친척집에 끼여 자면서 준비 5개월 만에 전국에서 4명이 뽑힌 고등고시 행정과 3부에 합격한 것이 그것이다. 대학시험도 고등고시도 내 형편으로는 재수란 있을 수 없는 단한 번의 기회였다. 이 기적 같은 두 번의 시험에 합격하지 못했으면 나는 어떻게 되었을까.

대학을 가지 못했을 가능성이 크고 갔더라도 대구의 야간 대학이 었을 것이다. 야간 대학에 다니며 일자리를 구해 열심히 일 했겠지. 그리고 소시민으로 나이를 먹어 갔겠지.

그리고 첫 도전에서 고등고시에 합격하지 못했더라면 두 번째 도전을 위해 1년을 더 버틸 형편이 되지 못했던 나는 숙식도 어려웠을 것이다. 실로 하늘이 도와주신 기적이었다.

이 두 번의 행운이 있어 내 구겨진 이력서는 펴지게 되고 그 디딤돌 위에서 내 인생은 긴 여정을 출발했다.

&

성주농업고등학교 개교 61주년 기념지(1988년 발간)에 은사 김용대 선생님께서 기고하신 글

사제(師弟)의 만남

성주농업고등학교가 금년에 창립 61주년을 맞아 기념책자를 펴내게 되어 한때 이 학교에 몸담았던 나에게 축사를 의뢰해 왔기에 동문 한 사람과 나의 색다른 만남의 일단을 여기 공개하여 나의 책임을 면할까 하니 금석지감을 금할 바 없도다.

내가 성주농고에 부임한 지 만 2년이 되던 1956년 3월 그해 서울대학교에 합격한 사람은 다음과 같다. (중략) 이것은 당시 경북 도내에서도 우수한 성적이었다.

성주농고는 일약 도내에서 명문고로 그 명성이 높아졌다. 신학기에 3학년 3반 담임 S선생이 당시 성주 S학교 3학년에 재학 중인 김 군이 성

주농고 전입학을 갈망한다고 나에게 간청한 바 있었다. 6·25때 서울서 피난 온 천애고아이며 용모가 수려하고 자질이 뛰어나 장래가 크게 기대된다고 나에게 김 군의 전입학을 강력히 촉구하였다. 김 군은 그 학교에서 특대생으로 공납금 일체를 면제받고 숙식도 모 유지의 도움을 받고 있는 처지라 학교에서는 김 군에 관한 재학증명서 한 통도 발급하지 못하게 되어 있었다.

1956년 4월 초 어느 날 S선생의 주선으로 학교 뒤 대밭 옆에서 나는 김 군을 처음으로 상면하였다. 단정한 용모, 굳게 다문 입술, 빛나는 안광, 시원한 이마, 나는 곧 그가 비범한 소년임을 간파할 수 있었다. 처음부터 김 군은 성주농고에 입학시켜 달라고 생떼를 썼다. 며칠 뒤 나는 일대결심을 하고 증빙서류 한 통 없는 김 군에게 입학을 허락하였다. 교무과장으로서 용서받을 수 없는 위법은 '무식이 저지른 만용'이라 할까? 약 1개월 뒤에 도(道) 학무과에서 나에게 호출장이 날라 왔다. 이미 각오한 일이라 나는 당황도 후회도 하지 않았다. 교장 교감도 어이없는 일이라 아무 말씀이 없었다.

그로부터 약 2주일 뒤 같은 호출장이 날라 왔으나 이번에도 나는 가지 않았다. 5월 초순 어느 날 수업을 마치자마자 나는 교장실로 불려갔다. 도 학무과에서 M장학사가 이 일로 출장 온 것이다. 교무과장의 신분으로 위법행위를 한 이유를 추궁하기에 나는 '외로운 한 소년이 자기 앞길을 스스로 개척하겠다고 발버둥치는 것을 교육자의 양심으로 차마 묵과할 수 없었다. 어떤 조처도 감수하겠다.'고 각서에서 밝혔더니 M장학사는 '당신 배짱 하나 좋구먼!!' 하며 냉소하였다. 다행하게도 M장학사와 이득주 선생은 대구사범 동기동창이라 그날 밤 이 선생의 간청이 주효하여 나는 그 뒤 인사 조치를 면하게 되고 김 군은 6월초 학무과장 지시로 농고에 정식 입학이 허용되었다.

이듬해 봄, 김 군은 소망대로 서울대학교 문리대 정치과에 합격하여 3학년 때 고 서석준 군과 같이 고등고시 행정과에 등과하였다. 그해 행정과(외교) 합격자는 전국에서 4명이라 한때 서울대 문리대에서 성주농고가 유명했다고 한다. 최근 김 군은 청와대 대통령비서관에서 외무부 제1차관보로 전임한 김석규 동문이다.

이상이 김 군과 나의 만남이라 하겠다. 이런 사실을 김 군이 알게 된 것도 10여 년밖에 되지 않는다.

제 2 장

외교관 40년

제 2 장 | 외교관 40년

첫 해외근무지, 멕시코

내가 첫 해외 근무지 멕시코에 도착한 것은 1964년 8월 결혼한 지 1년이 안 된 신혼부부 때였다. 대사관이 있는 아름다운 로마스 데 차풀때펙(Lomas de Chapultepec) 지역에 집을 구하고 멕시코의 역사와 문화를 익히며 3등 서기관으로서 잊지 못할 3년의 세월을 보냈다.

한마디도 모르던 서반아어를 배우기 위해 새벽같이 열심히 다니던 암부르고스(Hamburgos) 거리의 학관, 대사 운전사 바레라와 정원사 산토스는 나의 회화 실습 선생이었다. 전지(剪枝)가 잘된 꽃나무로 담을 친 집들이 어쩌면 그렇게도 아름다웠던지 어디를 가나 식물원에서 사는 것 같은 주거 환경이었다. 요즘과 같은 스모그나 오염된 공기는 상상도 할 수 없던 시절이었다.

임신한 아내를 데리고 다니던 산부인과의 알바레스 브라보(Alvarez Bravo) 박사는 항상 아버지처럼 자상했고 나의 첫 딸과 아들을 순산케 해 주었다. 나는 해외에서 멕시코의 외교관을 만나면 두 메히카노(Mexicanos)의 아버지라고 항상 자랑하곤 했다. 그 후 1972년 내가 멕시코 방문길에 우리 애들이 태어난 사나토리오 에스파뇰(Sanatorio Espanol) 병원을 찾아가서 출생증명을 발급받았으나 출생 당시 이름이 없어 등록치 못한 탓으로 Kims로만 되어 있었다.

나의 멕시코 생활은 그 아름다움에 대한 감탄과 찬사로 가득하던 시절이었다. 멕시코시티는 물론이고 상춘의 도시 꾸에르나바카. 꽃을 물에 띄우고 카누를 타던 소치밀코. 가족과 더불어 여름휴가를 즐기던 태평양의 해변도시 아카풀코 등 지금 생각만 해도 가슴이 뿌듯한 아름다운 곳이다.

한국의 외교망이 크지 못하던 그 당시 한국 대사관은 중미 5개국과 파나마 그리고 카리브 지역의 자메이카와 도미니카를 겸임하고 그 외의 미수교국을 관할하고 있었다. 그래서 멕시코뿐 아니라 중미 및 카리브 지역에 대해서도 작은 지식을 얻을 수 있었다.

1965년 우리 대사관에서는 한국이민 60주년 기념 잔치를 열었다. 1세 교포들에게는 은수저 한 벌씩을 선사했다. 한국이민은 1905년 5월, 1031명의 한국인이 살리나 쿠르스(Salina Cruz)에 도착한 것이 처음이었다. 에네껜 농장에서 일하며 망국의 한을 달래던 멕시코 한국 이민사는 고통과 한을 엮어간 것이었다. 삼일절이면 어김없이 대사관을 찾아오시던 치하파스 지방의 1세 할아버지의 애국심은 가슴을 뭉클하게 했다. 그해로 환갑을 맞이한 교민회장 최병덕씨는 출생 직후 인천항을 떠났다 해서 어릴 때 이름을 인출(仁出)이라 했다 한다.

'띠후아나' 시에는 구둣방을 하는 한국인이 많았다. 그중에도 양희용 씨의 생각이 많이 난다. 그는 한국 교민여권을 소중하게 간직하고 항상 자랑스럽게 생각했다. 그 당시 이곳 교민들은 국경을 넘어 미국 샌디에이고를 들락거리며 장사를 했는데, 한국여권으로는 1회의 입국밖에 안 되기 때문에 일본여권처럼 2회 이상 미국에 입국할 수 있었으면 하는 것이 이곳 한국여권 소지자들의 소망이었다.

즐거웠던 멕시코 시절 아내와 둘이서 야유회(1965)

이러한 사정을 그곳에 출장 갔던 내가 서울 외무부에 건의했고 주미 대사관에 지시되어 한·미 사증협정교섭이 시작되었다.

세에라 아마떼빽(Sierra Amatepec) 315번지는 내가 살던 멕시코의 집 주소다. 방은 하나지만 응접실이 크고 항상 푸르던 앞 정원의 잔디는 우리 애들의 운동장이었다. 1972년 다시 찾아본 이곳은 조금도 변함이 없었고 반갑다고 달려 나온 이웃도 그대로다. 그러나 그때 어렸던 애들은 몰라보게 성장했다.

서울서 손님이 올 때면 아즈텍의 유적인 피라미드와 유명한 민속 발레 오페라를 공연하는 베이야스 아르떼스(Bellas Artes) 극장을 안내했고 늦은 시간에는 마리아치가 집결해 있는 떼남빠의 주점에서 '라 네그라'의 멋진 가락을 감상하던 것이 어제 같다.

　서울로 귀임 발령을 받아 멕시코에서 얻은 두 아이를 데리고 떠나올 때는 잊지 못할 숱한 일들이 되살아나 눈시울이 뜨거워짐을 감추지 못했다. 언제고 아이들을 데리고 다시 가고 싶은 나라가 멕시코다. 오늘날 우리나라와 멕시코의 관계가 정치적으로나 경제적으로 최고의 수준임에 더없이 만족한다. 한·멕시코 수교 35주년을 진심으로 축하한다. (1997년 한·멕시코 수교 35주년을 기념하여 주한 멕시코대사관이 발간한 책자에 기고한 글)

라빠초의 회상

울고왔다 울고가는 파라과이

"이곳에 오시는 분은 두 번 운다고 합니다. 처음 왔을 때는 이처럼 형편없는 곳에 왔나 해서 울고, 떠날 때는 정이 들어 이별이 아쉬워 운다고 합니다." 이 말은 내가 1983년 4월 11일 남미의 내륙국인 파라과이에 대사로 부임차 수도 아순시온에 도착하던 날 환영 나온 교민대표 한 분이 들려 준 말이었다.

나는 사실 파라과이에 오게 된 것을 불만스럽게 생각하며 이곳에 도착했다. 숨이 막힐 듯한 더위와 습기, 초라한 관저, 서울에서 가장 먼 임지라는 것 등등 여러 가지 악조건을 생각하면 내가 도착했을 때는 정말 우는 심정이었음에 틀림없다.

내가 다시 서울로 귀임 발령을 받아 파라과이를 떠나오던 날, 정말로 나는 다시 울었다. 이곳에 근무했음을 감사하며 눈시울이 뜨거워졌다. 비행기가 이륙하고 정든 파라과이 땅의 모습이 시계(視界)에서 사라지자 내 머리 속엔 지난 3년 세월이 되살아 떠올랐다.

미주국장에서 주 파라과이 대사로 발령을 받자 주위사람들은 모두 안됐다는 위로의 인사를 했다. 그래도 집사람은 "이왕 이렇게 되었으니 어떻게 하겠어요."하며 용기를 넣어주었다. 한국에서 소파

두 세트를 주문하며 부임준비를 했다. 인사동에 가서 1백만원 주고 고가구(나비장과 반닫이)도 사서 식품과 작은 그림들과 함께 뱃짐으로 부치고 막내딸과 같이 서울을 떠나 뉴욕을 거쳐 브라질의 리우데자네이루에 도착했다.

우리 3식구는 리우 코파카바나 해변가에 호텔을 잡고 이곳저곳을 구경했다. 리우를 출발 파라과이의 아순시온에 거의 도착했을 때 "아, 이제 나에게 새로운 도전과 생활이 시작되는구나." 하고 어금니를 물었다. 대사관 참사관과 외무성 의전실장이 공항에 나왔다. 공항 청사 밖으로 나오니 수많은 교포들이 마중 나와 주었고 커다란 꽃다발을 안겨주며 뜨거운 박수로 열렬히 환영해 주었다.

공항에서 관저로 가는 차 안에서 우리 식구는 앞으로 우리가 살아갈 새로운 땅의 모습을 살피는 데 열중했다. 햇볕이 쏟아지는 조용한 거리에 정적이 깔려 내 귀가 아직도 비행기 소음으로 멍한가 해서 한두 번 손바닥으로 귀를 막았다 떼었다 해보았다.

관저로 가는 길은 돌을 적당히 깔아 흙을 덮어 놓았다. 하수시설이 미비하여 비가 오면 땅속으로 스며들 때까지 길바닥은 진창이었다. 관저는 후미진 곳에 위치한 월세 1천5백 달러짜리 집이었다. 응접실과 부엌이나 방들이 모두 타일로 되어 있었고 작은 정원 가운데는 큰 목욕탕만한 수영장이 있었다. 대사 관저로서는 전혀 어울리지 않는 집이었다.

가구나 장식품도 형편없었다. 응접실에는 소파가 하나 있는데 가벼워서 큰 남자가 무심코 앉으면 소파와 같이 뒤로 넘어질 정도였다. 5~6월은 이곳의 겨울이라 밤에는 제법 쌀쌀했고 비도 자주 왔다. 잘 닫히지 않는 침실 문 사이로 밤의 찬 공기와 빗방울까지 스며

들어오니 "아, 이것이 파라과이구나"하는 탄식이 절로 나왔다.

부임 초라 선임 대사들을 예방했다. 외교단이 20개국에 불과해 서로 왕래가 잦았다. 모두가 답방을 오겠다는데 관저 꼴이 이러니 얼굴이 화끈거렸다. 하루속히 관저를 옮겨야겠다고 마음먹고 매일 같이 집을 보러 다니는 것이 가장 중요한 일이 되었으나 마땅한 집이 나타나지 않았다.

관저를 꾸미며

어느 날 큰 길가에 마치도 백악관과 같은 집이 건축 중인데 거의 완공되어가고 있었다. 차를 멈추고 안으로 들어가 보았다. 전부 대리석으로 바닥을 깐 규모도 대단한 집이었다. 이런 집이 관저라면 얼마나 좋을까 하고 일하는 인부에게 누가 집주인이며 혹시 빌려 줄 수 있을지 물었더니 연락처를 알려주며 주인이 살게 될 것 같지는 않다고 귀띔해 주었다. 희망을 갖고 전화를 해봤다. 빌려 줄 수 있다는 것이었다. 이때부터 나는 밤잠을 못 자고 흥분하기 시작했다. 새로운 관저를 머리에 그리면서 그 큰 공관을 무슨 가구로 채우며 쥐꼬리만한 공관의 경비로 어떻게 하나 궁리하기 시작했다.

월세 3천 달러로 3년 계약을 했다. 그리고 1년간은 매달 3백 달러씩 더 주고 내가 요구하는 가구를 사주어야 한다는 조건을 붙였다. 식탁, 뷔페찬장, 의자 18개를 만들도록 해서 식당은 해결했다. 그리고 현관 입구에 대형거울, 방명록을 놓는 탁자. 서재에 책상과 책장을 들여놓도록 했다. 그리고 벽난로의 장식도구들도 갖추어 놓도록 했다. 응접실 냉방은 중앙 조절식으로 설치케 하고 각 방마다 에어

컨을 따로 달았다. 샹들리에는 품위 있는 것으로 달고, 특히 현관 입구에는 어른 몸만한 커다란 것을 달았다. 정원의 조경과 수영장의 용구들도 잘 갖추도록 하고 옆집과 같이 정구장도 사용할 수 있도록 계약했다. 나머지는 우리 힘으로 이 관저를 채우고 가꾸어야 했다.

서울에서 온 소파 두 세트와 현지에서 한 세트를 사서 놓았다. 그래도 응접실은 운동장같이 비었다. 그림 도자기 가구 같은 한국적인 것이 좀 있어야겠다고 생각했지만, 비싸기도 한데다 서울서 아순시온까지 운송비가 이만저만이 아니었다. 공관의 공공요금으로는 어림도 없는 일이었다. 궁리 끝에 그림은 초년 작가의 것으로 두 점을 사서 서울서 초벌 표구만을 해서 원통에 넣어 파우치 편으로 부쳐오니 운송비가 절약되었다. 액자는 아순시온에서도 잘 만들었다. 싼값으로 그럴듯한 황금액자에 동양화를 넣고 무반사 유리를 끼우니 서울에서 동양식 표구를 한 것보다 훨씬 돋보였다.

한국 고가구는, 고가구에 쓰이는 백통장식, 자물쇠 등 장식들만 서울서 사오고 한국 고가구의 견본 그림들을 가지고 와서 파라과이에서 잘 아는 가구 집을 찾아갔다. 서울에서 가지고 온 가구의 현물과 그림을 보면서 모조품을 나와 가구집이 합작으로 만들어 보자는 것이었다. 결과는 아주 성공이었다. 서울서부터의 운송료도 절약하고 한국보다 훨씬 좋은 나무를 사용해 아주 훌륭한 한국 고가구를 만들어 낸 것이었다. 내가 1981년 인도에 출장 갔을 때 인도에서는 카탈로그만 보여주면 프랑스의 루이 14세 가구도 거뜬히 만들어 준다는 말을 들은 적이 있어, 돈도 없고 서울과 거리도 먼 파라과이에서 한국 고가구 제작을 시도해 본 것이었다.

대통령을 관저에 초대

힘들게 가꾼 관저에서 나는 파라과이 유지들을 자주 초대했고 알프레도 스트로에스너(Alfredo Stroessner) 대통령까지 모시게 되었다. 대통령은 대사 관저 초청은 사양하는 것을 관례로 하고 있었다. 그러나 나는 힘들여 가꾼 관저를 빛내기 위해서는 무엇인가 특별한 일이 있어야 한다고 생각하고 있던 차, 정호용 육군참모총장이 대통령 특사로 파라과이를 방문한다는 통보를 받고 정호용 참모총장을 위한 대사 주최 리셉션에 대통령을 초청하자고 마음먹었다. 사전에 대통령을 만날 기회가 있어 나는 대사 관저에 와달라는 초청의 뜻을 정중하게 전하면서 이렇게 말했다. "본국으로부터 육군참모총장이 오는데 대통령께서도 3군 총사령관직을 겸하고 계시니 바로 대통령의 손님이 오는 것입니다. 그러니 예외를 만드시어 꼭 관저 리셉션에 와 주십시오"라고 간청했다. 대통령은 웃으며 초청장을 보내보라는 정도로 호의적이었다. 대통령실을 나오자 나는 그동안 친분을 쌓아온 비서실장과 대통령실 사람들에게도 같은 부탁을 단단히 해두었다.

리셉션 바로 전날부터 시청에서 우리 관저 앞길을 새로 단장하기 시작했다. 그리고 검식관이 미리 온다는 연락이 왔다. 대통령실로부터 공식통보는 없으나 이러한 움직임을 대통령이 온다는 예비통보로 간주하고 대사관으로서도 철저한 준비를 했다. 대통령이 온다는 정보가 있자 전 각료, 군 장성 그리고 국영기업체장들이 다 관저에 모였다. 군악대들이 한 시간 전부터 관저 앞에 정렬했다. 군악대의 팡파르 속에 드디어 스트로에스너 대통령이 한국 대사 관저에 도착했다. 이때가 1984년 5월 25일이었다.

대통령은 한 시간 정도 리셉션에 참석하고 우리 부부와 딸과 같이 사진도 여러 장 찍었다. 그 이후 한국 대사 관저의 품위가 더욱 격상되었음은 말할 것도 없다.

나는 파라과이 국민에게 한국이 그들의 친구임을 보여주어야겠다고 늘 생각했다. 앞으로 5년간만 계속 연간 10만 달러 상당의 한국 기자재를(군화, 자동차, 컴퓨터 등) 지원하자고 서울에 건의했다. 그리고 대통령을 자주 만나 언론에 보도되도록 해서 한국 대사가 자기 나라 대통령과 친하고 한국과 파라과이가 가까운 나라라는 인상을 심어주고자 노력했다. 그래서 이 먼 이역 땅에서 한국 교민들이 보다 편하게 살아나갈 수 있는 환경을 만들어 주자는 생각을 잊지 않았다. 나는 본국 정부에 건의해서 1984년 1월 6일 자동차 4대를 기증한 것을 비롯하여 1985년 5월 16일에는 군화 1만2천 족을 전달했다. 군화 전달식은 국방부 광장에서 있었는데, 대통령을 비롯한 각료들 그리고 군 장성 대부분이 참석한 성대한 것이었다.

평화대학 출신 한국교민

남미 이민은 우선 입국사증을 얻기 쉬운 파라과이에 들어왔다가 인접 브라질, 아르헨티나로 넘어가고 상당수는 미국으로 가는 것이 일반적인 흐름이었다. 남미 이민의 창구이며 '대전역'이라는 별명을 가진 파라과이 초기 이민 시대에는 여러 가지 사건들도 많았다. 파라과이에 왔던 사람이 브라질로 넘어가기 위해서는 국경을 불법으로 넘겨주는 일명 '왔다갔다 주식회사'라는 단체의 신세를 져야 했

파라과이 정부에 대한 한국의 무상원조 군화 1만2천 족 전달식(1085. 5. 16)

는데 자칫하면 보따리를 털리고 목숨까지 희생당한 경우도 있었다 한다.

산타클로스 할아버지처럼 보따리를 짊어지고 시골 집들을 찾아 다니며 초인종 대신 손뼉으로 주인을 찾아 물건을 파는 것이 한국교 민 행상의 모습이었다.

한국이민들이 봉제업에 주로 종사케 된 것은 한국에서 봉제업이 성했던 것과도 관계가 있지만 다른 연유가 있었다. 이민 초기에 농 사일로 정착하기는 어렵고 가져 간 돈은 다 쓰고 먹고 살기가 어렵 게 되자, 한국서 갖고 간 헌 옷가지를 내다 팔아서 먹을 것을 샀다. 생각보다 옷이 잘 팔리자 옷감으로 새 옷을 만들어 팔기 시작한 것 이 이곳 봉제업의 시작이다. 요즘 파라과이에서는 유행과 색상도 따 지지만 한국이민 초기에는 팔과 목만 들어가는 옷이면 다 잘 팔렸다고 한다. 우리 교민들이 파라과이에 의복 혁명을 일으켰다고 해도 과언이 아니다. 지금 우리 교민 의류업체들은 컨테이너로 한국의류를 수입하는 수준으로 대형화되었으니, 금석지감(今昔之感)이 크다.

내가 대사로 왔다고 교민대표들이 인사를 왔다. 내가 어느 대학을 나왔는지 물으면서 자기네들은 평화(平和)대학 출신이라 했다. 내가 의아해 하니까 그들은 서울의 동대문 근처에 있는 동평화 서평화 청평화(東平和 西平和 靑平和)시장에서 봉제업에 종사하던 사람들이라 소위 '평화대학 출신'이라 한다고 하며 웃었다.

한국학교를 세우자

수도 아순시온의 골목 어귀마다 구멍가게는 한국 사람의 것이었다. 해가 지면 닫고 휴일이면 닫는 파라과이 가게에 비해 휴일도 없이 밤늦게 여는 한국가게가 인기 있게 마련이었다. 한국교민들은 아순시온의 중심지인 제 4시장과 그 근처에 모여 살았다. 주로 봉제업과 의류 소매상 그리고 크고작은 규모의 구멍가게를 했다. 한국식당도 몇 군데 있었고 교민회관과 토요학교도 이 근처에 위치해 있었다.

이민생활에서 남자의 역할은 대체로 그리 크지 못한 편이었다. 아침 일찍 물건을 사다 놓고 나면 손님에게 직접 팔고 가게를 관리하는 것은 여자들의 몫이었다. 특히 소규모 잡화나 식료품 가게를 하는 경우는 더욱 그랬다. 그래서 남자들의 목소리가 약해지는 것이 이민생활의 특징이라고 하겠다. 그리고 자녀 교육이 큰 문제였다. 이민 온 지 오래된 가족을 보면 아이들은 현지어에 능통하나 우리말을 모르고, 부모는 아직도 현지어가 서툴러 가족간에도 서로 의사가 통하지 않는 경우가 허다해 한국학교 설립이 더욱 절실한 실정이었다.

한국학교를 세우는 것은 교민 전체의 소망이었다. 토요학교를 운영하고 있었는데 현지 국민학교 건물을 빌려 썼다. 현지학교의 행사가 있을 때는 우리 토요학교는 들판으로 쫓겨나기 일쑤였다. 우리 재산인 학교건물이 반드시 있어야겠기에 교민회가 주축이 되어 '한국학교 건축 추진위원회'가 조직되고 대지 구입을 위한 모금운동을 시작했다.

이러한 상황에서는 대사가 발 벗고 나서야 했다. 대사관의 적은 예산에서도 조금만 여유가 있으면 대지 구입을 위한 기금으로 헌금했다. 교포 신문에서도 많은 홍보를 해주었다. 교회 목사님들에게도 협조를 요청했다. 구완서 전교민 회장이 초기에 큰 몫의 헌금을 해서 모금운동에 열을 올려주기도 했다. 나는 이에 보탬이 되려고 대사관저에서 모금파티도 열었다.

그럭저럭 모인 돈으로 좋은 위치에 대지를 구입하고 기공식의 첫 삽질을 할 때는 가슴이 벅차올랐다. 이어 빈터에 교민들이 돌 하나씩 벽돌 한 장씩을 갖다 놓기 운동으로 이어졌다. 그 이후 정부의 보조도 있어 인접한 터를 더 사 오늘날의 커다란 학교건물을 세우게 되었다. 벽돌 한 장으로 시작한 것이 어제 같은데 멋있는 건물에서 교민 자녀들이 모국의 글과 역사를 배우게 되었으니 얼마나 자랑스러운 일인가. 1992년 내가 서울에 있을 때 파라과이 한국학교 건축에 공이 있다고 해서 교민회장 명의로 된 감사패를 받고 보니 그때 생각이 되살아나 마음은 다시 파라과이로 달려갔다.

망향정과 한인 묘지

아순시온에서 그리 멀지 않은 곳 까삐아타(Capiata)에 우리 교민들이 세운 약 6천 평 크기의 한인묘지가 있고 그 입구에 정자가 있는데 그 이름이 망향정이다. 1983년도에 이곳 묘지에는 약 1백 여구의 우리 교민이 묻혀있었다. 묘비에는 '한국의 어머니' '대한의 아들' '못다 핀 대한의 꽃 여기에 묻히다.' 등 하나 같이 이국의 이민생활에서 이루지 못한 한(恨)을 안고 고향을 생각하며 숨겨간 사람들이다.

사망한 후 24시간 내에 매장해야 하는 이곳 규정 때문에 묘지를 찾는 일이 이곳 생활에 생소한 우리 교민들에게는 커다란 부담인데, 한인묘지가 있어 어려움 없이 묻힐 수 있다는 것은 여간 다행스러운 일이 아닐 수 없다.

묘지 입구에 세운 망향정 건물은 교민 중에 훌륭한 목수가 있어 기와도 올리고 단청도해서 우리나라에서 흔히 볼 수 있는 정자 못지않게 잘 지었다. 현판에 망향정이라 새겨 이곳에 묻힌 혼들이 모국을 그리워하는 한을 달래고 있다.

한국 계란이 인기 있던 바자

일 년에 한번 이곳 대통령 영부인이 주관하는 바자가 아순시온 중심거리에서 개최되어 각국 대사관이 자국의 토산품이나 음식을 선보이는데, 항상 한국 대사관이 인기가 있었다. 서울과 거리가 멀어 토산품을 많이 갖다 놓지는 못했지만 교민들이 성의껏 물건들을 내놓았고 그중에서도 한국 양계장에서 내놓은 계란은 대인기였다.

약 5백 타스 정도를 시중 도매가격보다 훨씬 싸게 내놓으니 날개 돋친 듯 팔렸다. 그날 수입금은 자선단체에 기부하는데 한국과 대만이 항상 1, 2등을 차지했다. 양계장을 하던 교민들의 헌신적 도움에 감사할 뿐이었다.

당시 아순시온에서 소비되는 계란의 60%를 한국교민들의 양계장에서 생산할 만큼 양계는 우리 교민들이 종사하는 주업이 되었다. 나는 양계장들을 찾아 격려하며 실정을 살펴보았더니 양계하는 일이 그리 쉽지 않다는 것을 알게 되었다. 정기적으로 비타민을 먹여야 하고 어릴 때 부리를 잘라 다른 닭을 쪼지 못하게 해야 하며 전염병 예방에 온 신경을 쏟아야 한다.

산 뻬드로 농장

우리나라 초기 남미이민이 다 그러했듯이 한국 사람들은 농업이민이라는 명목으로 일단 어떤 한 나라에 입국하면 현지의 상가에 파고들어가 점포를 열고 식당을 차리거나 봉제업 등에 종사한다. 농사일과는 거리가 먼 이민생활을 시작하는 것이다. 그래서 현지인들의 지탄의 대상이 되기가 일쑤였다. 따라서 남미이민의 지속적 송출을 위해서는 실제로 농사짓는 이민이 필요하고 정부로서도 농장을 매입하고 초기 영농자금을 지원해야 한다고 판단했다. 그래서 남미의 브라질, 아르헨티나, 파라과이에 정부 농장을 매입했는데 파라과이에서 매입한 농장이 1500헥타르 크기의 산 뻬드로 농장이었다. 십여 세대의 이민이 이 농장에 도착했고 농기구도 빌려 개간이 시작되었다. 소도 사들여 목장을 이루고 번식시켰다. 대사관에는 당시의 해외개발공사 직원도 한 사람 파견되어 이 일을 전담하고 있었다.

나는 대사로 부임 후 오래지 않아 어느 비 오는 날, 산 뻬드로 농장을 방문했다. 만나본 사람들의 불평은 대단했다. 나는 이들이 한국 농업이민의 대표로서 오래 이곳에서 견뎌낼 것으로 보지 않았다. 나는 대사관이 농장을 소유하고 운영한다는 것은 처음부터 잘못된 판단이라고 간파했다. 그리고 무엇인가 특별한 조치 없이는 조만간 이들도 모두 농장을 떠나 아순시온 시내에서 장사를 할 것이라고 판단했다. 이미 시내에 구멍가게를 구입해 놓고 있는 사람도 있었다.

다행히 나는 믿음직한 농군 한 사람을 발견했다. 외모는 농군이 아니었으며, 그의 부인 또한 농군의 아내 같지 않았다. 그러나 농군 박영순의 마음속 결의는 진짜 농군임을 나는 보았다. 그리고 불평이 대단히 많았지만 무슨 일이든 끝장을 보는 성격의 김태억 씨 또한 쉽게 농장을 포기할 사람 같지 않았다. 농장을 이 사람들에게 맡기자. 모든 사람이 다 농장을 떠나도 한두 사람이라도 남아서 산 뻬드로 농장이 꼬레아노(Coreano)의 농장으로 남게 하기 위해서는 이들에게 모든 것을 맡겨보자고 결심했다. 본국 정부의 허가를 받아 박영순 씨와 박영순의 사촌 박영민 씨 그리고 김태억 씨에게 농장을 10년 후에 넘기는 계약을 체결했다. 크지 않은 액수의 대금을 매년 분할 상환하는 내용이었다. 그후 이 농장에 본국의 참기름 업체가 개발투자를 하고 있으며 근처에 브라질로 가는 큰길이 나서 땅값도 많이 올랐다고 한다. 그러나 무엇보다도 중요한 것은 산 뻬드로 농장이 꼬레아노의 농장으로 남아있다는 것이다.

라빠초 향기 어린 골프장

골프장은 관저에서 자동차로 10분 거리에 있었으며, 공원과 동물원을 지나 들어가면 '아순시온 골프 클럽'의 18홀이 있었다. 봄(이곳에서는 9~10월)이면 큰 나무에 붉은색 흰색 노란색 꽃이 가득 피는 라빠초(Lapacho:남미의 봄 9월이면 노란색 분홍색 흰색 꽃이 아름답게 피는 큰 나무로 파라과이 특산이다.)의 향기가 그윽한 경치 좋은 곳이었다. 잔디는 잘 가꾸어져 있지 않고 비가 많은 계절에는 온통 질척거리지만 그만하면 괜찮은 골프장이었다.

나는 자주 골프장에 갔다. 회비도 싸고 캐디 값도 쌌다. 오깜뽀(Ocampo)라는 나와 나이가 비슷한 캐디가 내 전속이었다. 그는 술을 좋아해서 항상 술 냄새를 풍겼고, 군에 있을 때 사교춤을 배웠는데 탱고가 전공이라고 하면서 몇 가지 동작을 뽐내 보이기도 했다.

과라니 말로 물을 '으'라고 한다. 내 공이 물에 빠지면 "으"라고 소리치던 오깜뽀의 생각이 난다. 더운 날 골프장 입구 나무 그늘에 누워 낮잠을 즐기다가 내 차가 보이면 부시시 일어나 다가오면서 "세뇰 엠바하돌"(대사님이란 뜻)이라고 인사하던 그의 모습과 그를 부러운 듯 쳐다보던 일 없는 캐디들 생각이 난다. 캐디들 중에는 크게 성공한 경우도 있었다. 그때 일본대사의 캐디를 하던 카를로스 프랑코(Carlos Franco)는 후에 PGA에서도 우승한 훌륭한 선수로 성장했다.

여름에 골프를 치려면 얼음을 채운 물을 큰 통에 넣고 다니는데 이 물통을 들고 다니는 아이들을 세크레(Secretary라는 뜻이라 한다.) 라고 불렀다. 그들이 자라면 캐디가 되든지 잘하면 골프 선수나 코치가 되었다. 이러한 꿈을 가진 아이들 모두가 거의 맨발이었다. 헌 신과 옷을 주어도 고마워하던 사람들이다. 한번은 헌 골프 신발을 주었더니 그렇게 좋아했고 새것처럼 고쳤다고 자랑하던 오깜뽀의 약간 취기 어린 모습이 라빠초 향기 그윽한 아순시온 골프장과 겹쳐 떠오른다.

떠나온 땅과 사람들을 생각하며 (이민 20주년)

1985년은 파라과이에 첫 이민선이 도착한 지 만 20년이 되는 해였다. 매년 첫 이민선이 도착한 날(1965년 4월 22일)을 기념해서 한국의 날 행사를 크게 치르곤 했다. 20주년이 되는 이 해에는 좀더 성대하게 해야겠다고 생각해서 4월 30일 낮에는 큰 운동장에서 한국의 날 기념식과 운동회를 가졌다. 춘향전 등 가장행렬은 원주민에게도 대단히 인기가 있었다. 저녁에는 극장에서 아순시온 시장도 초청하여 감사패도 전달했다. 항상 우리 교민들의 노래와 춤 공연은 열렬한 갈채를 받았다.

이민 20주년을 기해 한상근 교민회장, 구완서 전 회장에게는 훈장을, 여타 유공교민에게는 대통령 포장을 전수했다. 그리고 관저에서 기념 리셉션도 개최하여 교민들의 심신을 달래 주기도 했다.

가난하게 살면서도 한국인임을 자랑하는 우리 이민이 이 땅에 온 지 20년, 한국대사로서 이 기쁨을 같이 나눌 수 있었음을 커다란 영광으로 기억한다.

내가 1985년 2월 서울로 귀임발령을 받아 파라과이를 떠나올 때 교민회 주최로 한일관에서 송별만찬회를 열어주었다. 나는 많은 감사패와 기념패를 받았다. 그리고 소 두 마리의 가죽을 이어서 특별히 만든 카펫 위에 나와의 석별을 아쉬워하는 교민들 모두가 서명했

파라과이 마리스칼 로뻬즈 대십자훈장을 수여받고 외상 내외와 함께(1985. 2)

다. 내가 파라과이를 떠날 때 파라과이 정부에서도 스트로에스너 대통령의 특별 지시로 나를 위하여 친한 협회장인 몬타나로 내무장관 주최로 송별오찬을 성대하게 해주었다. 이 오찬에는 외무장관을 비롯한 대부분의 각료들과 중요인사가 참석했다. 나에게 특별히 잘해주던 이 노(老) 대통령은 후에 사돈인 로드리게스 장군의 군사쿠데타에 의해 권좌에서 물러나 브라질로 망명했다.

　나는 파라과이에 가게 된 것이 못마땅해서 울고 갔다가 3년간 정든 이 땅과 우리 교민들과 헤어지기 섭섭하여 다시 울면서 파라과이를 떠나왔다.

불가사의한 나라, 이탈리아 　　　　　　　|

외교협회 발간 外交 제25호(1993년 3월)에 게재되었던 글이며, 이
중에 일부분은 1991년 11월 3일자 '주간한국'에 게재되었다.

'쇼페로(파업)'로 시작한 이탈리아 부임

내가 이탈리아에 근무한 3년은 참으로 값진 것이었다. 이탈리아
에서의 생활이 즐거웠던 것은 물론, 불가사의한 이탈리아와 이탈리
아인을 조금이나마 알게 된 보람이 있어서이다. 고대 로마, 중세 르
네상스, 그 많은 교회와 문화유적, 전국에 3만의 교회, 2만의 고성, 2
천이 넘는 고고학지역, 4백 개의 미술관이 있다. 이를 관광하러 오는
사람들이 이탈리아의 유명 패션제품을 쇼핑하는 즐거움이 또한 대
단한 곳이다. 우리의 대한항공이 취항했고, 이탈리아의 항공
ALITALIA 가 홍콩을 거쳐 서울에 온다. 돌아본 곳, 만난 사람, 겪은
일을 엮어 전해 들은 이야기와 더불어 두서없이 기록해 본다.

이탈리아를 방문하는 외국인이 가장 먼저 배우는 이탈리아어가
'쇼페로(sciopero)', 파업이란 단어이다. 내가 로마로 부임하기 위해
프랑크푸르트 공항에서 ALITALIA 항공사 카운터를 찾았을 때 내가
타고 갈 비행기가 승무원들의 파업으로 몇 시간 연발한다는 것이다.

나 역시 이탈리아에 도착도 하기도 전에 쇼페로라는 말부터 배우게
되었다.

이탈리아에서 노동쟁의가 가장 심했던 것은 1969년~1983년간
의 노사분규 시대로서 물가는 15~20% 상승하고 경제는 평균 2.5%
성장에 머물고, 평균 파업시간은 현재의 50배나 되었다고 한다.

이탈리아에는 세계적으로 유명한 '산레모(San Remo) 가요제'가
있다. 매년 이탈리아 북부 산레모 지방에서 열리고 있는 이 가요제
에서 수상을 하면 세계적인 히트곡이 된다. 우리가 애창하는 Volare
와 Non hole'ta 등도 이 가요제에서 1위를 한 노래다.

1970년 이 산레모 가요제에서 1위를 차지한 노래가 바로 그 시대
의 이탈리아 노사분규가 얼마나 심각했는지를 잘 나타내고 있다. 이
노래의 제목은 "Chi Non Lavora Non Fa L'amore(일하지 않는 사람은
사랑하지 않아요)로 그 가사를 여기에 소개해 보자.

"일하지 않는 사람은 사랑하지 않아요. 이 말은 어제 우리 집 사람
이 내게 한 말이지요. 피곤한 몸으로 집에 돌아와 식탁에 앉아보니 먹
을 것이라곤 아무것도 없었습니다. 집사람은 내가 3일 중 2일은 파업
한다고 큰 소리로 나무라면서 내가 주는 돈으로 살아갈 수 없기 때문
에 이제 나에 대해 파업하기로 작정했답니다. 할 수 없이 나는 다른
사람 모두가 파업하는 것을 무시하고 혼자서 일하러 가 보았지요. 큰
주먹이 내 얼굴에 와 닿더군요. 치료를 받으러 가려니 전차가 파업을
하고 시내는 온통 난장판이 되어 뭐가 뭔지 알 수 없습니다. 파업을
안 하면 몰매를 맞고 파업을 하면 아내의 사랑을 받을 수 없으니 사장
님 제발 봉급 좀 올려 주십시오. 그러면 모든 집안에 사랑이 충만할
겁니다."

이 노래가사에서 짐작할 수 있듯이 그토록 심각했던 이탈리아의 노사분규도 그 후 정부와 노사의 협력시대로 접어들어 기업은 국제경쟁력을 회복하여 고용을 증대시키게 되고, 흑자경영은 새로운 첨단기술 개발에 투자를 증대시키게 되었다.

이렇게 되기에 무엇보다도 중요했던 것은 노사 간의 인식의 변화다. 즉, 근로자들이 기업가의 역할과 중요성을 인식하기 시작하여 기업가를 착취자가 아닌 국가경제에 기여하는 사람들로 인식하기 시작한 것이다. 한편 근로자 자신들의 권익도 절대평등 방식에서 탈피, 능력과 경험에 따른 상대적 평등과 전문가의 가치를 인정하는 바탕 위에서 보호 신장되어야 한다고 인식하기 시작한 것이다. 또한 기업가들도 근로자들의 권리를 존중하여 기업경영의 결과를 근로자 측에 알리도록 제도화함은 물론 근로자의 실질소득 수준을 유지시키는 데 노력하게 되었다.

1991년 서울 공관장회의 때 공관장들이 광양제철소를 방문하여 노동자 대표들과의 대화하는 일정이 있었다. 나는 노동자 대표들 앞에서 이 노래가사를 소개하고 노사문제에 관한 이탈리아의 경험을 설명하였더니 대단한 흥미를 가지고 경청해 주었다.

새로 인식해야 할 나라, 이탈리아

우리 국내에서 사치풍조 퇴치, 과소비 억제 캠페인이 펼쳐질 때마다 이태리 고급가구, 값비싼 이태리제 패션제품에 관한 신문잡지의 보도에 대하게 된다. 그러한 물품의 원산지에 대한 관심도 있어 이태리 북부 메다(Meda) 지방의 가구공장을 방문한 일이 있다.

"할아버지가 잘라 놓은 나무로 손자가 가구를 만듭니다. 우리 애들도 이 가업을 이어 갈 거구요"라고 하면서 사무실 입구에 걸려 있는 색 바랜 흑백사진을 보여주었다. 1910년의 공장 주인과 일꾼들의 단체사진이었다. 누가 당신의 아버지냐고 물었더니 그 사진 윗줄의 8살 가량의 아이를 가리키며 자기 할아버지라고 대답하는 검소한 차림의 이 집 사장은 사치와는 거리가 먼 순박한 시골 사람이었다.

이 사람이 정말 우리에겐 호화사치의 대명사 같은 멋진 물건을 만들어 낼 수 있을까 하는 생각이 들자 나는 이렇게 혼자 말해 봤다. "우리도 세계 모든 사람들이 사고 싶어하는 호화롭고 멋있는 고급 물건을 만들어 내는 재주를 배워야 한다"고.

이곳 가구공장은 가족단위로 온 식구가 참여하기 때문에 노동쟁의도 없고 인건비도 절약되어 경쟁력이 있다. 그보다 더 중요한 것은 오랜 세월을 가업으로 이어오면서 그들의 손 끝에 전수되어 온 아무도 흉내 내기 어려운 장인의 기술이다. 그들은 세계에서 제일가는 물건을 만든다. 가구뿐만 아니라 베니스의 유리제품, 피렌체의 가죽제품, 꼬오모 지방의 실크 가공, 비첸사 지방의 금세공 등 세계 제일의 상품과 기술은 수없이 많다.

패션 의류분야를 보자. 1980년대 이탈리아 의류패션은 급속도로 성장해서 이제는 가히 세계를 제패했다고 해도 과언이 아니다. Valentino, Gianni Versace, Giorgio Armani 등 수많은 세계적 디자이너들이 손꼽히고 있다. 이들 디자이너들의 회사마다 전 세계를 상대로 연간 6~7억 달러의 매상을 올리고 있으니 대단한 기업이다. 이탈리아인 특유의 감각과 창의가 제값을 발휘하는 분야이다.

실크 원료는 중국에서, 양모는 호주에서 원피는 남미에서 들여와 서 이탈리아 사람의 손을 거치면 몇 배의 값이 나가게 되니 이들이 지닌 가공의 비법을 우리는 배울 수 없을까 생각해 본다. 돌 이야기 도 해보자. 미켈란젤로를 조상으로 한 이탈리아 사람의 돌 다루는 솜씨 또한 세계적이다. 자국산 대리석은 물론 스페인, 파키스탄, 브 라질의 오닉스도 대부분 이탈리아에서 마지막으로 다듬어져 부가 가치가 높아진다.

로마시내도 서울 시내만큼 교통이 혼잡하다. 그러나 우리와 다른 것은 이곳에는 소형차들이 대부분이다. 이곳 길거리의 애교거리인 Fiat 500은 힘센 장정 두 사람이 들어 올릴 수 있는 소형차다. 우리나 라 프라이드 차의 반 정도 크기다. 자기들은 이렇게 싼 소형차를 타 면서도 구미의 천만장자들이 선호하는 대당 10만 달러가 넘는 Ferrari와 Lamborghini 같은 고급차를 팔고 있다니 남의 나라 국민을 사치하게 만드는 데는 챔피언이라 하겠다.

이탈리아 하면 예술, 문화의 나라, 관광의 나라, 사회도 불안한 나 라로 비쳐지고 있는 것이 일반적인 인식이다. 또 이탈리아를 밝은 태양 밑에서 '오 솔레미오'나 부르며 놀기 좋아하는 국민, 길거리에 는 소매치기가 득실거리는 나라, 행정은 능률이 없고 탈세와 부정이 예사인 나라라고도 이야기한다.

사실 2차 대전 후 내각이 50번 이상이나 바뀌어 정정이 불안하고 연간 재정적자는 1천억 달러나 되어 걱정거리며 마피아 문제, 남북 이태리간의 경제적 격차, 끊임없는 파업 등 골칫거리가 한두 가지가 아니다. 이탈리아는 이러한 수많은 부정적 결점을 안고도 어떻게 해 서 G-7국가로 당당하게 세계 5위의 경제대국으로 그 자리를 확고히 하고 있는지 한번 생각해 볼 만한 일이다.

정치가 불안해 내각이 자주 바뀌지만 절대로 극한투쟁이나 파국으로 치닫는 일은 없다. 50차례나 연정을 구성해 내는 타협의 명수이기도 하다. 추월하는 자동차나 기다란 줄 앞을 새치기하는 사람에게 화를 내지 않는다. 부득이한 사정이 있겠지 하는 이탈리아인의 이해와 아량이 있고, 이것이 이탈리아 정치를 타협의 정치로 만드는 것이 아닌지 생각해 본다.

나라의 부채가 GDP규모라고 하는데 채권자는 모두 이탈리아 국민이다. 그래서 느긋한지 외채가 많은 남미 국가와는 이야기가 다르다. 이탈리아 경제를 피사의 사탑 같다고 하는 말, 즉 쓰러질 것 같으면서고 쓰러지지 않는 것이 이탈리아 경제다.

이탈리아란 나라는 있으면 있을수록 이해하기 어렵고 궁금한 것이 많아진다. 이곳에 부임한 직후에는 내 나름대로 결론도 내면서 이탈리아를 평가했었는데 3년의 임기를 마친 뒤에는 오히려 모르는 것뿐이다. 이탈리아에서는 어느 것 하나 절대적인 것이 없고, 그 반대도 성립하는 것이다. 불가사의의 나라 이탈리아다.

그러나 한 가지 분명히 이야기할 수 있는 것은 이 나라 국민의 장인정신이다. 그들의 예술적 감각과 천재적 창의성이 뿌리 깊은 장인정신 속에 용해되어 수많은 세계 제1의 산품을 만들어 내고 있는 것이다. 그래서 이탈리아는 그 많은 부정적 상황 속에서도 우뚝한가 보다.

이탈리아가 한 나라로 통일된 것은 겨우 150년 전이다. 그래서 이탈리아는 각 지방의 특색이 뚜렷하고 생활양식이 다양하다. 지방마다 특색이 있어 한 지방의 특산품이 수지가 맞는다고 해서 타지방에서 만들지는 않는다. 그것은 수백 년을 전수하며 물려온 장인의 솜씨를 금방 흉내 낼 수 없기 때문이라 한다. 지방마다 세계적 상품을 만들어 내고 고정적으로 돈을 벌어들이게 되니 자연히 수요도 창출된다. 이탈리아의 시골도시 양품점에서도 밀라노에 있는 고급 물건을 그대로 찾아볼 수 있는 것도 시골에 기술과 돈이 있기 때문이다.

가구 이야기, 옷 이야기, 돌 이야기를 했다. 그리고 이탈리아인의 장인정신을 소개했다. 우리가 분수에 맞는 생활을 해야 함은 당연하고 그래야만 한다. 그렇다고 우리 물건을 수수한 2류 제품으로만 만들어서는 안 되겠다. 우리 고유의 브랜드를 달고 세계시장에 최고급 상품을 내놓도록 해야 한다.

안토니오 꼬레아

이탈리아 남부 로마에서 약 7백 km 떨어진 곳에 알비(Albi)라는 마을이 있다. 이 마을에는 4백여 호가 사는데 그 중 20여 가구가 꼬레아(Corea)라는 성을 갖고 있다. 그들은 자신들이 한국인의 후예라고 믿고 있다. 이를 입증하기 위해 1927년까지 이 마을의 공동묘지였던 산타마리아 성당 지하무덤의 인골을 발굴해 꼬레아 성을 가진 사람들의 선조라고 할 수 있는 동양인의 두개골을 발견했다. 이 문제의 추진과 고증을 우리 한국정부가 해주었으면 하는 것이 이곳 꼬레아 성을 가진 주민들의 바람이다.

르네상스의 고장 피렌체의 주인 같은 메디치 가(家), 그 집안의 여행가 프란체스코 카를레티가 쓴 여행기에 이곳 주민의 선조라는 안토니오 꼬레아에 관한 기록이 나와 있다. 카를레티는 아버지와 함께 세계여행에 나서서 정유재란이 진행되던 1598년 일본의 나가사키에 도착했다. 이곳 노예시장에서 조선인 포로 5명을 산 후 나가사키를 떠나 인도의 고아에 들렀다. 여기서 아버지는 객사하고, 카를레티는 소년 4명을 노예시장에 넘기고 1명만 데리고 떠났다. 그 1명이 바로 '안토니오 꼬레아'라고 이름 붙여진 소년이었다. 그는 카를레티의 고향인 피렌체에 도착한 뒤 곧바로 석방되어 로마에서 천주교회의 교무로 종사했고, 그 후 알비 마을에 내려와 오늘날의 '꼬레아' 성을 가진 후손을 남겼다는 이야기다.

우리 교민회에서 이 마을에 가서 음악회를 가진 일도 있다. 알비 시장이 1989년 말 대사관으로 나를 찾아와 산타마리아 성당 지하 공동묘지의 발굴문제와 이 지방의 올리브를 한국이 특별히 수입해달라고 요청했던 모습이 생각난다. 임진왜란 400년을 맞아 우리 문화부에서 이 마을에 관심을 쏟고 있어 그 성과가 있기 바란다.

다섯 나라와 많은 국제기구

"이탈리아 반도 안에는 몇 개의 나라가 있는가?"는 수수께끼 같은 질문이다. 이탈리아에는 우선 내가 신임장을 낸 이태리 공화국이 있고, 로마에 교황이 계시는 바티칸이 있는 것은 쉽게 알 수 있다. 그러나 이탈리아 중부에 인구 2만의 소국 '산 마리노(San Marino)' 공화국이 있고 로마 시내에 집 한 채가 하나의 나라를 이룬 '몰타 기사단'이 있어 하나의 국가로 대우를 받으면서 40여 개국과 대사를 교환하고 있다는 사실을 아는 사람은 그리 많지 않다. 지중해 가운데 있는 작은 섬나라 몰타 공화국도 주 이탈리아 대사가 겸임하는 나라다.

이 나라는 부시와 고르바초프의 선상 미소 정상회담으로 냉전 종식의 고동을 울렸던 곳으로 유명하다. 한때는 형식상 이스라엘도 로마에서 관할하고 있었으니, 상주대사가 있는 바티칸을 뺀다 하더라도 주 이탈리아 한국대사가 5개국을 상주 겸임 또는 관할국 형식으로 맡고 있었던 셈이다.

로마에는 국제식량농업기구(FAO)를 비롯한 갖가지 농업관계 국제기구가 있고, 주 이탈리아 대사는 각 기구의 상주대표로 지정되어 있다. 국제식량농업기구(FAO), 세계식량원조계획(WFP), 세계식량평의회(WFC), 국제농업개발기금(IFAD) 등의 농업관계 국제기구가 연중 각종 회의를 개최하고 있다. 지난 1991년 FAO 총회시 이사국으로 재입후보한 우리나라가 중국을 제치고 제2위로 아시아지역 이사국으로 재선된 것은 두고두고 생각나는 일이다. 우리의 유엔가입과 더불어 FAO 사무국에도 더 많은 한국 사람이 진출해야겠다.

이탈리아의 꼬시가 대통령에게 신임장 제정(1989년 7월)

위대한 러시아 이야기

위대한 러시아

러시아는 지구 땅덩어리의 8분의 1(구소련 시절에는 6분의 1)을 차지하는 나라다. 그 땅에는 다이아몬드를 비롯해 무수한 광물이 무진장으로 매장되어 있다. 석유와 천연가스도 세계 제1이다. 울창한 산림은 산소의 원천이고, 바다에는 고기 떼가 넘치고 있다. 하늘에는 얼마 전까지 만해도 세계유일의 우주 정거장 '미르호'가 떠있었다.

이 땅 위에 1억 5천만의 러시아인이 살고 있다. 톨스토이, 푸슈킨, 차이코프스키와 볼쇼이 발레 등의 이름이 우리 귀에 익은 문화와 음악의 나라다. 러시아 사람들은 추위와 전쟁 그리고 공산주의를 이겨낸 강인한 민족이다. 오늘의 어려움은 그들에겐 오히려 희망일 뿐이다.

러시아는 역사적으로도 우리와 인연이 많다. 아관파천(俄館播遷), 러일전쟁의 역사가 있었고 일제 강점기에는 우리의 독립운동을 지원하기도 했다. 1945년 소련군이 북한에 들어온 이후 오랜 세월 북한의 후견인 노릇도 했던 나라다. 1990년 수교 이후 한국과 러시아는 땅과 하늘 그리고 바다를 맞대고 더불어 살아나갈 이웃으로 미래를 같이 열어가고 있다. 이 위대한 러시아의 이야기를 적어보자.

옐친 대통령에게 신임장 제정

내가 주 러시아 대사로 가게 된 것은 행운이었다. 그리고 3년이란 세월을 봉직할 수 있었던 것도 행운이었다. 1993년 5월 13일 그 아름다운 크렘린 궁전에서 나는 보리스 엘친 대통령에게 주 러시아 대한민국 대사로서의 신임장을 제정했다. 악수를 하면서 만져진 그의 손은 어쩐지 한쪽이 빈 것 같았다. 후에 안 거지만 어릴 때 수류탄을 만지다가 다쳐 손가락이 몇 개 없었다. 그래도 악수하는 그의 손에는 힘이 넘쳤다. 이때까지는 부통령이 대사의 신임장을 받다가 이날부터 대통령이 직접 받기로 했다 한다.

옐친 대통령과의 대화중 나는 지난 30년간의 외교관 생활이 주 러시아 대사를 하기 위한 준비 기간이었다고 말하자, 기분이 좋아진 옐친 대통령은 무엇이든 앞으로 자기의 도움이 필요하면 말하라는 것이었다. 마침 한 달 후에 한승주 외무장관이 모스크바에 오는데 대통령 예방이 어려운 미결사항이었음에 착안하여, "대통령 각하, 한국의 외무장관이 곧 러시아를 공식 방문합니다. 그분도 나처럼 대통령 각하를 존경하고 있습니다. 이번 모스크바 방문시에 꼭 인사를 드리고 싶어하니 그의 소원이 이루어지도록 해주십시오"라고 부탁 겸 간청을 했다. 옐친 대통령은 배석했던 코지레프 외무장관에게 즉석에서 지시하여 한 장관의 옐친 대통령 예방이 이루어지게 했다. 그 후 어떤 외무장관도 러시아 방문시 대통령을 예방했다는 소리를 듣지 못했다.

모스크바 붉은 광장에서(1993. 12)

쇼핑백과 '바부슈카'의 행렬

지금은 러시아 경제가 좋아져서 어울리지 않는 이야기가 되겠지만 내가 러시아에 도착한(1993년 4월 25일) 당시 내가 보고 느낀 일들을 적어본다.

모스크바에 도착하여 며칠이 안 되어 나는 길거리를 걸어가는 사람들이 거의 모두 큰 쇼핑백을 들고 다니는 것을 보았다. 그 후 미국-캐나다 연구소의 알바토프(Arbatov) 소장을 방문한 자리에서 왜 러시아 사람들이 쇼핑백을 들고 다니는지 물어보았다. 그는 웃으면서 지금 러시아는 하이퍼인플레이션으로 아침에 100루블 하던 물건이 저녁에 200 루블 할 수도 있으니 사람들은 길거리에서 파는 무슨 물건이든 닥치는 대로 사두면 나중에 비싸게 팔 수 있기 때문이라고 했다. 그래서 산 물건을 담을 백이 필요한 것이라고 설명해 주었다.

시장 입구에는 할머니나 아줌마들이 여러 가지 물건을 하나씩 들고 긴 줄을 만들어 서있는 모습을 자주 볼 수 있었다. 쇼핑백을 들고 사 모았던 물건들을 다시 파는 행렬이었다. 할머니를 러시아 말로 '바부슈카'라고 해서 나는 이들을 '바부슈카의 행렬'이라고 이름 붙였다. 물건을 사고팔 때는 물건 값을 깎아서는 안 되었는데, 왜냐하면 공산치하에서 살아온 이들은 흥정에 전혀 익숙하지 않기 때문이라고 한다.

내가 부임하였을 때만 해도 모스크바 거리 곳곳에는 아직 빵이나 휘발유를 사기 위한 사람들의 긴 줄이 보이고 양담배 한 갑으로 자가용도 택시가 되던 시절이었다. 러시아 내륙으로 고속도로를 타고 나가보면 그 근처에 무슨 공장이 있는지 금방 짐작할 수 있었다. 왜냐하면 도로변에 노동자나 그 가족들이 봉급 대신 현물로 받은 물건들을 내다 팔고 있기 때문에 길가에서 자전거, 전기 드릴, 여자 속옷을 살 수가 있었다.

내가 러시아를 떠날 때쯤에는 러시아도 많이 변했다. 모스크바나 몇 개 큰 도시 사람들은 고속도로변에서 물건을 사는 대신 즐비하게 생겨나는 상점을 이용하기 시작했다. 이들이 바로 러시아의 중산층이다. 1990년대 초 사유화의 특혜를 보고 생성된 부유층인 뉴 러시안(New Russian)에 이제는 중산층인 뉴 미들(New Middle)이 가세하게 되었다. '뉴 러시안'이 벤츠나 링컨 타운카를 타고 다니는데 비해 뉴 미들은 도요타나 폭스바겐 또는 러시아제 '라다'를 타고 다닌다. 뉴 미들은 범죄조직이나 부패보다 직업인으로 열심히 일하는 사람들이다.

이러한 현상은 젊은 층에 더욱 두드러지게 나타났다. 수단 방법을 가리지 않고 돈을 벌기 위해 조직범죄와도 결탁했던 이들은 이제 직업인으로서 기술이 필요하며 이를 위해 교육이 필요하다는 것을 재인식하게 되었다. 1991년 구질서가 무너지자 러시아의 젊은이들은 공부와 시험을 포기하고 학교를 떠났었다. 이제 러시아의 젊은이들은 대학으로 돌아와 경영과 컴퓨터 그리고 외국어를 배우는 경향으로 변하고 있다. 물론 아직 돈이 최선의 가치임에는 이론의 여지가 없으나 이 돈이 범죄가 아닌 기술(Skill), 창의적 이니시어티브(Initiative), 경쟁(Competition)과 연관되어 있는 것이다.

귀머거리 새

김영삼 대통령이 러시아를 공식 방문하던 첫날인 1994년 6월 1일, 옐친 대통령의 닷차(별장)에서 비공식 만찬이 있었다. 두 정상의 부부만이 참석한 이 만찬의 테이블 위에는 특별한 요리가 준비되어 있었다. 옐친 대통령은 손님에게 이 요리에 대해 설명했다.

"이것은 '귀머거리'(러시아 어로 그루하리)라는 새를 요리한 것입니다. 1주일 전부터 경호원들을 풀어서 겨우 한 마리를 잡은 것입니다. 귀머거리 새는 원래 귀가 굉장히 밝고 빠른데 암놈을 따라갈 때만은 귀가 먹어버리기 때문에 뒤에 사냥꾼이 쫓아오는 것을 듣지 못합니다. 그래서 귀머거리 새를 발견하면 계속 뒤를 따라 다니다가 이 새가 암놈을 발견하고 쫓아갈 때 잡아야 합니다. 특별히 김 대통령을 위해 1주일 걸려서 잡은 귀머거리 새를 맛있게 드시기 바랍니다."

이와 같이 시작한 한국과 러시아 정상회담은 성공적일 수밖에 없었다. 귀머거리 새 요리와 보드카를 드신 김영삼 대통령은 영빈관 숙소로 돌아와서 우리들과 또 한잔을 기울이면서 "이제 러시아 외교는 오늘 저녁에 내가 다 끝냈다"라고 하며 만족해했다.

사할린의 눈물

러시아에 12만, 우즈베키스탄에 20만, 카자흐스탄에 11만, 키르기스스탄과 타지키스탄, 우크라이나 등지에 약 3만 명의 고려인이 살고 있다. 연해주에 살고 있던 우리 선조들이 1937년 스탈린의 강제 이주로 중앙아시아로 삶터를 바꾼 지 60년이 되었다. 일제의 강제징용으로 사할린에 끌려갔던 우리의 선조들이 돌아올 길이 끊어져, 갇혀서 살아온 지도 반세기가 넘었다. 주권을 잃은 약한 나라의 백성 된 죄로 이 동토의 땅 러시아에서 여기저기 흩어져 살아온 이들 우리의 핏줄을 마치도 다른 나라 사람인 양 '고려인'이라 부르기 미안했다.

대한항공 007기가 러시아 영공에서 격추된 지 10년이 되는 1993년 9월 1일 나는 한국인 희생자의 명복을 빌기 위해 사할린을 찾았다. 모스크바에서 '유스노 사할린스크'까지는 러시아에서 서울 오는 것보다도 훨씬 멀었다. 그것도 연발에 연착하는 러시아 초기의 비행기 사정이었으니 짐작할 만하다. 이곳은 1983년 9월 1일 대한항공 007기가 구소련의 전투기에 의해 격추되어 105명의 한국승객이 사할린 바다 속으로 잠들어간 눈물의 섬이다.

1993년 6월 이 사건에 관한 국제민간항공기구(ICAO)의 최종 조사보고서가 발표된 직후 나는 러시아의 배상과 보상을 요구하는 우리 정부의 1993년 8월 19일자 공한을 러시아 외무성 아주 총국장 솔로비요프 대사에게 수교했다. 이 공한에 대한 회답은 받지 못했다. 만일 러시아가 우리 요구를 거부하는 회답공한을 즉시 보내왔다면 오히려 이 외교적 공방은 그 자체로 일단 끝나버릴 수 있었다. 그러나 회답을 주지 않고 받지 않은 상태는 언제고 자국의 입장을 재론할 수 있는 여지를 남기고 또 서로의 체면을 유지시켜 주는 하나의 외교적 해결책이다.

이곳에서 나는 또 다른 사할린 동포의 깊고 오래된 눈물을 보았다. 사할린 동포는 1939년부터 1945년 제2차 세계대전 종전까지 일제에 의해 징용된 15만 명 중 1945년 소련군 진입 후 일본에 송환되지 못하고 잔류하게 된 4만 3천 명과 그 후손을 의미한다. 전시상황이 나빠진 1945년 초 10만여 명이 일본 본토로 송환되고 종전 후인 1946년 12월 일소 간의 송환협정에 의거, 일본인과 결혼한 일부(450세대)가 추가로 송환되고 나머지 4만 3천 명은 소련 당국에 의해 그대로 억류되었다.

그 후 소련인 배우자가 있는 한인은 소련국적을 취득했으나 출신지역이 남한이고 국적선택이 어려웠던 한인들은 무국적 상태로 남게 되었다. 이들은 직장을 제공받지 못하고 생활구역에서 12km 이상 여행 시에는 사전허가를 받아야 하고 자녀의 상급학교 진학도 어려웠다.

이와 같은 소련의 정책 하에 한인 4만 3천중 70%에 달했던 무국적자는 점차 소련국적을 취득했다. 1960년대에 60%에 달하던 북한국적자도 점차 감소하여 1% 밑으로 줄어들었다. 이는 한러 수교 이후 한국의 대러시아 진출 및 사할린 동포 모국방문과 귀국사업 등이 활발해지면서 한국의 영향력이 증대되고 있음을 반증한 것이다.

사할린 동포 모국방문 사업은 한국과 일본 적십자사가 주체가 되어 1989년부터 양국정부의 지원으로 추진해 왔으며 매년 1000~1400명의 동포들이 모국을 방문해 왔고 그 숫자는 1만여 명에 달했다. 이러한 모국방문 사업과 더불어 이들 중 1세 동포들의 영주귀국문제도 제기되었다.

현지에서 러시아 사람과 결혼해 자식을 낳고 살아온 지 반세기, 그곳 정든 땅 사할린을 떠나 뼈라도 고향산천에 묻겠다고 영주 귀국 길에 오르는 1세들의 마음속에 응어리진 망향의 한을 누가 헤아릴 수 있을까. 고 김희갑 씨가 부르던 '한 많은 사할린'이라는 노래가 들려오는 것 같다.

사할린 동포들이 많이 이주한 곳이 시베리아의 이르쿠츠크다. 경북 안동이 고향인 정홍석 씨도 사할린에서 이곳으로 와서 공부하고 자리를 잡아 국회의원으로 당선되기까지 했다. 나는 정 의원의 초청으로 1994년 8월 말 이곳을 방문하여 유명한 바이칼 호수의 선상에서 이 호수의 특산 물고기인 '오물'의 맛도 보았다. 이 호수에서 목욕을 하면 수명이 길어진다는 말을 듣자 같이 갔던 직원들은 어느새 바이칼의 맑은 물속으로 뛰어들었다.

찢어진 국적의 한을 달래며

우리 해군 함정이 친선방문했던 러시아 흑해의 오데사 항구가 있는 크라스노다르 주에도 우리 동포들이 이주해 살고 있다. 이곳 김영수 교민회장은 시를 좋아해서 한글로 시를 써서 대사관에 보내오곤 하는 분이다. 꼭 한번 와 달라는 거듭된 요청이 있고 우리 해군함정이 왔을 때 도와준 고마움에도 보답할 겸 해서 나는 1995년 7월 초 이곳을 찾아갔다. 비행장에는 남녀 동포들이 꽃다발과 태극기를 들고 환영해 주었다. 부인들은 오랜만에 치마저고리까지 입고 나왔다. 지구의 구석진 곳에서 보는 태극기와 한복은 항상 눈시울을 뜨겁게 한다.

회관도 둘러보고 동포들의 집 몇 곳도 둘러보았다. 저녁은 한 동포분의 집에서 하기로 했다. 음식은 모두 한 가지씩 동포들이 성의껏 마련해 왔다. 텃밭에 있는 채소들을 바로 따서 상에 올려놓으니 너무도 싱싱했다. 김치를 비롯한 한국음식이 몇 가지인지 셀 수가 없었다. 식사가 끝나자 기다렸다는 듯이 한 분이 장구를 가지고 나왔다. 손수 만들었다고 하는데 서울에서 보는 것보다 좀 작았지만 소리는 못하지 않았다. 장구를 치는 솜씨 또한 일품이었다. 자연히 여흥 시간이 되어 버렸다.

18살의 꽃다운 처녀로 현해탄을 건너간 한 할머니가 사할린을 거쳐 이곳까지 왔다고 하면서 지나간 긴 세월을 이야기했다. 그리고 "왜 대사님 이렇게 늦게 오셨습니까? 지난 50년을 기다렸습니다"라고 원망 섞인 푸념을 했다. 나는 "우리는 구소련과 외교관계가 없어 못 왔지만 북한 대사도 한 번 안 왔습니까?"라고 말했더니 남북한을 통틀어 대사가 이곳을 찾은 것은 내가 처음이라 한다. 돌아가면서 한국노래 하나씩 불렀다. 모두들 노래솜씨가 대단했다. 시간이 상당히 지났다. 같이 온 일행이 오늘은 장시간 비행기를 타고 와서 고단한데 그만 가도록 하자고 내 옆구리를 쿡쿡 찔렀다.

이 광경을 본 할머니는 "대사님 우리 노래 다섯 곡씩 더 부르고 가도록 하지요"라고 제안했다. 한 시간은 더 걸릴 상황이다. 이 할머니는 한국대사가 찾아오기까지 50년을 기다렸는데 대사인 내가 어찌 한 시간 더 이들과 같이 있으면서 노래 다섯 곡을 못 부르랴 라고 생각하니 오던 잠도 달아났다. 내가 아는 노래를 모두 동원하여 다섯 곡을 채웠다. 이 할머니는 가수 못지않게 최신 한국가요 다섯 곡을 멋지게 불러 주위의 큰 박수를 받았다. 단파방송을 통하여 배웠다는 할머니의 노래가 지금도 귓전에 들려오는 듯하다.

가족사항을 물어본 나에게 한 노인이 대답했다. 첫째 아들은 러시아에, 둘째는 아제르바이잔에, 그리고 딸은 벨로루시에 있다 한다. 구소련시대는 이들이 어디에 살던 한 나라 사람이었으나 구소련이 붕괴되고 15개 나라로 갈라지자 한집안 식구도 사는 곳에 따라 다른 국적을 갖게 되었다는 것이다. 이 사람들이야말로 주권을 상실한 조상의 덕으로 유랑의 세월 속에서 찢어진 국적의 소유자가 된 것이다.

구소련이 붕괴되어 많은 나라로 갈라지니 러시아에 상주하는 나도 새로 독립한 나라들을 겸임하게 되었다. 그래서 내가 주 러시아 대사로 있는 동안 6개 나라에 겸임대사로서의 신임장을 제정했다.

아르메니아(1993.7.27), 우즈베키스탄(1993.9.9), 벨로루시(1993.11.11), 아제르바이잔(1993.11.29), 그루지아(1994.7.20), 투르크메니스탄(1995.6.7)의 6개국이다.(괄호 안이 신임장 제정한 날짜) 나는 이들 겸임국에 자주 가보지는 못하였지만 갈 때는 반드시 흩어진 우리의 핏줄 고려인들을 찾아보았다.

명예박사와 정치학 박사학위를 받다

나는 러시아 근무 3년 동안 또 하나의 값진 선물을 얻었다. 러시아에는 각 분야별로 전문연구기관이 많이 있다. 그 중에서도 우리와 관련이 많은 연구소는 외교통상부의 외교안보연구원과 연례교환방문 학술회의를 하는 IMEMO(Institute of World Economy and

International Relations)와 극동연구소(Institute of Far Eastern Studies) 그리고 동양학 연구소 등을 꼽을 수 있다.

우리나라에도 잘 알려진 마르티노프(Martinov) IMEMO 소장과 극동연구소의 티타렌코(Titarenko) 소장, 트카첸코(Tkachenko) 박사 그리고 동양학 연구소의 추푸린(Chuprin) 박사 등은 러시아의 저명한 학자일 뿐 아니라 정치적인 영향력도 적지 않아 크렘린이나 외무성에 자문역을 담당하고 있다. 그러나 러시아 초기의 경제적 어려움으로 연구원과 직원들의 월급도 수개월씩 주지 못하고 각 연구소가 소유한 건물을 한국 상사 등에 임대해 주고 그 임대료 수입으로 겨우 연구소를 유지하는 정도였다.

이러한 실정을 파악한 나는 한승주 외무장관에게 건의하여 한 연구소에 5만 달러 한도에서 용역을 맡기는 형식으로 지원해 주기로 허락을 받았다. 동양학 연구소에서는 우리 측 제의에 관심이 없었고 IMEMO와 극동연구소에서 용역을 맡기로 했다. 물론 우리의 본뜻은 이들 연구소를 경제적으로 돕자는 것이지만 명목상 연구과제도 선택하고 기간도 정하여 계약도 체결했다. 외무부 산하의 국제교류재단의 돈으로 지원이 나갔다. 국제교류재단으로서는 나간 돈의 쓰임새를 감사(監査)한다고 이사장과 직원들이 모스크바에 와서 이 연구소들을 찾아가 한국식 감사를 하려고 하니 자존심이 상한 러시아 사람들은 대단히 불쾌하게 생각했고 극동연구소의 티타렌코 소장은 화가 나서 병원에 입원까지 한 일화가 있다.

대사로서 나는 이들 연구기관의 연구원들과 긴밀히 접촉하고 이 연구소에 나가 연설도 자주해야 했다. 극동연구소 현관 입구에는 이 연구소에서 명예박사 학위를 받은 인사들의 사진들이 크게 걸려 있

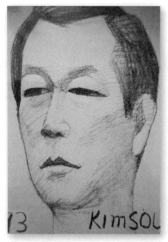

김흥수 화백이 러시아에서 그려준 나의
모습(1995)

다. 한양대학교의 유세희 교수와 한
승주 외무장관의 사진도 걸려 있고
일본의 나카소네 수상 등 많은 저
명인사들이 이 연구소에서 명예박
사학위를 받았다. 이 연구소에서 나
에게도 명예박사학위를 수여키로
결정(1995. 4. 6)하였다.

1995년 9월 15일 명예박사 수여
식에서 나는 '한반도의 평화와 안
정'이란 제목의 긴 연설을 했다. 티
타렌코 소장과 연구원들은 나의 연
설이 너무도 좋다고 박사논문의 기초가 될 수 있다고 평가하고 정치
학 박사후보로 만장일치로 지명했다. 이제 학위논문만 써서 발표하
고 질의응답(Defense)에 통과하면 정식 박사가 된다. 그리고 나면 나
의 논문을 100여 개의 연구소에 회람하여 3개월 동안 이의가 없으
면 러시아 과학원의 국가공인 박사가 되는 것이다.

반 이상이 겨울인 러시아의 밤은 길고도 길다. 이 긴긴밤 나는 타
자도 익히고 컴퓨터도 조작하며 잊을 수 없는 이야기와 중요한 자료
들을 입력하고 한러 관계 연설문도 작성했다. 그러다 보니 하나의
논문으로 발전했고 150페이지 상당의 논문이 만들어졌다. 내용은
'동북아 다자안보대화'에 대한 것이었다.

러시아에서는 박사학위를 받기 위해서는 영어시험과 철학시험에
합격해야 했다. 시험을 실시하는 연구기관도 정해져 있었다. 나는
영어시험과 철학시험에 다 합격했다. 영어시험은 내 실력으로 해결

됐으나 철학시험에 합격하는 데는 허 진 씨 등 우리 고려인 동포학
자들의 도움이 컸다. 그리고 내 논문을 러시아어로 번역하는 데는
러시아 외무성의 수히닌(Suhinin) 씨가 도와주었다. 나는 요약본과
더불어 논문을 제출하였다.

외교안보연구원과 IMEMO의 연례학술회의가 있는 1996년 10
월 나는 한국측 대표단장으로 모스크바를 다시 찾아갔다. 10월 24
일 나는 극동연구소에서 논문을 발표했다. 여러 연구기관의 학자들
이 모였고 질문도 많이 받고 잘 대답했다. 반론이 없이 나는 이 연구
소의 정치학 박사가 되었다. 그날 저녁 나는 러시아 외무차관을 비
롯하여 각 연구소 간부들을 만찬에 초청하여 축하와 감사의 자리를
마련했다.

그 후 요식 행위를 거쳐 러시아 과학원은 나에게 정치학 박사학
위증(1997년 3월 28일자)을 주었고 이 학위증은 학술회의 참석차 서
울에 온 티타렌코 소장으로부터 1997년 10월 27일 내 사무실인 외
교안보연구원 원장실에서 받았다. 이 자리에는 서병철 연구실장을
비롯한 연구원 교수들이 참가했다.

김대중 대통령과의 만남

내가 주 러시아 대사로 부임한 첫해 1994년 9월 26일 김대중 전
대통령 부부는 모스크바에 도착했다. 러시아에 와서 1년에 한 번씩
모스크바 대학교에서 강의를 하게 되어 있다고 했다. 김대성 특보가
선발대 책임자로 상당기간 전에 와서 여러 가지 일정을 수배하고 있
었다. 대사관으로서도 많이 도왔다. 김옥두 씨, 남궁 진 씨 등이 수행

김대중 전 대통령 내외분과 함께 모스크바 대사관저에서(1994. 10. 19)

해서 왔다. 도착하는 날 내가 공항에 마중을 나갔는데 러시아 공항 직원들의 부주의로 김대중 총재 일행이 이미 도착하여 짐을 찾고 있는 중이었다. 귀빈실을 마련해 두고 있었는데 이렇게 짐 찾는 곳에서 어색하게 인사를 하게 된 것이 김대중 전 대통령과의 첫 만남이었다.

김 총재는 29일 출발할 때까지 러시아 학계 중요인사들을 두루 찾아 만나고 모스크바 대학에서 강의(9월 28일)도 했다. 나도 모스크바 대학에 가서 그의 연설을 경청했다. 동양의 민주주의와 그 역사에 대한 강의였다. 나는 아침마다 호텔로 김 총재에게 인사를 갔다. 김옥두 씨나 남궁 진 씨들을 김 대통령을 몹시 어려워하며 다음 일정까지 시간이 있으면 나보고 김 총재 옆에 가서 이야기 상대를 하라는 것이었다.

한번은 '1939년 중앙아시아로 강제 이주된 고려인들을 다시 연해주로 귀환시켜 한국자치주를 만들어야 한다'고 주장하는 사람들이 한국 국회의원들 중에 있으나 나는 반대한다고 화두를 꺼내자 김 총재는 "대사의 생각이 옳다"고 하면서 "앞으로 전 세계가 하나의 지구촌으로 변해 가는데 우리 민족이 어디에 있든 그 위치가 문제가 되지 않는다. 중요한 것은 얼마나 잘 사느냐 하는 것이다. 지금까지 인연을 맺고 오랜 세월 기반을 잡아온 땅을 떠나 다시 생소한 연해주로 인위적인 이주를 한다는 것은 잘 되지도 않을 것이고 시대조류에 역행하는 것"이라고 설파했다. 나는 "과연 DJ"로구나 하고 감탄했다.

관저에서 만찬도 모시고 러시아 사람들을 초대한 김대중 총재 주최 만찬에도 참석했다. 김 총재 일행은 "행동하는 양심"이라고 새긴 볼펜 등 작은 선물들을 많이 가지고 왔다. 나도 그 볼펜에서 힌트를 얻어 김 총재가 한국의 '행동하는 양심' 그 자체라고 환영 연설을 했다.

두 번째 러시아 방문(1994년 10월 16일~21일)시는 공항 영접의 실수도 없었다. 그러나 도착하는 날 한식당 신라에서 저녁을 모셨는데 마침 우리 집 사람이 동석했다가 건강이 좋지 않아 그 자리에서 졸도하는 바람에 모든 사람들의 기억에 남는 저녁이 되고 말았다. 며칠 뒤 다시 대사관저에서 저녁을 하며 세상 얘기를 많이 했다. 그 후 김 대통령은 우리 부부의 이름을 넣어 '陽春布德澤 萬物生光輝'(양춘포덕택 만물생광휘)라는 휘호를 써서 보내주었다. 기원 6세기 후 양나라 때 상서복사(尙書僕射)로 있던 심휴문(沈休文)의 長江行 중에서 따온 글로서 "따뜻한 봄이 그 덕화를 베풀면 모든 생물이 화려한 빛을 낸다"는 뜻이다. 김 총재의 두 차례 러시아 방문에 수행했던 박금옥 비서관은 이 글씨가 앞으로 대단히 값진 재산이 될 것이라고 강조하기도 했다.

이러한 인연으로 김 대통령과 알게 되었으나 그 이후로 만나지를 못하였다. 김대중 총재가 다시 대통령으로 입후보하고 선거운동 중이던 1997년 12월 초 나는 우리 아들의 결혼식 청첩장을 김대중 후보에게 보냈다. 그 후 12월 20일 김 총재는 대통령으로 당선되고 그 이튿날 우리 아들 결혼식에 김대중 대통령 당선자 명의로 축화(祝花)를 보내왔다. 주위의 사람들이 잘못 온 것이 아닌가 하고 의아해 했다. 결혼식장에 세워둔 오직 하나의 축화였다.

그리고 김대중 대통령을 직접 만난 것은 내가 주일대사로 발령을 받고 신임장을 받기 위해 청와대에 가서였다. 그 후 나는 공관장회의 때마다 서울에 와서 김 대통령을 만났고 일본에 국빈방문차 오셨을 때도 며칠간 가까이서 김 대통령을 수행했다. 그러나 김 대통령은 한마디도 러시아 때의 이야기를 하지 않았다. 물론 나도 그랬다.

내가 외교부를 은퇴한 후 2000년 10월 27일 김 대통령은 이홍구 전 주미대사, 권병현 전 주중대사와 이인호 전 주 러시아 대사와 나를 청와대 오찬에 초대해 대사 재임시의 노고를 치하해 주었고 우리는 김 대통령의 노벨평화상 수상을 축하했다.

나는 노벨평화상 위원장이 김 대통령에 대한 수상자 지정 발표시 "김 대통령이 이웃나라 특히 일본과의 관계개선에 힘을 썼다"고 한 것을 상기시켰던바 김 대통령은 "참 그랬었지. 김 대사가 수고 많았어"라고 했다. 이렇게 러시아에서 시작된 나와 김대중 대통령과의 인연은 끝났다.

현대전자 연수단 인질사건

붉은 광장에서 일어난 인질사건

1995년 10월 14일 토요일 외출에서 늦게 돌아오자 최혁(崔革) 공사로부터 전화가 왔다. 현대전자 해외 연수단 일행이 크렘린 광장에서 괴한에게 인질로 잡혀 있다는 보고였다. 급히 대사관으로 갔다. 오후 6시가 조금 지난 시간이었다. 대사관에는 휴일인데도 최혁 공사를 위시한 관계직원들이 모두 나와 사태에 초동대처하고 있었다. 나는 즉시 최혁 공사 지휘하에 비상 대책반을 대사관에 구성 본부와의 연락 언론대책 및 인질 석방 후의 조치에 대비하도록 지시하고 나는 현대전자 연수단이 잡혀있는 현장으로 달려갔다.

우리 대사관에 사건발생을 가장 먼저 전화로 보고해 온 사람은 현대전자 노사합동 연수단 단장인 박연수 부장이었다. 그리고 사후에 여러 사람의 이야기들을 종합해 보면 사건 발생 초기 상황은 대략 다음과 같았다.

10월 14일 오후 5시 30분경 모스크바를 관광 중이던 현대전자 연수단 일행 26명과 서울에서 함께 온 가이드 1명과 현지 한국인 가이드 1명 그리고 러시아인 운전사까지 29명 전원이 크렘린 궁과 붉은 광장, 바실 성당의 관광을 끝내고 승차하여 와자지껄 떠들고 러시아의 가을해가 뉘엿뉘엿 기울어질 무렵이었다.

스키모자 같은 복면을 쓴 남자가 버스 뒷문으로 올라탔다. 한 손에는 권총을 들고 현지 가이드인 서현수 씨를 겨냥하며 앞자리로 가서 무어라 소리쳤다. 서현수 씨의 통역으로 차의 커튼을 치라는 소리였음을 알았다 한다. 그때까지도 일행은 괴한은 한 명이고 일행은 모두 29명이나 되며 모스크바 중심의 크렘린 앞이고 경찰이 사방에 왔다 갔다 하는 터라 인질로 잡히리라고는 생각도 하지 않았다. 일행이 웃으며 웅성거리고 있자 괴한은 버스 천장에 공포를 쏘았다. 천장에 구멍이 뚫리지 않은 것으로 보아 공포탄이란 걸 알았다 한다. 그제서야 일행은 사태의 심각성을 직감하고 차창 밖의 러시아 행상들에게 위급사항을 알리려 갖은 시늉을 다했다. 눈치 없는 행상들은 물건 사라는 시늉만 했다. 인질범이 일행을 버스 뒤쪽으로 몰았고 우왕좌왕 하는 사이에 박연수 단장과 김옥례 여직원이 뒷문으로 탈출했다. 버스 안 사태를 짐작한 다샤(Dasha)라는 러시아 여자 행상 한 사람을 만나 세 사람은 인근 경찰서에 신고를 했다. 그리고 대사관으로 찾아와 그간의 사정을 보고했다.

현장에서의 석방 교섭

내가 현장에 도착한 것은 저녁 7시경, 현장에는 이미 경찰의 출입 금지 구역이 설치돼 있었다. 대사 신분을 밝히고 안으로 들어가자 평소 친분이 있는 루쉬코프(Rushkov) 모스크바 시장이 이미 나와 현장을 지휘하고 있었다. 태연하고 신중하게 사태를 파악하고 지휘하는 루쉬코프 시장이 그의 당찬 체구만큼이나 믿음직스러웠다. 버스는 레츠키 다리 위에 서 있었다. 루쉬코프 시장은 나에게 사태해결에 시간이 좀 걸릴 텐데 모자도 없이 그 복장으로는 안 되겠다고 하며 자기 털모자를 한번 써보라고도 했다. 나는 가장 중요한 것은 사람의 인명이니 한국 인질들이 한 사람이라도 상하는 일이 없도록 해 달라고 당부에 당부를 거듭했다. 그리고 관저로 돌아와서 철야할 방한복으로 갈아입고 현장으로 되돌아갔다.

현장에는 국내외 기자들과 TV 카메라들이 무수히 모여 있었다. 미국 CNN은 시시각각으로 사태를 보도했다. 루쉬코프 시장은 나에게 다가와서 "엎드려, 엎드려" 하면서 자기 발음이 어떠냐고 물었다. 채수동 총영사와 안기부의 조성우 참사관이 발음을 교정해 주기도 했다. 나는 직감적으로 무력진압계획을 세우고 있음을 눈치 챘다. 마침 모스크바의 첫눈이 내리기 시작했다.

인질범과의 협상이 시작되었다. 러시아 측은 하얀색 긴 코트를 입은 두 사람을 내세워 이들이 레츠키 다리 위에 서있는 버스를 오가며 돈 가방을 건네주곤 했다. 그리고 은행 현금 수송차가 왔다 갔다 했다. 루쉬코프 시장은 인질범이 100만 달러를 요구하고 있다면서 이런 일에 대비해 항상 현금을 준비해 놓고 있다고 어깨를 으쓱해 보였다. 돈이 오갈 때마다 인질들의 일부가 풀려났다.

버스안의 사정을 들어 보면 이러했다. 범인은 "나는 카프카스 출신의 러시아인이다. 폭탄을 가지고 있다. 조용히 있으면 아무도 해치지 않지만 딴 짓을 하면 단추를 눌러 폭파시키겠다. 필요한 것은 100만 달러와 비행기다. 지금 동생가족과 내 자식이 인질로 잡혀있어서 돈이 필요하다. 돈만 받으면 난 떠나고 당신들은 무사할 것이다"라고 우리를 안심시키기도 했다. 일행 중 한 사람이 먼저 탈출한 사람들이 행방불명이 되었으니 찾아보겠다고 하자 범인은 그러라고 하며 순순히 내보내 주기도 했다. 시간이 얼마간 흘러 범인과 현대전자 직원들도 안정을 찾아 담배도 피우고 화장실도 가곤 했다.

범인은 9시경 1차적으로 건네준 돈(100달러 다발 40여 개쯤 되는 것으로 보였다고 한다)을 받고 여자 인질 9명을 풀어주었다. 그리고 나머지 돈을 가져오겠다고 하자 남자인질 3명을 더 풀어주었다. 모두가 먼저 풀려나고 싶었겠지만 서로가 양보하는 차분한 분위기로 버스에 앉은 순서대로 나왔다 한다. 그 후에도 두 차례에 걸쳐 8명이 더 석방되었다. 밖에서 기다리던 우리는 협상이 효력을 보이고 있구나 하는 생각으로 다소 안도했다.

이제 남은 사람은 러시아인 운전기사와 유학생 통역 서현수 씨 그리고 맨 뒤에 앉았던 김기호 과장과 윤창수, 임칠성 그리고 유영철 씨의 6명이었다. 이러한 와중에서도 이성을 잃지 않고 서로 양보해 가면서 자신이 희생되는 한이 있더라도 다른 사람들을 구출하겠다는 이들 마지막 인질들의 희생정신은 귀감이 될 만했다. 시간은 자정을 20분쯤 넘었을 때다. 나머지 돈이 일요일이라 늦어지고 있다고 하며 시간을 끌었다.

날씨는 영하로 내려갔다. 러시아 경찰은 필요한 것이 없느냐고 버스 안을 향해 물었다. 덮을 것과 먹을 것을 달라고 했다. 경찰은 조금 있다가 이불을 갖다 주었다. 그리고 잠시 후 커피와 과자도 갖다 주었다. 그러면서 버스안의 동정과 한국인들의 앉은 자리를 확인하는 듯했다 한다. 이 커피는 대사관에서 바로 인근 러시아 호텔에서 사서 가져다 준 것이다.

"엎드려"로 끝난 인질극

한편 레츠키 다리 밑에서는 러시아연방 보안부의 대테러특수부대인 알파부대와 특수경찰인 '오몬' 요원들이 모의 진압훈련까지 하면서 무력진압계획을 준비하고 있었다. 나는 루쉬코프 시장에게 다가가 "러시아 측의 진압계획에 반대할 의사는 없으나 한국인 인질의 생명이 다치지 않도록 최선을 다해주기 바란다"고 거듭 강조했다. 루쉬코프 시장은 대답 대신 내 손을 꼭 쥐었다. 영하의 기온 속에서도 그의 손은 따뜻했다. 새벽 2시 45분경 협상담당 경찰이 돈 가방을 범인에게 건네주기 위해 버스운전석으로 접근하는 반대편으로 버스차창과 높이가 같은 무개차량에 위장한 특수요원들이 타고 버스로 접근해 갔다.

범인이 돈 가방을 건네받고 서현수 씨가 가방을 여는 순간 버스의 다른 쪽에서 특수부대요원이 도끼로 버스 유리창을 부수고 버스 안에 연막탄을 터뜨렸다. 그리고 특수 요원들이 그대로 버스 안으로 들어가 한국말로 "엎드려"라고 고함지르며 이 말을 알지 못해 서 있는 범인을 총살했다. 순식간의 일이었다. 진압작전은 21초 만에 완료되었다 한다. "엎드려"라는 소리에 우리 한국인질들은 납작하게 엎드렸고 무사했다. 모든 인질이 버스에서 내렸다. 새벽 3시로 기억된다. 9시간 17분간의 인질극이 한 사람도 다치지 않고 끝났다. 나는 루쉬코프 시장과 현장에 있던 러시아 관계자들에게 일일이 감사하다는 인사를 한 후 대사관으로 돌아왔다. 그리고 서울 외무부장관 공관으로 공노명 장관에게 "상황 끝" 보고를 했다.

풀려난 현대전자 직원들에게는 서울 가족에게 전화하라고 대사관 전화를 개방했다. 그리고 라면을 준비해 이들의 허기를 채워주었다. 우리 특파원들의 인터뷰와 한국에서의 전화인터뷰에 응하고 뒷정리를 하다 보니 벌써 10월 15일 아침이었다.

감사의 편지

그 후 10월 27일 나는 귀국한 박연수 단장으로부터 한 장의 편지를 받았다. 편지 내용은 대략 다음과 같다.

"김석규 대사님께

대사님 안녕하십니까? 저는 지난 10월 14일 발생한 버스인질사건에 억류되었던 현대전자 노사합동연수단의 단장을 맡았던 박연수 부장입니다. 사건 초기 제가 버스에서 탈출해 우리 대사관에 전화를 걸어 대사관 직원과 통화가 되었을 때의 흥분은 그동안 사지가 부들부들 떨렸던 상황에서 안도할 수 있는 최초의 기쁨이었습니다. 대사관을 찾아 문을 열고 사무실에 들어서자 공사님을 비롯한 직원들께서 다정히 맞아주었을 때에 이제는 살았다는 확신을 가졌습니다. 곧 버스에 갇혀 있는 우리 직원들의 안전문제에 관해 미리 나와 계셨던 공사님께 말씀드리는 중에 바로 대사님께서 성급히 들어오시는 것을 보았습니다.

저는 대사님의 얼굴에서 우리 직원들의 신변을 생각하시는 근심스럽고도 당혹스러운 표정을 짓고 계신 것을 느꼈지만 한편으론 대사님이야말로 인질로 갇혀 있는 우리 직원들이 무사하게 풀려날 수 있도록 도움을 줄 수 있는 유일한 분이라 믿었습니다. 그것은 토요일 늦은 시간에도 불구하고 그렇게 빨리 대사님께서 대사관에 나오신 것과 정황파악을 하신 후 긴급히 사건현장에 가시는 것을 보고 이제는 우리 모두가 안전하게 풀려날 수 있다는 믿음을 다시금 갖게 되었지요. 그 믿음은 헛되지 않았습니다. 순차적으로 저희 직원들이 풀려나 대사관으로 들어왔습니다. 들어오는 모든 사람에게 남아있던 대사관 직원들 모두가 그들을 따뜻하게 대해주고 음료 식사는 물론, 그들 모두가 무사하다는 전화를 고국에 할 수 있도록 각별한 배려를 해주었습니다.

마지막까지 버스에 남아있던 현지 안내원과 우리 직원 4명이 무사히 구출되었다는 소식에는 모두가 환호하였고 저도 모르게 두 손을 꼭 쥐고 감사를 드렸습니다. 대사님께서 안도의 표정으로 상기되신

채 대사관에 들어오시어 그 동안 진행되었던 상황을 자상히 설명하시던 모습을 잊을 수가 없습니다. 대사관 내 직원 모두가 특히 최혁 공사님을 위시하여 사태해결을 위해 대내외 관련기관 및 보도진들과 열성을 다해 일사불란하게 일하시는 그 모습에서 우리는 진정으로 공무원에 대한 그릇된 편견을 지울 수가 있었으며 대다수의 공직자 분들이 우리 국민들을 위하여 열심히 일하고 계시다는 것을 확인할 수 있는 계기가 되었습니다. ─ 중략 ─ 대사님 진심으로 저희 연수단 모두가 대사님과 대사관 직원 모든 분께 감사를 드리며 연수단을 대표해서 졸필이나마 이 글을 삼가 올립니다.

1995.10.27

현대전자 노사합동 연수단장

박 연 수 올림 "

얼마 후 나는 서울로부터 당시 현대전자 정몽헌 회장으로부터 전화를 받았다. 인질사건을 잘 수습해 주어 감사하다는 말을 했다. 그리고 이번 사건해결에 관련된 러시아 사람들에게 무슨 선물을 해야 할지 홍삼은 어떨지 하며 나의 의견을 물었다. 나는 "소나타 자동차가 좋을 것 같다"고 홍삼과는 거리가 먼 대답을 했다. 정 회장은 자신이 너무 소홀한 선물을 말한 것이 쑥스러웠던지 당장에 "좋습니다. 몇 대면 되겠습니까?"하고 물었다. 나는 루쉬코프 시장을 비롯해 보안부대장 그리고 알파부대에 1대씩 기증하면 3대가 필요하겠다고 대답했고 정 회장은 흔쾌히 응낙했다. 얼마 후 현대전자 사장이 모스크바에 와서 루쉬코프 시장실에서 소나타 자동차 기증식을 가졌다. 그리고 우리 정부는 이 사건처리에 투입된 특수부대인 알파부대요원들을 방한초청했고 이들은 방한 중 현대전자를 방문 푸짐한

선물도 받고 돌아왔다. 나도 이들과 악수할 기회가 있었는데, 모두
가 190cm의 장신에 손은 마치도 솥뚜껑 같았다.

그리고 나는 10월 15일 오전 10시 30분 러시아 외무성 파노프 (Panov) 차관으로부터 다음과 같은 전화를 받았다. "인질사건 발생에 대해 러시아 정부를 대표해 유감스럽게 생각하며 사과의 뜻을 전한다. 사건 대처 과정에서 한국대사관측이 보여준 긴밀한 협조에 감사한다." 그리고 "한국인 인질들이 어려운 상황 속에서도 용기를 잃지 않고 끝까지 침착하게 행동한 사실을 높이 평가한다"고 덧붙였다. 나도 러시아 정부와 관련기관의 신속한 대응으로 한 명의 희생자도 없이 구출되었음에 깊이 감사하고 특히 루쉬코프 시장의 진두지휘와 용감한 특공대원들이 진압작전에 찬사와 경의를 표한다고 대답했다.

동경에서 마무리한 긴 여행

주일대사의 중임을 맡고

나는 국민의정부 초대 주일대사의 중임을 맡고 1998년 5월 17일 동경에 부임했다. 그리고 일본 천황에게 6월 26일 신임장을 제정했다.

한국과 일본은 인접국으로서 1500년이 넘는 교류의 역사 가운데서 임진왜란, 정유재란 7년과 20세기 초 일본의 한반도 강점, 식민지배 36년간의 불행했던 시기를 제외하면 문물의 교류가 빈번했던 이웃이었다. 쇄국정책이었던 도쿠가와 시대에도 12차례나 조선 통신사가 일본을 방문한 교류의 역사를 가지고 있었다(김대중 대통령의 일본 국회 연설 참조-1998.10.8.).

그러나 오늘날 우리 국민들에게는 '일제 36년'이라는 한(恨)과 반일의 감정이 대(代)를 이어 지워지지 않고 있다. 그리고 이따금 문제가 되고 있는 일본의 역사교과서 왜곡이나 총리의 야스쿠니 신사 참배 문제 등으로 치유될 듯하던 상처가 다시 도지는 악순환을 거듭해 온 것이 또한 한일관계라 할 수 있다.

한일 두 나라는 1965년 국교정상화 이래 시장경제와 민주주의의 가치관을 공유하면서 정치, 경제, 사회, 문화의 모든 부문에서 지속적으로 우호 협력관계를 발전 강화시켜 왔다. 냉전시대에는 같은 편에 섰고 미국을 축으로 방위동맹을 공고히 하면서 안보적 유대 또한 지속적으로 견지해 왔다. 그리고 일본은 유엔을 비롯한 모든 국제사회에서 우리의 대북 대결외교를 도와주었다. 무엇보다 일본은 우리 경제가 발돋움하는 초기 시절부터 필수불가결했던 지원자요 동반자였다. 그러나 20세기가 막을 내리는 순간까지도 양국 국민들 가슴 속에 남아있는 반일과 혐한(嫌韓)의 앙금은 씻겨지지 않았고 과거사와 관련된 작은 사건 하나에도 한일관계 전체가 흐려지기 일쑤였다.

김영삼 대통령 말기의 한일관계는 대단히 어려운 상황이었다. 일본은 30여 년간 양국 간의 해양질서를 유지해 온 어업협정을 1년 후에 파기한다고 통보해 왔다. 한국 대통령은 중국 국가주석을 맞이한 자리에서 일본을 같이 비난했다. 그리고 일본의 "버르장머리를 고쳐 놓아야 한다."는 김영삼 대통령의 말은 오랫동안 일본사람들의 마음을 상하게 했다. 우리 정부는 일본인들이 가장 싫어하는 종군위안부 문제를 국제회의에서 자주 거론했다. 이와 같이 어려운 한일관계 속에 나는 새로 출범한 김대중 정부의 초대 대사로 부임했었다.

한일관계 개선을 위한 노력

나는 어려운 한일관계 개선을 위해 몇 가지 외교목표를 정하고 노력했다. 첫째 역사인식의 문제에 있어 대립보다 이해의 방향으로 나아가도록 해보자. 둘째 새 어업협정체결 등 현안 문제들을 조속히 해결하자. 셋째 동북아 정세 속에 있어 한일 안보협력을 강화하고, 넷째 월드컵 공동개최와 국민교류의 새로운 장을 열자. 그리고 재일 동포의 권익을 좀 더 신장하자는 것이었다.

무엇보다도 당시 일본과의 관계개선에 물꼬를 튼 것은 김대중 대통령의 취임 후 얼마 되지 않아 밝힌 일본군 위안부 문제에 대한 우리 정부의 입장 정리다. 한국정부는 정부 차원에서 이 문제를 일본 측에 제기하거나 국제회의에서 먼저 거론하지 않을 것이라고 천명했다.(다만 개인이나 단체의 일본정부에 대한 배상요구에는 영향을 주지 않는다고 밝힘) 그리고 김 대통령은 일본 왕을 천황이라고 부르기로 했다. 이러한 김 대통령의 조치들은 일본 조야와 국민에게 긍정적이고 호의적 인상을 주었고, 1998년 10월 김 대통령의 성공적 일본방문을 예약했다.

김대중 대통령의 일본 국빈 방문과 한일 파트너십 공동선언

내가 주일 대사로 재임하는 동안 가장 중요하고 기억에 남는 일은 역시 1998년의 김대중 대통령의 일본 국빈 방문이었다. 김 대통령은 일본 정부와 국민의 각별한 환대를 받았고 일본 언론에서도 그 성과를 높이 평가했다. 일본 양원 합동회의에서 연설은 이 방문의 백미였다.

이때 발표한 '21세기의 새로운 한일 파트너십 공동선언과 행동계획'은 1965년 국교정상화 이후 가장 중요한 문서의 하나라고 할 수 있다. 이 공동선언에서 양국정상은 확고한 선린우호관계를 구축해 나가기 위해서는 "과거를 직시하고 상호이해와 신뢰에 기초한 관계를 발전시켜 나가는 것이 중요하며, 양국 국민 특히 젊은 세대가 역사에 대한 인식을 심화시키는 것이 중요하다"고 견해를 같이한 바 있다.

물론 대통령의 한 차례 방문으로 어려운 한일관계가 완전히 해결되었다고는 할 수 없다. 그러나 1998년 김 대통령의 방일은 한일관계의 여러 부문에서 좋은 결과를 가져왔다. 한국을 찾는 일본 관광객이 늘어나고 한국 문화에 대한 일본인들의 관심이 더욱 높아졌다. 무엇보다도 김 대통령이 귀국 후 지체 없이 제1차 일본대중문화 개방조치를 취한 데 대해서는 그 용기와 신속함을 높이 평가했다.

정부 간에도 한일 우호의 새 출발이라는 대전제 아래 어려운 문제들을 잘 풀어 나갔다. 1999년 초 어업협정 발효 즉시 한국어선 4척이 신협정 위반으로 일본 해상경비대에 나포된 일이 있었다. 당시 김봉호 국회부의장이 일본을 찾아와 석방교섭을 벌였다. 다케시타 전 총리(한일 의련 일측 회장)와 오부찌 총리 등의 배려로 실정법을 위반하여 현장에서 나포된 우리 어선을 불기소 처분하여 석방해 주었다. 어렵게 체결한 어업협정 시행 초기의 우호적 분위기를 살리려는 노력이 돋보였던 조치였다. 그리고 어업협정 체결 후 1년간의 입어 조건을 교섭하는 가운데 우리는 '쌍끌이' 쿼터 문제를 누락한 것을 최종합의서 서명이 끝나고 대표단도 귀국한 후 뒤늦게 알고 일본 측에 구차하게 추가협상을 요구한 일이 있었다. 일본은 우리의 요구를 들어주었다.

그리고 양국 총리를 수석으로 하고 다수의 관계각료가 참가하는 한일 각료간담회가 일본의 가고시마와 한국의 제주도에서 연차로 개최된 바 있다.

일본 정계에는 아직도 일제 강점기 한국 민이 겪은 어려움을 기억하는 원로들이 있었고 한국에도 김종필, 박태준 총리 등 일본 정계에 인맥이 두터운 지도자들이 있어 양국간의 어려운 문제들도 걸

잡을 수 없게 표면화되기 전에 물밑 접촉을 통해 해결하기도 했었다

소위 DJ-오부치 선언으로 불리는 1998년의 한일 파트너십 공동 선언이 채택된 지 20주년이 지났다. 그 역사적 선언을 손질하며 밤 새우던 그때 그 중심에 대사로서 근무했음을 자랑스럽세 생각한다. 지금도 잊을 수 없는 것은 누구보다 친한적인 오부찌 총리의 모습이 다 외상으로 임명되자 가장 먼저 한국을 방문했고 총리 때도 제주도 를 거쳐 서울을 찾아왔고 동경에서 가끔 대사인 나에게 전화를 해서 어려운 것 없냐고 묻기도 했다. 그리고 대사관에서 요청하면 바쁜 가운데도 한국의 주요 인사들을 늘 접견해 주었다. 고마운 분이다.

한일관계의 후퇴

2001년 일본의 중등학교 역사 교과서 왜곡문제와 고이즈미 총리 의 야스쿠니 신사참배로 어렵게 호전된 한일관계가 1998년 이전 상 태로 후퇴하는 듯했다.

한국대표들은 제네바 인권위원회에서 일본의 군대위안부 문제를 다시 거론 비난했다. 한국정부는 예정되었던 제4차 일본 대중문화 개방을 무기 연기하고 군사교류를 중단했다. 학생교류와 자매결연 도시 간의 연례행사 등 민간교류도 중단 또는 무기 연기되었다.

화려하게 출발했던 김대중 대통령의 한일관계도 후반기 이르러 이렇게 후퇴해 갔다. 그래도 한일 양국이 공동 개최한 2002년 월드 컵이 이러한 한일관계에 새로운 활력과 햇살을 비춰 준 것은 다행스 러운 일이었다.

한일관계가 서로의 이해와 노력으로 과거의 상처를 괄호 안에 봉

인하고 미래를 향해 더욱 굳건하게 발전되어 나가기를 바라면서 나는 동경을 떠났다. 고노 요헤이 외상과 동경 시내 구석진 일식집에서 석별의 술 한잔을 나누던 것이 잊혀지지 않는다. 나는 주일 대사를 끝으로 2000년 6월 30일 40년의 외교관 생활을 마감했다.

내 생일을 축하해 준 일본 천황

내가 주일대사로 임명되자 주위에서는 의외의 인사라는 평이 많았다. 일본말을 잘못 할 텐데, 일본 근무가 전혀 없는데 하며 고마운 걱정을 듣기도 했다. 이러한 걱정이 기우라는 것을 알게 해주리라 다짐하며 동경에 부임한 것이 1998년 5월 17일이다.

일본 천황에게 신임장을 제정할 때부터 나는 일본말로 인사를 하고 간단한 대화를 나누었다. 그때가 파리에서 월드컵이 한창이고 그날 밤 일본과 자메이카의 대전이 있을 때다. 천황에게 축구이야기를 하며 일본팀을 응원하겠다고 약속했다. 그 후 몇 개월이 지나 외교단이 천황에게 인사하는 행사가 있었는데 천황은 나에게 다가와서 그때 자메이카에게 졌다고 나와의 대화를 상기시켜 주었다.

내가 본국 귀임 발령을 받고 2000년 3월 10일 천황에게 이임 인사차 우리 내외는 황궁으로 갔다. 천황 내외는 내가 주일대사로 있는 동안 수고했다고 하면서 그간의 일들을 이야기했다. 한참 후 천황이 눈짓을 하니까 방문이 열리며 시종이 샴페인 잔을 받쳐 들고 들어왔다. 천황은 "오늘이 마침 대사의 생일이니 축배를 나눕시다" 하며 나를 놀라게 했다. 일본에서는 천황의 생일이 곧 국경일인데 천황으로부터 내가 생일 축하를 받으니 그 감회가 특별했다.

주일대사의 힘

동경 외교단에는 일본말을 잘하는 대사들의 모임인 헤이세이카이[平成會]가 있다. 평성(平成)이란 것은 천황의 연호를 딴 것이다. 회원은 러시아 대사, 페루 대사 등 나를 포함하여 6~7명에 불과했다. 총리가 한번은 특별히 우리 회원들을 만찬에 초대해 대사들의 일본어 학습을 고취시킨 바도 있다.

동경에서 한국 대사는 다른 어느 나라보다 중요한 대사다. 외무성의 외무차관을 비롯한 실무책임자는 언제든지 만날 수 있다. 일본 정치 지도자들을 비롯하여 중의원이나 참의원 의원들도 한국대사라면 잘 만나 주었다. 그만치 일본으로서도 한국과의 관계가 특별하고 중요하기 때문이다. 동경에서는 미국 대사, 한국 대사, 러시아 대사, 중국 대사 정도가 대접받는 대사라고 말해도 크게 틀리지 않을 것이다. 그런데 한국 대사가 다른 대사들보다 더욱 힘이 있는 것은 60만 명이라는 우리 동포의 힘이 있기 때문이다. 9개 지역에 총영사관을 가진 나라는 한국뿐이다. 각 지방마다 민단이 있고 친선협회가 조직되어 대사가 한번 출장가면 환영도 대단하고 할 일도 많다.

내가 대사로 봉직하던 그 때가 한일관계도 가장 좋았던 시절이라고 자부하고 싶다. 한일정상회담의 합의에 따라 가고시마에서 제1차 한일각료간담회를 개최했다. 가고시마에는 우리 조선도공의 후예들이 지금도 훌륭한 도기를 만들고 있다. 그 중 대표적인 이야기를 잠깐 살펴보자.

조선 도공의 후예, 심수관

1598년 정유재란에 참전한 사쓰마〔薩摩〕 번주(藩主)인 '시마쓰 요시히로〔島津義弘〕'가 약 80명의 조선 도공(陶工)들을 데리고 일본으로 돌아갔고 그중 40여 명이 가고시마〔鹿兒島〕에 상륙하였다. 그 가운데는 심수관(沈壽官) 가의 초대(初代) 심당길(深當吉)도 포함되어 있었다.

초대 심당길 이후 그의 자손들은 사쓰마 번주의 보호와 지원 속에 이조 자기의 흐름과 기술을 닦아서 세계적으로 유명한 사쓰마 야끼〔薩摩燒〕로 발전시켜 나갔다. 특히 12대 심수관은 오스트리아 만국박람회에 대화병(大花甁) 한 쌍을 출품하여 참관자들의 절찬을 받았고, '사쓰마 웨어'라는 이름은 일본 도자기의 대명사처럼 되었고, 미국을 비롯한 세계 도처에 수출의 길이 열리게 했다. 내가 만난 14대 심수관은 일본의 명문 와세다 대학을 나왔다. 70대의 고령에도 작품 활동에 정력적으로 몰두하고 있었다. 특히 조선도공이 일본에 온 지 400년이 되는 해를 기념하기 위한 여러 가지 한일 우호증진 사업에 열을 올리고 있는 그는 정녕 조상의 고향을 잊지 못하는 우리의 핏줄이었다.

오부찌 총리도 와세다 동문인 심수관 씨와 친교가 두터웠고 1998년 11월 말 제1차 한일각료 간담회를 가고시마에서 개최한 것도 심수관 씨가 있는 곳을 택한 것이다. 우리 대표단들은 400년 동안 이역 땅에서 조선의 도예를 세계적인 '사쓰마〔薩摩〕' 도자기의 예술품으로 승화시킨 심수관 씨의 집을 방문하여 접시에 그림도 그리고, 그릇도 빚었다. 나의 어설픈 솜씨로 만든 그릇도 400주년을 기념하

15대 심수관 선생(왼쪽에서 두 번째)과 내가 만든 도자기 작품 앞에서(1998. 12. 16 동경대사실)

는 도예가들의 작품과 같이 특별히 새로 만든 가마에 들어갔다. 도공의 고향, 한국 남원에서 채화한 불을 이 가마에 지폈다. 나는 '한일우호의 불꽃'이라고 새겨진 점화대에 붙여진 이 불꽃이 오래오래 더 힘차게 타오르기를 빌었다. 한 달 후 심수관 씨는 내가 빚은 그릇이 잘 구워 나왔다고 동경으로 가져왔었다.

외교 통상부를 떠나며 |

통일외교의 새 시대는 여러분의 몫(정년 퇴임사)

외교통상부의 동료 여러분,

1959년 고등고시 11회 행정과 3부(외교)에 합격하여 새로운 장래에 대한 보라색 꿈을 엮어보던 것이 어제 같습니다. 이제 정든 외무부를 떠납니다. 그리고 새로운 삶을 시작합니다. 졸업을 Commencement라고 하는 이유를 알 듯합니다.

실로 긴 세월이 왜 이리도 짧게만 느껴지는지, 사무관으로 시작하여 대사로 끝날 때까지, 거의 40년이 주마등같이 지나갔습니다. 개발경제시대, 대북 경쟁외교 시대, 체제홍보시대, 탈냉전의 4강 외교 시대를 거치면서 나름대로의 작은 역할을 할 수 있었음을 고맙고 자랑스럽게 생각합니다. 이제 통일외교의 새 시대를 열어나갈 여러분들에게 성원과 박수를 보낼 차례인 것 같습니다.

지난 시대를 보내면서 분명히 보아온 것은 외교부의 일이 더욱 중요해지고, 외교부 직원들이 우수해졌다는 것입니다. 누구도 필수불가결한 존재일 수 없고 영원할 수 없습니다. 우리의 뒤를 이어 이 외교부를 맡아 갈 후배 일꾼들을 위하여 오늘 우리가 무엇을 할 수 있었느냐에 보람을 찾아야 할 것입니다.

이 직장을 떠나면서 무한한 감사를 드립니다. 이 직장에 몸담음으로써 세 아이들을 교육시키고 소시민적인 생활이나마 할 수 있게 되었음에 감사합니다. 또한 이 직장에서 일할 수 있었기에 무한한 자부심도 가질 수 있었습니다.

이제 탯줄과도 같은 이 외교부를 떠나 새로운 또 하나의 시작을 합니다. 여러분들의 도움을 바랍니다. 여러분들과 우리 외교통상부를 사랑합니다. 감사합니다. (2000년 7월 3일(월) 15:00시 외교통상부 회의실)

잊을 수 없는 사람들

김용식 대사와 나

내가 김용식(金溶植) 장관을 처음 만난 것은 1963년 외무부 의전 장실에 근무할 때다. 나의 중요한 일 중의 하나가 주한 외국대사를 비롯한 외빈들이 장차관을 만나러 오면 아래층 현관에서 마중하고 장차관실까지 안내하는 일이다. 장차관실을 자주 들락거리다 보니 비서실 사람들과도 낯이 익게 되었다. 이런 인연으로 나는 1963년 김용식 장관의 수행비서관으로 일하게 되었다.

당시 외무부 장관은 순화동에 공관을 가지고 있었다. 나는 아침 이면 순화동 공관으로 출근해서 거의 모든 외부 일정을 수행(隨行) 하고 장관이 퇴근해야 집으로 갈 수 있었다. 장관 부부는 윤기라는 유치원에 다니는 어린 막내아들과 같이 살았다. 이 아들을 끔찍이도 사랑했다. 그리고 부인 박경희 여사는 서울 음대 성악과에서 강의를 하게 되었는데 동회(洞會)관계 서류 및 이력서 등 필요한 구비서류 들을 내가 만들어 제출했다.

한번은 외무부가 주한 언커크 대표단을 초청하여 부산 해운대에 서 진해까지 구축함으로 항해하는 행사가 있어 장관을 수행했다. 장 관 부부가 아침에 해변을 산보할 때 나는 어린 윤기를 돌보는 담당이었다. 바닷가를 산책하며 전복회를 풋고추와 같이 먹는 장관 옆에서 군침을 흘린 기억이 지금도 지워지지 않는다. 그 후 나는 대사가 되어 그 해운대 해변에서 회를 실컷 먹어보았지만 옛날 생각 같지 않았다. 나는 수행비서관으로 때로는 야단도 많이 맞았지만 궂은 일 좋은 일을 도맡아 잘 해냈다. 오래지 않아 1963년 12월 김 장관은 무임소 장관으로 가고 정일권 장관이 왔다. 나는 정 장관의 수행비서관으로 계속 일했다. 그러나 틈틈이 무임소 장관실에 가서 김 장관을 뵙고 비서실일도 도와주곤 했다.

그 후 1964년 김 장관은 주 유엔 대사로 나가고 나는 멕시코에서 첫 해외근무를 시작한다. 멕시코에서 우리나라에서는 처음으로 미주지역 재외공관장회의가 개최되었다. 남북미 대륙의 공관장(김현철 주미, 김용식 주 유엔, 백선엽 주 캐나다, 박동진 주 브라질, 배의환 주 아르헨티나, 오천석 주 멕시코 대사)들이 참석하고 이동원(李東元) 외무장관이 주재했다. 멕시코 태평양 연안의 명승지 아카풀코에서 열린 이 회의는 말이 회의지 하나의 멋진 휴가였다. 호텔예약, 회의장 및 만찬준비, 교통편 주선 등 제반 사항을 준비하느라 나는 옛날 의전실에서 배운 실력을 한껏 발휘했다. 이곳에서 옛날 상관인 김용식 대사를 반갑게 만났다.

나는 멕시코 근무 후 서울에 와서 국제기구과 통상1과와 차관비서관을 거쳤다. 그리고 1970년에 주스페인 대사관을 창설하여 마드리드에 근무하고 있었다. 당시 대통령 특보로 있던 김용식 대사는 1971년 6월 외무장관에 다시 임명되었다.

나는 1971년 9월 어느 날 제26차 유엔총회 실무대표단으로 합류하라는 본부의 훈령을 받게 된다. 마드리드에 있는 2등서기관이 유엔으로 출장 간다는 것은 생각하기 어려운 특전이다. 김 장관은 9월 21일 뉴욕에 도착했고 나도 여러 직원과 함께 인사를 드렸다.

며칠 뒤 장관은 저녁때 나를 불러 단 둘이서 라디오 시티 뮤직홀 (Radio City Music Hall)로 구경을 갔다. 김 장관은 예의 말투로 "미스터 김 스페인 어때, 그렇게 조용한데서 무얼 배우지"하는 것이었다. 나는 마드리드가 살기 좋고 서반아어도 배우고 있다고 대답했다. 김 장관은 "이번에 차라리 유엔대표부로 오지" 하는 것이었다. 나는 뉴욕은 복잡하고 물가도 비싸다는 생각이 나서 차라리 워싱턴으로 가고 싶다고 대답했다. 장관은 "워싱턴에 가면 미스터 김이 심부름이나 할 텐데" 하며 결론적인 답을 미룬 체 장관은 숙소로 갔다.

이 해 유엔총회에서는 우리의 한국문제 불상정 1년 연기안(암호명:가발)이 운영위원회에서 통과되어 한국문제는 총회의제에서 빠지게 되었다. 우리 측의 성공이었다. 매년 동일한 한국문제를 유엔에 상정하여 서방과 공산진영간의 비생산적인 공방만 일삼는 일을 이제 그만두자는 것이다. 한국문제 불상정이라는 아이디어는 중공이 곧 유엔에 들어올 것이 명백하고 다수의 신생 아프리카의 독립국들이 유엔에 들어오면서 우리에 대한 지지를 낙관만 할 수 없는 국제적 조류를 감지한 현명한 판단이었다.

나는 스페인으로 돌아가 그해를 넘기기도 전에 유엔 대표부 1등 서기관으로 전보발령을 받았다. 7년 전 외무장관시절 수행 비서관으로 고생한 보람이 있어 나는 김 장관의 덕으로 주유엔 대표부 근무라는 특전을 받게 된다. 유엔 대표부에 근무하는 동안에도 장관이 참석하는 운크타드와 같이 중요한 국제회의(칠레에서 개최된 제3차 운크타드 총회)나 남북대결로 중남미 표가 필요한 회의에는 나를 지명 출장시켜 경험을 쌓게 해주었다. 나의 유엔 대표부 근무는 짧았지만 보람 있는 것이었다.

유엔대표부에 근무한 지 1년 반도 안 된 어느 날 서울의 박건우 총무과장으로부터 업무연락이 왔다. 자기의 후임으로 나를 외무부 총무과장으로 장관이 내정하였으니 조용히 준비하라는 것이었다. 당시 외무부 총무과장이면 인사와 재정을 같이 담당하고 국장회의에 참석하는 요직이다. 1973년 5월 서울에 돌아와서 총무과장으로 일한 지 얼마 안 되어 김 장관은 통일원 장관으로 가고 김동조 주미 대사가 왔다. 총무과장은 장관과 진퇴를 같이하는 것이 거의 관례화되어 있던 때였다. 나는 1974년 3월 중남미과장으로 자리를 옮겼다. 총무과장을 마치면 대개 중요한 재외공관으로 나가는 것이 보통이나 나는 지역과의 경험도 쌓고 싶고 서울에 온 지 얼마 되지 않았기 때문에 나의 스페인어를 활용할 수 있는 중남미과장(지금은 局이 되어 있음)을 자원했다.

당시는 아직도 남북한 대결외교가 한창이었기 때문에 우리의 지지기반인 중남미와의 외교가 대단히 중요한 시절이다. 그래서 나는 중남미과장으로서 유엔총회 실무대표단에 빠짐없이 합류했고 중남미를 방문하는 특사는 맡아 놓고 수행했다. 통일원 장관으로 계셨던 김용식 장관이 대통령특사로 중미 4개국을 순방할 때도 내가 수행했음은 말할 것도 없다. 김 장관은 1974년 가을 주 영국대사로 나가고 나는 1976년 초 주미 대사관 정무참사관으로 나갔다.

김용식 대사는 '코리아게이트'의 조사가 본격적으로 진행되고 한미관계가 헝클어져 있던 1977년 4월 주미 대사로서 워싱턴에 부임했다. 나는 다시 김 장관을 대사로 모시게 되었다. 내가 스웨덴으로 전임될 1978년 10월까지 1년 6개월간 한미관계가 어려웠던 시절에 김 대사와 같이 중요한 일을 하면서 많은 것을 배웠다.

김 대사는 미측의 각종조사와 압력 앞에 조금도 굴하지 않았고 항상 전체적인 그림 속에서 한미관계 개선이라는 국익을 앞세웠고 약소국일수록 국제법적 합법성을 강조해야 한다고 하며 직원들에게 외교관의 특권과 면제를 면밀히 연구시켰다. 본국의 어려운 훈령을 받거나 어려운 고비에 봉착했을 때 절대로 안 된다고 생각하지 말고 될 수 있다고 생각하라는 것이다. 희망을 가져도 어려운 일을 처음부터 패배의식에 젖어 좌절하지 말라는 교훈이었다.

김 대사는 부인이 아들 때문에 뉴욕에 자주 가고 혼자 워싱턴에 있을 때가 많았다. 퇴근 무렵이면 우리 참사관들에게 전화를 해서 약속 없으면 저녁을 같이하자는 초청을 자주 했다. 저녁자리에 우리들을 모아놓고 김 대사는 지난날의 여러 이야기들을 해주었다. 몇 번이나 같은 이야기를 듣기도 했다. 새로 신간 서적이 나오면 독후감을 이야기해 주기도 했다. 닉슨의 회고록에 대해 자주 언급했고 영문으로 한두 구절을 암기하였다가 우리에게 들려주기도 했다. 저녁을 마치고 관저로 돌아갈 때 김 대사는 소화에 도움이 된다고 도보로 걸어갔다. 우리 중에서 신체가 가장 건장했던 신두병 참사관이 대사와 자주 동행했다.

대사는 나의 근무활동에 만족해했다. 가끔 쓰시는 박 대통령 앞 대사 편지의 초안도 잡도록 했고 대사의 대통령 앞 친전 전보도 기안하게 했다. 내가 스웨덴으로 전임 발령을 받자 몹시 서운해 하시며 각별히 송별의 행사들을 마련하라고 지시하기도 했다.

나는 미주국 심의관으로 비동맹 외상회의에 참석하기에 앞서 워싱턴을 방문할 일이 있었다. 전두환 대통령의 방미와 관련된 노신영 장관의 친서를 가지고 1981년 1월 김 대사를 워싱턴으로 남몰래 찾아갔다. 마침 눈이 오는 어두운 밤길에 손수 운전하여 나를 관저에서 호텔까지 태워다 주던 노(老)대사의 모습이 선하다.

김 대사는 1981년 6월 주미대사를 끝으로 외무부를 떠났다. 그 이후 대한적십자사 총재, 서울 올림픽 조직위원장 등을 역임하면서도 항상 우리들과 가까이 지냈다. 부인이 병사한 후론 워커힐 아파트에 홀로 사시면서도 63빌딩에 변호사 사무실을 열고 우리를 초대하여 일식을 사주기도 했고, 워커힐 호텔에서 중국음식을 사주기도 했다. 그 후 1992년 1월 김 대사는 내가 주 이태리 대사로 있을 때 서울평화상 위원장 자격으로 로마에 한번 왔다. 관저에서 저녁을 모시는데 호텔에 있어야 할 아들 윤기가 대사관저에 나타났다. 스타일과 체면을 무엇보다 중시하는 김 대사는 몹시 당황해 했다. 그 귀엽고 부모의 사랑을 독차지하던 막내아들이 부모의 뜻과 같이 자라주지 못한 것을 보고 나는 김 대사의 또 다른 고통을 헤아리게 되었다.

내가 주 러시아 대사로 근무하던 1995년 4월 존경하는 김용식 장관은 83세를 마감하고 이 세상을 떠났다. 이 비보를 듣고 모스크바의 하늘 위에 김 장관과 나와의 긴 인연을 다시 그려봤다. 내가 외교안보연구원장으로 재직시 김 장관의 1주기 추도회가 소망교회에서 있었다. 나는 자원해서 추도사를 했다. 외교지에 실린 그때의 추도사를 여기 다시 실어본다.

❧

故 金溶植 전 외무부장관을 추도함

장관님, 장관님께서 저희들 곁을 떠나신 지도 벌써 한 해가 되었습니다. 다시금 머리 숙여 장관님의 명복을 빌고 추도의 말씀을 드리려 하니 장관님을 가까이 모시던 옛날 일들이 한꺼번에 떠오르고 장관님을 향한 존경과 흠모의 감회가 더욱 벅차오름을 누를 길이 없습니다.

소생이 27세의 외무부 초년생 시절 수행비서관으로 장관님을 모신 인연을 시작으로 대사가 될 때까지 항상 가르침과 격려를 아끼지 않으셨던 장관님께서 별세하셨다는 부음을 모스크바에서 듣고 애통해 하던 것이 1년 전의 일입니다.

장관님, 외무부 장관과 주요 대사직을 두루 역임하시면서 이룩하신 커다란 외교적 업적은 우리 외교사에 오랫동안 빛날 것입니다. 그러나 저희들에게 장관님은 더 많은 것을, 더 값진 것을 남겨 주셨습니다.

전통적 외교관의 풍모를 중시하고 옷 입는 것, 머리 다듬는 것까지 항상 인상적인 상관이었습니다. 반소매 흰색 노타이가 공무원의 하계 복장이었지만 장관실 결재 때는 정장을 입어야 했고 늘 외교관의 멋을 강조하시던 장관님이셨습니다.

젊은 외교관들을 자주 저녁에 초대하여 신간 서적에 대해 토론하기를 즐겨하셨고 참사관을 생략하여 김 참사라고 부르시면서 닉슨의 회고록을 이야기하던 워싱턴의 생활이 어제 같습니다.

장관님의 저서 『희망과 도전』에 있듯이 한미 관계가 극도로 불편하던

1977년 주미대사로 부임하셨고 그 어려웠던 일을 인내와 용기 그리고 정확한 판단으로 다 풀어 나가셨습니다.

당시 한국정부 인사의 미 의회 증언을 요구하는 미 하원 오닐 의장에게 국제법의 원칙에서 한 치도 벗어날 수 없다고 단호히 거절하던 장관님을 옆에서 지켜보며 무한히 자랑스러웠습니다.

한국문제 수사를 전담케 된 그 유명한 자워스키 특별검사와의 회담 시 언론 취재진을 피해 미 국무성 지하차고를 이용하던 일이며 자워스키 검사에게 "우리 서로가 변호사 출신이니 잘해 보자"고 당당히 맞섰던 장관님이 아직도 옆에 계신 것 같습니다.

그렇게 분주하던 주미 대사 시절에도 직원들과 같이 하루의 운동을 즐기시는 여유를 보이셨고 워싱턴 교외 트윈레이크 골프장에서 홀인원(Hole in One)을 하신 것을 무척도 자랑스러워하시던 것 장관님도 생각나시지요.

장관님께서 주불공사로 계실 때의 망명 러시아인 운전사 니콜라이에 관한 이야기는 우리들과의 저녁 자리에서 여러 번 들려주셔서 지금도 생생하게 기억이 납니다. 자신이 죽으면 '파리에서 한 번의 사고도 없었던 운전사 니콜라이'라고 비문에 새기겠다던 그가 한 번의 사고를 냈을 때 "파리에서 한 번밖에 사고가 없었던 운전사 니콜라이라고 하면 되지 않습니까"라고 했다는 이야기는 어떠한 경우에도 최선을 다하고 한 번의 실패에 좌절하지 말고 차선을 위해 더욱 노력하라는 교훈으로 우리에게 기억되고 있습니다. 장관님의 저서『새벽의 약속』에도 나오고 일본에도 번역되었던 이야기입니다.

장관님께서 "김 참사 외교교섭이란 절대로 우리에게 지나치게 유리하게 타결하려 해서는 안 되네, 51% 정도 우리 입장이 관철되는 것이 가장 이상적인 것이지. 교섭에 실패한 상대방은 언제고 그 손실을 회복하려고 하는 법이거든" 하시면서 외교교섭의 균형론을 강조하시던 일도 기억이 나서 저도 후배들에게 전수하고 있습니다.

외무부를 떠나신 후에도 88 올림픽, 서울 평화상 등 외무부와 관련 있는 일을 하셨고 항상 외무부 후배들을 워커힐의 중국음식점이나 63빌딩의 일식 집에 자주 초대해 주셨습니다. 63 빌딩에 김용식 법률사무소라고 당당하게 간판을 내걸어 50년 전 변호사 생활로 되돌아가실 수 있을만큼 건강도 좋으셨습니다. 고향 충무의 이야기를 하시면서 선친께서 잘 다니시던 고향집 언덕 위에 벤치 하나를 만들고 그곳에 '내 어버이 즐겨 찾으시던 곳'이라는 글귀를 새기셨다는 감회어린 말을 하시며 창 너머로 먼 남쪽 하늘을 바라보시던 장관님이셨습니다.

장관님!

장관님은 가셨습니다마는 많은 것을 남기셨습니다. 진정 장관님은 우리 외교의 기둥이었고 우리 후배들의 귀감이었습니다. 장관님께서 이룩하신 바탕 위에서 오늘날 우리 외교는 수많은 도전들을 극복하면서 더욱 크게 성장하고 있음을 보고드립니다. 삼가 장관님의 명복을 비옵니다.

* 이 추도사는 외교협회 발간 "外交"지에 게재되었고 초안을 잡았던 나의 졸필 원고는 고인의 장녀가 기념으로 가져갔다.

노신영 대사와 WARC 회의

지금으로부터 26년 전 1979년의 일이다. 내가 주 스웨덴 대사관 공사로 근무할 때다. 박정희 대통령이 서거하고 국내 사정이 극히

어지러운 10월 말 재외공관에서도 조문록을 비치하고 일이 손에 잡히지 않을 때다. 나는 서울 외무부로부터 급히 제네바로 출장 가서 대사를 도우라는 지시를 받았다. 노신영(盧信永) 주 제네바 대사는 그때 제네바에서 1959년 이래 20년 만에 열린 세계무선통신 주관회의(WARC, World Administrative Radio Conference)에서 국제호출부자열(國際呼出符字列) 문제를 놓고 북한과 일전을 벌이고 있었다.

이 회의에서는 1959년 이래 한국에 할당되어 있던 라디오 호출부호 HLA-HMZ 중 HMA-HMZ를 북한으로 할당해야 한다고 북한 측이 요구하고 나섰기 때문이다. 지금 생각하면 그냥 나누어주고 말았어도 될 일이지만 그때만 해도 북한과의 대결에서 우위를 유지해야 하는 것 또한 중요한 외교 과제였기 때문에 한바탕 대결이 불가피했던 상황이었다.

그 당시 북한과의 표 대결이 있을 때마다 중남미 지역을 맡아 득표활동을 해온 내가 제네바에 불려간 것도 이러한 북한과의 표 대결을 앞둔 시점이었다. 제네바에 도착한 나는 곧 중남미 지역반(地域班)을 편성하고 중남미 국가 대표들을 접촉하기 시작했다. 냉전시대 북한과의 대결에서는 서구와 중남미가 우리에게는 가장 중요한 표밭이었다. 이 지역의 지지표를 얼마나 확실히 확보하느냐 하는 것이 승부를 좌우했었다.

내가 1975년 중남미 과장으로 대통령 특사 노신영 차관을 수행하여 파나마를 방문했던 일이 생각난다. 파나마는 운하문제로 대단히 반미적이었고 미국이 지지하는 결의안이면 무엇이나 반대한다는 정도였던 때라 유엔에서 북한과 대결하는 서방측 결의안에 파나마를 공동제안국으로 확보하는 것은 지극히 어려운 일이었다. 그러나 노 차관은 당시 파나마의 실권자 토리호스 장군을 설득하여 결국 이 목적을 달성했었다. 그때 파나마에 있는 미국 대사관을 방문할 일이 있었는데 혹시나 반미적인 파나마 정부가 이 일을 알고 우리에 대한 지지를 철회하지나 않을까 하여 비오는 날인데도 택시로 몇 번 시내를 돌아서 미국대사관에 갈 정도로 빈틈없는 노 차관이었다. 그래서 나는 이번 제네바에서의 이 대결도 노 대사가 지휘한다면 결국 우리의 승리로 끝날 것이라는 확신을 갖게 되었다.

한 달이 넘는 대결과 4번의 표결에서 승리한 우리 대표단은 그날 저녁 대사관저에서 자축의 만찬을 가졌다. 승리라고 하기보다는 쓰라린 동족간의 다툼에서 벗어났다는 안도의 기분이었다. 노 대사는 어려운 싸움에서 끝까지 최선을 다한 대표단 모두에게 진심으로 감사를 표했다. 가장 어려울 때 가장 침착하고 용기를 갖는 노 대사를 모시고 같이 일해 온 우리들 또한 1개월여의 피로가 한꺼번에 풀리는 것 같았다. 오래지 않아 노 대사는 외무부장관으로 임명되었고 나를 외무부의 미주국장에 발탁해 주었다. (이 글은 2002년 발간된 『외교관 33인의 회상』에 수록된 바 있다)

중앙청 폭발물 사건, 몸으로 막다

중앙청 출입증 패용의 시작

1970년 초 내가 외무차관 비서관이던 시절이다.(진필식 차관에 이어 윤석헌 차관의 비서관으로 있을 때다.) 지금은 헐리고 없는 옛 조선총독부 건물의 4층에 사무실이 있었다. 차관은 마침 청와대 안보회의에 가고 비서실은 어른 없는 여가를 누리고 있었다. 비서실이라야

차관실에 붙은 작은 방 하나다. 나와 여비서가 있고 차 심부름 하는 여자 사환과 청소하는 아줌마의 일터다. 졸음이 밀려오는 오후시간 비서실 문이 열리면서 왜소한 젊은이 한 명이 후줄근한 차림으로 백 하나를 들고 부끄러운 듯 들어왔다. 많아야 20살 안팎으로 보였다. 마침 별 할 일이 없던 나는 어서 들어오라고 손짓하고 무엇을 도와줄 것인지 물었다. 젊은이는 일본 갈 여권을 발급받기 위해 오랫동안 여권과에 가서 애썼으나 거부되어 외무부 차관실에 하소연 하러 찾아 왔다는 이야기다.

당시 일반 여권을 포함하여 모든 여권은 외무부 여권과에서 발급하고 있었고 일반인들이 여권을 갖는 것을 큰 특전으로 여기던 시절이었다. 젊은이는 "저는 가난하게 살고 있는데 일본에 있는 백부에게 가려고 여권과에 가서 아무리 사정을 설명해도 안 되어 차관실을 찾아왔다"는 하소연이었다. 마침 시간이 있던 차라 딱한 사정에 귀를 기울이고 들었다. 여러 가지 구비서류가 부족한 그에게 당장에 시원한 대답을 주지 못하고 용기를 잃지 말라는 덕담만 했다.

젊은이는 눈물을 글썽이며 "감사합니다"라는 말을 여러 번 되뇌이고 모든 것을 체념한 듯 일어서서 문 쪽으로 나가는 듯하다가 휴대하고 있던 작은 백에서 무엇인가 끄집어내면서 "죽기 싫은 사람은 다 나가시오. 나는 어차피 여기서 죽겠습니다"라고 소리 질렀다. 그리고 성냥불을 켜서 손에 쥐고 있는 물건의 심지에 불을 붙이고 있었다. 잘 붙지 않아 여러 번 시도했다. 사제 수류탄처럼 보였다. 죽기 싫은 사람 나가라는 소리에 놀란 여비서와 청소 아줌마 그리고 차 심부름하는 여자 사환이 혼이 나서 비서실을 뛰쳐나갔다. 그 당시 차관 비서실에서는 한쪽 구석에 칸을 막고 차를 만드는 일을 했기 때문에 항상 아줌마 한 분과 여자 사환이 있었다. 이제 젊은이와 나만이 남았다. 나도 아줌마처럼 달아날 것인지 이 젊은이와 한판 격투를 벌여 사제 수류탄의 폭파를 막을 것인지 순간적인 판단을 해야 했다.

나는 자리에서 일어나 "이 사람아 그러면 안 돼"라고 타이르며 문 쪽으로 다가갔다. 나도 달아나나 보다고 생각한 젊은이는 심지에 불 붙이기에 열중했다. 나는 방향을 바꾸어 돌아서기 무섭게 젊은이를 덮쳤다. 수류탄은 뇌관에 불이 붙은 채 바닥에 떨어졌다. 나는 무엇보다 먼저 불붙기 시작한 이 수류탄의 심지를 뽑아 불을 꺼버렸다. 논산 훈련소 시절 화생방 교육을 받은 상식이 이때보다 더 유용하게 쓰인 적이 없었다.

젊은이와 한판 씨름이 벌어졌다. 그는 잘 먹지도 못하고 고단했던지 별로 강하지 못해 이내 나에게 제압당했다. 젊은이는 자기는 어차피 죽기로 했다면서 혀를 깨물기 시작했다. 이 젊은이가 죽어서는 안 된다고 생각한 나는 그가 혀를 깨물지 못하도록 입을 벌렸다. 타잔이 악어의 입을 벌리는 모습이 떠올랐다. 사람이 입 다무는 힘도 대단히 세다는 것을 이때 처음 알았다.

이렇게 나의 악전고투가 얼마간 계속된 후 옆방 장관 비서실 사람들이 달려와 나와 젊은이의 씨름을 뜯어 말렸다. 곧 청사관리를 맡은 총무처 관리과장과 수위들이 달려와 이 젊은이를 데리고 갔다. 총무처 관리과장은 젊은이를 자기 사무실 의자에 앉히고 여러 가지 질문을 하는 동안 젊은이는 휴대한 백에서 송곳을 꺼내 배를 찔렀다 한다. 혀를 깨물어 자해하려던 아이니 조심하라고 당부까지 했건만 관리과 직원의 안일한 대처가 아쉬웠다. 젊은이는 병원으로 가 치료한 후 곧 종로 경찰서에 유치되었다.

소문은 금방 퍼졌다. 당시 석간 대한일보 초판은 중앙청에 수류탄이 폭파할 뻔한 허술한 경비 상태를 꼬집었다. 2판에는 이 기사가 빠졌다. 중앙청 보안상태의 허술함을 외부에 드러내는 기사이기 때문에 위의 지시로 빠졌다 한다. 당시 이 기사를 스크랩해 두지 못해 아쉽다. 그때는 월부 책장사는 물론 단골 구두닦이와 외상값을 수금하러온 중국집 주인들도 어렵지 않게 중앙청 사무실을 드나들던 시절이었다. 청와대 회의에 참석 후 돌아온 윤 차관은 "한바탕 소란이 있었다면서"라고 말했을 뿐이다.

그 이튿날이던가 전 국무위원이 국립묘지 참배 차 모인 자리에서 최규하 외무장관이 이 이야기를 거론했고 청사관리 책임자인 총무처 장관의 입장은 곤혹스러웠다는 뒷이야기였다. 총무처는 모든 직원들에게 가슴에 명패를 달도록 했다. 3급 이상은 노란색, 4급 이하는 불그스레한 색깔이었다. 이것이 모든 공무원이 명패를 패용하게 된 시작이다.

며칠이 지났을까. 이 사건을 담당한다는 종로 경찰서 형사 한 사람이 나를 찾아왔다. 덩치가 커 무술형사인 듯했다. 나는 마침 경향신문의 이형균 기자와 차 한 잔을 나누고 있던 터였다. 형사는 내가 직접 경찰서에 출두해서 증언해야 하지만 내가 폭파를 막은 공로도 있고 일도 분주할 것 같아 자신이 왔다고 하면서 조서작성에 필요한 여러 가지 그때 상황을 물었다. 형사의 말에 의하면 그 젊은이는 오랫동안 포항 근처에서 사제폭탄을 만들기 위해 폭약을 모아왔고, 만일 그 사제폭탄이 터졌더라면 그 젊은이의 생명은 말할 것도 없고 내 사무실 사방 5m 안에는 상당한 피해를 보았을 것이라고 말했다.

그리고 형사는 나를 쳐다보면서 여간 용기와 자신이 없으면 그렇게 위험을 무릅쓰고 수류탄을 든 사람을 제압하지 못한다고 은근히 나를 치켜세우며 "무슨 운동을 하셨습니까"라고 물었다. 우물거리는 나를 대신해 옆에 있던 이 기자는 "김 비서관은 학생시절에 태권도를 비롯해 여러 가지 운동실력이 대단했지요"라고 거들었다. 형사는 그러면 그렇지 하는 식으로 나를 쳐다보면서 "역시 그러셨군요"라고 하면서 큰 체구를 으쓱해 보였다. 조서 마지막에 무슨 덧붙일 것이 없느냐는 형사의 말에 나는 "젊은이가 사정이 어려워 저지른 짓이니 관대히 선처해 주기 바란다"고 했다. 형사는 큰 체구를 일으켜 사무실을 나가면서 60kg밖에 안 되는 나를 신통하다는 듯 한 번 더 쳐다보았다. 무술이라곤 전혀 모르는 내가 태권도 명예 7단의 별명을 듣게 되었다.

이 사건도 잊어버린 지 한참이 된 어느 날 문이 열리면서 그 젊은이가 어른과 들어오는 것이 아닌가. 섬뜩했다. 나는 반사적으로 방어태세를 취하면서 이번엔 또 어떻게 왔느냐고 물었다. 어른은 젊은이의 형뻘 되는 친척이었다. 형은 나에게 김 비서관이냐고 정중히 물은 다음 "이놈아 죄송하고 또 감사하다고 인사해라"라고 하며 젊은이에게 말했다. 형의 말에 의하면 내가 종로경찰서에 말을 잘해주어 빨리 풀려났다고 하면서 감사 인사차 왔다는 것이다. 그들은 곧 떠났다. 그 후 나는 4월 달에 주 스페인 대사관 창설의 임무를 받고 마드리드로 떠났다. 그 젊은이의 이름과 정확한 날짜들을 적어두었더라면 이 글이 더 생기가 있을 텐데 하는 생각이 든다.

청와대 여흥에 사회를 보며

노태우 대통령 재임기간 중 공관장 회의가 서울에서 열리면 대통령 내외 주최 만찬 후에는 공관장 부부 중에 노래 잘하는 사람을 뽑아 노래를 시키는 여흥이 있었다. 여흥을 기획하고 사회할 공관장을 외무장관이 공관장 회의가 시작되자마자 지명해서 준비하도록 한다. 첫해에는 최호중 대사가 그 다음해는 공로명 대사가 이 일을 잘했다. 1991년 4월 서울 공관장 회의에 참석하고 있던 나는 이상옥 장관으로부터 청와대 만찬 후 여흥을 준비하고 사회도 하라는 지시를 받았다.

나는 가급적 전에 청와대 만찬에서 노래를 하지 않은 사람 중에서 물색해야 하겠고 노 대통령이 좋아하는 노래를 잘 부를 수 있는 사람을 찾아야 했다. 청와대에서는 노 대통령이 선호하는 노래로 '나그네 설움, 베사메무초, 애수의 소야곡, 갈대의 순정, 경복궁타령, 손에 손잡고'를 알려왔다. 나는 노래 부를 사람은 대사와 대사 부인을 반반씩으로 하고 지리적으로도 안배하고 가급적 험지 공관근무 공관장이면 더욱 좋다고 생각했다.

우선 생각나는 사람이 명인세 주 볼리비아 대사였다. 명 대사는 나와 가끔 술자리를 같이 하던 시절 '홍도야 울지 마라' 등 흘러간 노래를 잘 불렀던 사람이다. 그에게 노 대통령이 좋아하는 '나그네 설움'을 맨 먼저 부르게 하자고 생각했다. 노래 부를 사람과 근무지 등에 대해서도 어울리는 설명을 미리 생각해 보았다.

1991년 4월 22일 저녁 공관장 부부를 위한 노 대통령 내외 주최 청와대만찬이 시작되었다. 만찬에는 전 재외공관장과 다수의 각료

그리고 청와대 비서관들이 부부로 참석하였다. 식사를 하는 동안 나는 줄곧 여흥에 대한 생각으로 밥을 제대로 먹지 못했다. 드디어 식사가 끝나자 이상옥 장관이 대통령에게 "여흥을 준비하였고 사회는 김석규 주 이탈리아 대사가 하겠다"는 보고를 했다. 그리고 장내의 조명이 바뀌었다. 악단들도 준비완료 신호를 했다. 나는 대통령 앞으로 걸어 나가 정중히 인사를 하고 사회석으로 갔다. 이제 모두가 나의 지휘하에 진행되는 것이다.

마침 소련의 고르바초프 대통령을 제주도에서 만나고 온 노 대통령에 대해 나는 "북방외교의 선구자이신 대통령 각하를 모시고 일할 수 있음을 자랑스럽게 생각한다"고 서두를 꺼냈다. 그리고 "불철주야 나라 생각을 하시는 대통령 내외분의 노고에 조금이나마 보답해 드리기 위해 공관장 부부들의 노래를 마련했다"고 시작했다.

"제일 먼저, 이 지구상에서 가장 높은 고지에서 호흡하기도 어려워 밤에는 산소통을 옆에 두고 자야 하지만 그래도 하나님과 가장 가까운 곳에서 근무한다고 자위하는 주 볼리비아 명인세 대사를 소개합니다"라고 사람과 근무지 소개를 하고 "부를 노래는 나그네 설움, 외교관은 평생을 본국의 전보 한 장으로 세계 도처를 떠돌아야 하는 나그네의 대명사입니다. 그래도 마음만은 조국강산을 떠나본 적이 없습니다. 자, 명인세 대사의 나그네 설움입니다"라고 마치도 가요무대를 사회하듯 열을 올렸다. 이어지는 모든 출연자와 노래 그리고 근무지에 대해 나의 설명과 멘트는 거침이 없었다.

그 다음은 최남준 주 PNG대사 부인이 '동심초'를 불렀고 그 다음은 우문기 대사 부인이 '꽃 중의 꽃'을 불렀다. 1981년 노대통령이 정무장관 시절 대통령특사로 아프리카의 어퍼볼타를 방문했을 때 이곳 우문기 대사의 고생하는 모습을 보고 눈시울을 적셨다는 이야기는 널리 알려졌다. 그래서 나는 노 대통령이 잘 아는 우 대사 부인을 선발했다. 그 다음은 최동진 주 스웨덴 대사가 '아내에게 바치는 노래'를 불러 대사들이 모두 애처가임을 과시했다. 이어서 한철수 주중대사(중국과 수교 전인 대만) 부인이 대통령이 좋아한다는 올림픽 노래 '손에 손잡고'를 불렀다. 나는 너무 공관장들 노래만 들었으니 이제 청와대 비서관들의 노래도 들어야 하겠다고 하며 손주환 정무수석에게 부탁했더니 '가고파'를 잘 불러주었다. 손 수석의 딸이 로마에서 성악공부를 하고 있어 손 수석도 노래를 잘 할 것으로 생각하고 미리 교섭한 것이었다.

그리고 김세택 주 덴마크 대사 부인이 김종찬의 '당신도 울고 있네요'를 잘 불렀다. 처음에는 '사랑의 맹세'라는 노래를 부르기로 했으나 바꾸었다 한다. 나중에 알아보니 며칠 동안 돈 주고 배운 새 노래라고 자랑했다. 이쯤 해서 대통령도 흥이 나서 이병기 의전수석을 찾더니 노래를 부르라고 지시했다. 이병기 수석은 'I left my heart in San Francisco'를 멋지게 불렀다. 끝으로 이복형 주 멕시코 대사의 노래 '기다리는 마음'으로 이날 여흥을 마쳤다. 나는 "우리는 이제 외교전선으로 돌아가 열심히 일하겠습니다."라고 마무리 인사하고 내 자리로 돌아왔다.

코리아게이트의 현장에서

주 미국 대사관 정무 참사관

나는 1976년 2월부터 1978년 10월까지 주미대사관 정무 참사관으로 미국 워싱턴에서 근무했다. 세계 외교의 중심지 워싱턴에 근무하면서 정무를 담당한다는 것은 한국 외교관으로서 더없이 보람 있고 훌륭한 배움의 기회임은 예나 지금이나 마찬가지다. 특히 한미관계가 어려웠던 당시 그리고 미국 의회를 전담할 외교관이 필요했던 시기에 내가 미국 의회담당 정무참사관으로 발탁된 것은 커다란 행운이고 무거운 책임이었다.

내가 워싱턴에 부임하기 전 미국에서는 이미 박동선 씨의 대미의회 로비 활동에 관한 보도가 나오기 시작했고 미 의회는 한국 인권에 대한 청문회를 개최하며 군사원조를 삭감하고 있었다. 한반도의 안보상황도 한국이 월남전에 파병하여 미국과 같이 피를 흘리고 있던 1960년대 후반부터 계속 악화일로에 있었다.

1968년 1월의 북한의 특수부대가 박 대통령을 암살하기 위해 청와대 근처까지 침투한 사건, 그로부터 2일 후 1월 23일에 미군 정보함 푸에블로(Pueblo) 호가 원산 앞바다에서 북한에 나포되었고, 1969년 4월 15일에는 미군정찰기 EC-121이 북한에 의해 격추되는 사건들이 연이어 일어났다. 이러한 가운데 1969년 7월 닉슨 대통령의 '괌' 독트린이 발표되면서 미국의 아시아에 대한 안보지원 의지가 약화되기 시작했다. 미국 내에서는 월남전으로 인한 반전(反戰) 및 해외 불개입의 목소리가 높아지고 이러한 분위기를 반영한 미 의회는 행정부의 대외원조에 제동을 걸고 나서기 시작하였다.

한국내에서는 유신체제강화에 따라 야기되는 여러 가지 문제들에 부딪치고 있었다. 비판적인 미국여론과 반정부 재미교민의 활동 또한 한국정부로서는 외면할 수 없는 어려운 문제들이었다. 더욱이 북한과 대치하고 있는 한국에게는 닉슨의 주한미군 감축에 따른 보완조치의 이행이 어느 때보다 더욱 절실했다. 그런데 미국의 대외원조에 열쇠를 쥐고 있는 미국 의회가 한국의 체제와 인권문제를 비판하는 중심이 되고 있다는 사실은 한국정부에게는 대단히 힘든 부담이었다. 따라서 모든 힘을 다하여 미 의회가 한국을 이해하도록 노력해 보자는 것이 당시 대미외교의 중심과제가 되었음은 당연한 결론이었다.

소위 코리아게이트 또는 박동선 사건으로 일컬어지는 한국의 대미국의회 로비활동과 미 의회의 조사, 즉 코리아게이트의 시작과 진행 그리고 종결은 나의 책 "코리아게이트의 현장에서 2005"에 보다 자세히 기록하였다. 여기서는 내가 주미대사관 의회담당 정무참사관으로 있으면서 참여하고 관찰한 현장의 일들을 간추려 한 번 더 기록에 남기고자 한다.

대미 의회외교를 강화하자 |

미 국회의사당은 나의 근무처

1960년대 후반 한미관계의 여러 가지 사건들을 통하여 한국정부가 절실하게 느껴온 것은 미국의 대한방위공약의 이행을 위해서는 미 행정부의 약속에만 의존할 수 없다는 것이다. 대외원조의 관건을 쥐고 있는 미 의회를 한국 편으로 만들지 않고는 아무것도 안 된다는 것을 알게 된다. 미국 행정부에 대해 막강한 영향력을 가지고 있고 예산권을 쥔 미국 의회의 이해를 구하는 것, 나아가서는 한국에 우호적인 태도를 갖도록 노력하는 것은 한국의 입장으로서는 당연한 외교적 목표가 될 수 있다.

한국정부는 우선 주미 한국대사관의 인력을 보강하고 대의회 활동을 강화한다. 그러나 대사관의 활동에는 한계가 있다. 인력이 부족하고 대외적으로 알려진 관리 신분이기 때문이다. 미 의회의 유력 의원들을 설득하여 한국에 대한 비판적 태도를 완화하고 나아가서는 친한적으로 만들어가는 일은 대사관의 외교활동에만 의존할 수 없는 시급한 과제로 떠올랐다.

대미관계의 전반적인 개선은 미국정부와의 관계뿐 아니라 의회, 업계, 언론계, 종교계, 학계 등 다방면의 미국여론 형성층과 접촉해 나가야 하는 거대한 사업이다. 따라서 이미 미국 내에 상당한 지면이 있고 어느 정도 영향력이 있는 인사를 찾아 도움을 받는 것도 하나의 지름길이라고 생각했다.

주미 대사관의 인력보강 계획에 따라 나는 처음으로 신설된 의회 담당 참사관으로 1976년 초 워싱턴에 부임했다.

워싱턴 부임하기가 무섭게 의회의 한국관계 청문회를 뛰어다니며 청문회의 전 과정을 속기록처럼 보고해야 했다. 상하 양원의 수많은 청문회와 위원회, 소위원회, 본회의를 참관하며 미국사람들이 한국을 향해 쏟아내는 말들, 그리고 한국의 반정부인사들이 미국의 심장부에서 자기나라를 비판하는 소리들을 기록하여 상세히 서울에 보고하는 일은 지금 생각해도 다시 할 수 있을지 모를 정도로 힘든 일이었다. 특히 한국말도 아닌 영어로 각기 자기류의 악센트로 속사포 같이 쏟아내는 발언을 정확히 파악한다는 자체가 대단히 어려운 일이었다. 잘못 알아듣고 잘못 보고했을 때는 밤잠을 못자고 대개 3, 4일 후에 나오는 의사록(transcript)과 비교해 큰 오류가 없을 경우 안도의 숨을 쉬기도 했다.

한국문제를 주로 다루는 미국 상하원의 주요위원회나 소위원회와 항시 접촉을 가지고 동정을 파악해야 하고 한국관계청문회 개최계획 등을 충분한 시간 전에 파악해야 한다. 이를 위해서는 하원의 국제관계위원회, 아태 소위원회, 국제기구소위원회, 군사위원회, 세출위원회, 윤리위원회와 상원의 외교위원회, 군사위원회, 윤리위원회 등 주요 위원회의 보좌관과 전문위원 그리고 이들 위원회 소속 의원들과도 수시로 접촉해야 한다.

그리고 대외군원예산을 심의하는 시기에 상하원의 외교위원회와

세출위원회에서 한국문제는 단골 메뉴였고, 한국 인권을 다루는 하원의 국제기구소위원회와 한국관계 조사를 다루는 윤리위원회는 한시도 눈을 뗄 수 없는 중요한 위원회들이다. 그리고 국회 의사록(Congressional Record)을 매일 샅샅이 뒤적이며 한국관계 발언이나 관계 일정이 없는지 확인하는 일도 빼놓을 수 없었다.

예로서 프레이저 의원이 위원장으로 있는 하원 국제기구소위원회 하나만을 보더라도 이 소위원회의 3년에 걸친 한국관계 조사가 얼마나 집요하게 추진되었는지 짐작하게 한다. 1977년 4월 14일부터 1978년 10월 31일까지 1,563회의 인터뷰가 28개 주와 11개국에서 이루어지고 123회의 강제소환장(subpoenas)이 집행되었다. 그리고 20회의 청문회를 개최하고 37명의 증인이 선서하에 증언하였다.

하나의 청문회를 위하여

어느 위원회에서 한국관계 청문회를 계획하고 있다는 정보가 있으면 해당 위원회의 담당 직원 또는 위원장의 보좌관들과 면담이나 오찬접촉을 통해 언제 어디서 개최하며 증인은 누구인지 어떤 문제들이 중점적으로 거론될 것인지를 파악하여 서울에 보고해야 한다. 서울은 보고를 접하는 대로 청와대에 보고하고 청문회에 대처할 지침을 내려준다.

증인이 확정되면 이들이 한국에 불리한 증언을 하지 않도록 가능한 조치를 한다. 그러나 증인은 대개 그 성향이 이미 잘 알려진 인사들로서 증인의 면모를 보고 그 청문회의 결과를 예측할 수 있다. 증인과의 접촉은 어렵고 잘못하다가는 역효과를 내며 증인에게 영향을 미치는 지나친 행위는 위법사항이기 때문에 신중을 기해야 한다. 그러나 청문회에 참석하는 친한 의원에게 한국에 유리한 질문을 해서 분위기를 호전시켜 줄 것을 부탁하기도 하고 증인 장본인을 직접 만나 설득작업을 시도하는 경우도 없지 않았다.(김형욱의 경우 박 대통령에 대한 인신공격이나 비난을 자제하도록 김형욱의 친구인 민병권 무임소 장관을 뉴저지에 보내 설득하는 노력이 있었다.) 그리고 대사관이 정부의 입장을 밝히는 별도의 자료를 친한 의원을 통하여 청문회장에 배포할 수도 있다.

청문회가 개최되는 날이면 나는 아침부터 준비를 서두른다. 필기도구를 충분히 준비하고 분위기를 살피기 위해 개회시간 전에 현장에 간다. 내가 가장 많이 간 건물은 하원 외교위원회가 있는 하원의 레이번(Rayburn) 빌딩이다. 이 건물 정문에서 주차를 관리하는 책임 경찰이 주한미군으로 근무한 인연이 있어 한국대사관에 호의적이었고 시간에 쫓기는 나의 주차문제를 항상 잘 해결해 주었다.

청문회가 개최되면 위원장의 개회선언이나 증인들의 사전 성명들이 미리 배포되는 경우가 많다. 이러한 모든 자료들을 빠짐없이 챙기는 것 또한 기본적인 일이다. 발언자의 소리가 잘 들리는 방청석 위치에 자리 잡고 나서 국회의원은 누가 참석하고 방청석 사람들의 동정은 어떠한지 분위기를 우선 살피고 청문회 발언이 시작되면 속기사 못지않게 빠른 속도로 적어 나간다. 쉬는 시간에는 전화를 걸어 대강의 분위기와 중요사항을 대사에게 중간보고하는 일도 빼놓을 수 없다. 요즘같이 휴대폰이 없던 시절이라 공중전화기를 차지하는 일도 하나의 싸움이었다. 점심은 특별한 경우를 제외하고는 청문회가 있을 때나 없을 때나 의회의 카페테리아에서 때운다.

이러한 순서로 청문회가 끝나면 필기한 노트를 들고 대사관으로 한시바삐 돌아가야 한다. 대충 대사나 공사에게 보고하고 서울에 보고할 전문을 작성하는 일이 여간 고역이 아니다. 청문회 분위기를 1항으로 하고 상세한 질의 응답내용을 2항으로 하고 제3항에 관찰 및 건의를 넣어 보고서를 마무리 하고 각종 발표된 자료들을 첨부해서 전송(電送)한다.

청문회가 있는 날이면 대사관 정무과(政務課)는 대부분 퇴근을 하지 못하고 내가 돌아올 때까지 기다렸다가 보고서가 마무리되는 것을 보고야 집으로 간다. 저녁 도시락을 미리 준비해 준 동료직원들의 응원도 잊을 수 없다. 청문회가 있는 날 전문(電文)을 서울에 보내는 외신관실(外信官室)은 완전히 비상이다. 내가 보고서를 끝내서 외신관실에 넘겨주면 외신관실은 그때부터 밤샘이었다. 나는 밤늦게 집으로 돌아가면서 졸음 운전하다가 워싱턴 95번 고속도로 가드레일을 몇 번이나 긁었는지 모른다.

나를 도와준 사람들

내가 의회담당 참사관으로 일 하는 동안 많은 사람들의 도움을 받았다. 그 중에서도 프레이저 소위원회의 수석조사관 로버트 보에처(Robert Boettcher)와 하원 윤리위원회의 제이 제피(Jaey Jeffe) 보좌관은 우리와 서로 다른 입장이면서도 누구보다도 먼저 나에게 청문회 계획을 알려주었고 자료를 제공해 주는 등 퇴근 후나 주말에 구애 없이 협조해 주었다. 정말 고마웠다.

청문회가 없는 날에도 나는 대사관에 출근하면 우선 서울에서 온 전문을 보고 직원회의에 참석 후 바로 국회의사당(Capitol Hill)으로 간다. 꼭 무슨 약속이 있어 가는 것이 아니다. 그곳이 나의 근무처처럼 되어버렸다. 이곳저곳 기웃거리며 다니다 아는 국회의원이나 직원을 만나는 경우도 있다. 혹시 아는 직원이 복도 저편에서 보이면, 나는 마침 잘 되었다 생각하며 무엇 하나 물어보자고 걸음을 빨리하여 다가가면 그는 어느새 옆길로 빠져 사라지는 것이다. 일부러 나를 피하는 것이다. 그 전에는 반갑게 만나주던 의회 직원들도 한국 관계 조사가 본격화되면서 대사관 직원을 피하는 풍조가 짙어져가고 있었다.

대사관으로 돌아가 퇴근시간이 되면 대사는 나를 불러 "오늘은 무슨 일 없느냐"고 물었다. 하루종일 놀고 온 것같이 "아무 일도 없습니다"라고 대답하는 것이 무척 미안했다. 대사도 나로부터 별일 없다는 보고를 들어야 안심하고 퇴근하면서도 별일 없다는 것이 오히려 불안하게 느껴졌던 시절이다. 미국 국회의사당 가까운 곳에 택시운전사들이 쉬는 시간에 잘 가는 '핸스포인트'라는 골프연습장이 있다. 나는 반갑게 맞아주는 사람도 없는 의사당 안을 헤매는 것보다 때로는 점심 후 의사당 풀밭에서 워싱턴의 푸른 하늘을 쳐다보며 명상에 잠기거나 핸스포인트에서 시간을 때우기도 했다.

프레이저 청문회 시작

한국 인권 청문회와 군원삭감

프레이저(Donald M. Fraser) 국제기구소위원회 위원장이 한국문제에 관심을 가지기 시작한 것은 1973년 후반부터다. 미국의 인권운동가 및 교회들로부터 한국의 유신헌법과 인권에 대한 불평을 듣기 시작했고, 드디어 1974년 6월 30일 한국 인권에 대한 첫 청문회를 개최한다.

이 청문회에는 2일간 12명의 증인으로부터 한국 인권상황에 대한 증언을 들었다. 친한파인 부름필드 의원의 주선으로 한국 대사관은 8쪽에 달하는 정부의 입장을 자료로 만들어 배포하였다.

프레이저 의원은 그해 가을 하원 국제관계위원회에서 한국에 대한 군사원조를 심의할 때 거의 전액을 삭감하자는 수정안을 제출했다. 국제관계위원회에서 그의 수정안이 부결되자 그는 12월 18일 개최되는 본회의에서 전체 외원안(外援案)에 반대하겠다고 나섰다. 국무성은 결국 프레이저 측과 타협하여 한국에 대한 9천3백만 달러의 원조를 삭감하는 프레이저 수정안을 받아들이기로 했다. 한국정부로서는 원조의 삭감보다도 한국의 인권문제가 미국의 외원법에 기록되는 것을 더 못마땅하게 생각했다.

이재현의 망명과 문제의 증언

1975년 6월 10일 미 하원의 국제기구 소위원회가 개최한 한국의 인권에 관한 청문회에서 전 주미한국대사관 공보관장으로 재직하다 1973년 대사관을 떠나 미국에 망명을 요청한 후 웨스턴일리노이 대학 교수로 재직 중인 이재현 씨가 증언했다.

그는 "나는 인권문제 이외의 다른 문제에 관해 말하고자 한다. 나는 이 자리에 서기 위해 2년을 기다렸다. 한국중앙정보부(KCIA)의 활동은 한국 국내에 국한되지 않고 미국까지 수출되고 있다. 한국중정의 비밀공작계획은 박정희 통치에 대한 미국 내의 지지자 확보와 박 정권에 대한 비판을 잠재우기 위해 회유 매수 협박을 기본수단으로 하고 있다."

"한국중앙정보부는 미국지도자 특히 국회의원들을 매수코자 하며, 한국에 투자한 미국 기업들에 대해서는 워싱턴에서 박 정권의 정책을 로비하도록 압력을 가했다. 학술회의에서 박 정권의 독재를 합리화하도록 조작했고 우호적인 교수들은 방한 초청했다. 한국 교민사회에 위장요원을 침투시켜 교민회를 장악하며 비협조적인 교민을 본국 가족의 안전을 위협하는 방법으로 협박했다"고 말했다.

이어서 그는 1973년 초 보고할 일이 있어 대사실에 갔을 때 김동조 대사가 100달러짜리 지폐들을 흰 봉투에 넣는 것을 보았으며 대사는 "당신하고 얘기할 시간이 없어 지금 국회(Capitol Hill)로 가야 해"라고 했다고 증언했다.

이재현 전 공보관장이 미국에 망명하여 왜 이러한 증언을 하게 되었는지 살펴보자. 1973년 4월 말 주미대사관 공보관실에 근무하던 한혁훈이란 직원이 귀국명령을 어기고 종적을 감춘 일이 있었다. 서울에서 문공부 장관이 직접 밤중에 이재현 관장에게 국제전화를 걸어 한(韓) 공보관을 귀국시키라고 성난 어조로 독촉하고 1973년 6월 4일 대사관에 같이 근무하는 중앙정보부 양두원 공사가 3시간이나 심문조로 이 관장을 다그쳤다. 그날 오후 이재현 공보관장은 다시 대사관으로 돌아가지 않았다. 그리고 그는 2년 후 프레이저 소위원회 청문회에 증인으로 나타난 것이다.

　프레이저 측은 이재현의 이러한 증언이 사실이라면 중대한 범법 사안이라고 판단하고 국제기구소위원회 직원들에게 조사에 착수할 것을 지시했으니 사실상 이것이 프레이저 의원에 의한 코리아게이트 조사의 시발점이 되었다.

박동선 사건

워싱턴포스트 지의 폭로

1976년 10월 24일 워싱턴포스트 지에 맥신 체셔(Maxine Cheshir)
와 스콧 암스트롱(Scott Armstrong) 기자의 놀라운 기사가 게재되었
다. "서울이 미국 관리에게 수백만 달러를 주었다"(Seoul Gave
Millions to U.S. Officials)라는 제목의 일면 톱기사는 "한국의 대통령
이 직접 지휘하는 일단의 한국 에이전트들이 매년 50만 달러 내지 1
백만 달러를 현금이나 선거헌금 형식으로 쓰고 있다"고 시작하여
박동선과 익명의 한국중앙정보부 직원이 주공작원이라고 못 박았
다. 이 신문 2쪽에는 미국하원의 헤너, 갤러거, 부름필드 의원과 에
드워드 루이지애나 주지사의 사진이 실렸다.

워싱턴포스트 지의 이 기사가 더욱 폭발력을 지녔던 이유는 연루
된 국회의원의 이름과 숫자까지 보도했기 때문이다. 암스트롱과 체
셔 두 기자는 당시의 산만한 각종 정보들을 '미국 의원들이 한국정
부를 대신한 박동선으로부터 뇌물을 받았다'는 방향으로 정리해 갔
다. 한편 미 세무당국도 박 씨에게 소환장을 발부하여 그의 재산조
사에 착수하는 움직임을 보였다. 형세가 이렇게 진전되자 박동선 씨
는 워싱턴을 떠나 런던으로 가버렸다.

이후 워싱턴과 뉴욕의 언론들은 한국정부의 미 의회에 대한 '불법로비 활동'에 대해 연일 홍수처럼 보도했고 새로운 사실이 없을 때는 지난 이야기들을 종합하여 재탕하기까지 했다. 이러한 언론의 관심은 1978년 말 한국관계 조사가 종결될 때까지 식을 줄 몰랐다.

코리아게이트 조사의 시동

미 의회 4개 위원회와 법무성의 조사

1977년 봄에 이르면 소위 '코리아게이트' 조사는 미 법무성의 조사, 상하원 윤리위원회의 조사, 프레이저 소위원회의 조사로 확대된다. 첫째 미 법무성의 조사다. 미셸 검사 휘하의 범죄수사국 공직기강 팀의 조사는 사실상 암중모색 상태였다. 박동선 씨는 이미 미국을 떠났고 수지 박 톰슨은 대배심원 증인으로서는 별 도움이 되지 못했었다.

워싱턴포스트 지가 법무성보다 더 많은 것을 알고 있다는데 당황해하고 있던 법무성 조사팀에게 하나의 전기를 가져온 것은 박동선 출국 후 세금담보로 차압되어 있던 그의 집을 수색하다가 그의 수첩과 한국정부 앞 친필 보고문건을 발견한 것이다. 이 자료는 이때까지 법무성이 수집한 첩보적 성격 이상의 법정 증거로 사용할 수 있는 중요한 자료다. 이때부터 법무성 조사는 박동선의 활동과 미 의원들에 대한 뇌물공여 문제에 초점을 맞추어 나갔다. 박동선의 미 의원들에 대한 금품제공 의혹에 관해서는 이미 수년전에 포터 주한 미국대사 레너드 한국과장 그리고 하비브 국무성 차관이 지속적으로 경고한 바 있으나 아무런 조치도 취하지 않던 법무성이 뒤늦게 움직이기 시작한 것이다.

그 다음으로 하원 윤리위원회 조사를 들 수 있다. 윤리위원회의 임무는 하원의원이나 직원과 그 가족이 하원의 윤리 규정을 위반하였는지 여부를 찾아내는 일이다. 만일 위반사항을 발견하면 본회의에 건의하여 해당자를 징계 또는 견책하고 상임위원회의 위원장 등 간부직인 경우 그 직위를 박탈하게 한다. 윤리위원회는 법무성과 달리 현직의원에 대해서만 관할권이 있다.

워싱턴의 언론이나 민간단체들은 보수적 인사들이 모여 있는 하원 윤리위원회가 동료 의원이 연루된 사건을 철저히 조사하지 못할 것이라는 비판의 소리를 높여갔다. 사실 한국관계 스캔들이 언론에 보도되었을 때 윤리위의 플린트(John Flynt) 위원장은 아무런 조치도 취하지 않고 법무성의 조사를 관망하는 태도였다. 그러나 언론의 연속적인 보도에 밀려 연말에 가서야 행동을 개시한다. 윤리위원회의 제이 제퍼 보좌관은 자기가 플린트 위원장에게 윤리위 차원의 본격적인 조사를 시작하도록 건의했다고 나에게 말한 바 있다.

상원 윤리위원회도 상원의원의 관련 여부에 대해 자체 조사에 착수했으며 끝으로 상원 정보위원회 조사를 들 수 있다. 정보위원회 조사는 한국스캔들과 관련 미국정보기관이 무엇을 했는지 그리고 다른 나라들은 한국과 같은 활동을 하고 있지 않은지 등이었다.

하원 윤리위원회 조사의 기지개

하원 윤리위원회는 1977년 1월 필립 라코바라(Philip Lacovara) 씨를 특별조사관으로 임명하여 조사를 지휘케 한다. 라코바라 씨는 워터게이트 사건 때 콕스와 자워스키 특별검사를 도와서 특별검사보를 역임한 경력의 소유자다. 라코바라 조사관은 25명이나 되는 직원을 충원하여 의욕적으로 조사에 착수하였으나 법무성과 플린트 위원장 양쪽 모두와 몇 가지 이유로 불편한 관계에 처하였다. 우선 라코바라 조사관은 미국에 망명한 김상근 전 주미대사관 참사관을 면담하여 정보를 얻고자 했으나 법무성의 시빌레티(Benjamin Civiletti) 검찰차장보는 이를 거절했다.

라코바라 씨의 요청으로 플린트 위원장은 카터 대통령에게 편지를 보내 행정부의 협조를 요청했고 이 편지의 덕으로 벨(Griffin Bell) 법무장관과 플린트 위원장간의 회담이 성사된다. 라코바라 조사관도 플린트 위원장을 수행하여 이 회의에 참석했다. 벨 법무장관은 박동선 씨 집에서 발견한 서류에 의원들의 이름과 이름 옆에 금액표시가 있었다고 말하고 자기가 보기에는 절대로 박 씨의 돈을 받을 사람이 아닌데도 이름이 포함되어 있었다고 하면서 앞으로 공개적인 청문회를 열어서 무고한 사람에게 상처를 입히는 일은 없어야 한다고 신중론을 폈고 플린트 위원장도 동조했다. 문제된 의원이 법무장관이나 플린트 위원장이 잘 아는 사람이면 면책되는 회담분위기여서 라코바라 씨의 실망은 컸다.

라코바라 씨는 윤리위가 그의 조사에 필요한 증인 강제소환권도 잘 주지 않고 증언 청취에도 비협조적인데 불만을 갖게 되었다. 한편 플린트 위원장은 라코바라 씨가 너무 독주하고 지나친 보수를 요구한다고 불평했다. 6월 중순 윤리위가 강제 소환키로 표결한 몇 사람의 이름이 신문에 누설 보도되었다. 플린트 위원장은 대로하여 라코바라 조사관이 가지고 있는 비밀문서를 전부 행정부에 돌려주라

고 했으나 그동안 협조를 받지 못해 온 라코바라 씨에게 행정부의
기밀문서가 있을 리 없었다.

라코바라 씨는 변호사이기 때문에 근무시간에 따라 보수를 지급
받았다. 그러나 플린트 위원장이 보기에는 청구액이 과다한 것이라
고 생각했다. 라코바라 조사관이 영국 휴가 중 플린트 위원장은 라
코바라 조사관이 근무시간을 부풀렸다고 비난하고 회계감사까지
요구할 기세였다. 특별조사관에 대한 기본적인 신뢰조차 얻지 못한
라코바라 씨는 즉시 사임했다. 라코바라 특별 조사관이 사임하자 비
난은 플린트 위원장에게 쏟아지고 가뜩이나 지체된 조사 업무는 제
자리에 서 버렸다.

자워스키의 등장

하원 윤리위원회의 라코바라 특별조사관이 사임하자 오닐 의장
이 직접 나섰다. 미국 하원 전체의 명예가 걸린 문제라고 판단하고
자신이 총대를 메기로 한 것이다. 오닐 의장은 닉슨 대통령을 하야
시킨 '워터게이트' 사건 때처럼 특별 조사관을 임명키로 작정했다.
워터게이트 사건을 맡았던 자워스키(Leon Jaworski) 변호사가 적격이
라고 생각하고 휴스턴에 있는 그의 사무실에 전화를 걸어 특별조사
관의 임무를 맡아 줄 것을 강하게 요청했다. 자워스키 씨는 워터게
이트 사건을 규명하여 국민의 신망을 얻고 있던 인물이고 2차 대전
후 열린 뉘른베르크 전범재판 때 법무관으로 참여하여 공적을 쌓은
명성이 있다. 이런 사람이 한국관계 조사를 맡아준다면 실추된 의회
의 권위를 회복할 수 있으리라는 기대하에 오닐 의장은 자워스키 씨

를 찾은 것이다.

자워스키 씨는 우선 독립성을 가지고 조사를 할 수 있을 것인지 그리고 왜 자기가 꼭 이 사건을 맡아야 하는지 얼른 판단이 서지 않아 우선 완곡하게 거절했다. 그러면서 "자기는 라코바라처럼 윤리위원장에게 고개 숙이면서 일할 생각은 없다"고 말하자 오닐 의장은 지금 윤리위원장이 아니고 하원의장이 전화하는 의미를 알아달라고 강조했고 옆에 있던 짐 라이트(Jim Wright) 민주당 원내 총무도 자워스키의 조사관 수락을 권유했다. 같은 텍사스 출신으로 오랜 교분이 있는 라이트 총무의 권유까지 받고 난 후 자워스키는 좀더 생각할 시간을 달라고 하고 전화를 끊었다.

자워스키는 그의 워싱턴 법률사무소에 근무하는 피터 화이트 변호사에게 전화로 오닐 의장의 제의에 관해 상의했다. 화이트 변호사는 이 문제는 결코 쉽지 않고 결과적으로 지는 게임일 것이라고 하면서도 '코리아게이트'는 대단히 중요한 문제로서 한번 해 볼만한 가치는 있다고 그의 견해를 밝혔다. 그 이튿날 자워스키의 수락을 독촉하는 오닐 의장의 두 번째 전화가 왔다. 자워스키는 워터게이트 때와 같은 독립성 보장을 요구했고 오닐 의장은 이를 수락했다.

결국 1977년 7월 22일 양측이 제반 조건에 합의함에 따라 자워스키 씨는 하원윤리위원회 특별조사관으로 임명되고 전례 없는 특권을 갖게 된다. 자워스키는 어떤 문제든지 오닐 의장과 직접 협의할 수 있고, 그가 요구하면 어떤 강제소환이나 압류도 윤리위원회가 인정해 주어야 하며, 하원 전체회의에서만 그를 해임할 수 있는 조건이었다. 자워스키는 이만하면 보수 없이 봉사하겠다고 동의했다.

자워스키의 특별조사관 임명은 하루 밤 사이에 워싱턴의 분위기와 여론을 바꾸어놓았다. 언론도 호의적이었다. 워싱턴포스트 지는 '레온 자워스키의 재등장'이라는 제목의 사설로 환영했다. 자워스키는 휴스턴 집에 계속 거주할 생각이었으므로 그가 워싱턴에 없을 때 그를 대리할 사람이 필요했다. 그래서 피터 화이트(Peter White)를 차석 조사관으로 선발하였다. 자워스키는 화이트와 같이 일한 적은 없지만 항상 총명하고 인간미 있는 젊은이로 여겨왔다.

자워스키는 오닐 의장과 라이트 민주당 원내총무의 지지를 확보했고, 존 로드(John Rhodes) 공화당 원내총무도 전적인 협조를 약속하고 있어 자신만만하게 출발했다. 다만 플린트 윤리위원장과 한국 정부가 걸림돌이 될 것으로 예상했다. 플린트 위원장 문제는 오닐 의장과 직접 협의하면 해결될 것이나 한국 정부의 완강한 입장과 국제법의 벽을 결코 넘지 못하게 된다.

부끄러운 청문회

|

김형욱, 프레이저 청문회 증언

프레이저 의원은 1976년 말에 이르러 미 하원은 "소속의원의 뇌물수수에 관한 윤리위원회의 조사뿐 아니라 한국의 대미공작 전반에 대해 조사해야 한다"고 주장한다. 그리고 자신의 소위원회가 추진하는 이 조사에 종사할 직원의 증원을 요청한다. 프레이저 소위원회는 조사대상 범위를 미국 정부가 한국의 의심스러운 활동을 알고 있었는지 또는 묵인했는지 여부, 한국 정부의 미국상사에 대한 금품징수 여부, 한국정부와 통일교의 관계, 한국의 중앙정보부가 미국의 언론, 업계, 학계와 재미 한인사회에 여하히 침투하고 있는지 등 양국관계 전반에 걸친 활동으로 한다고 밝혔다.

프레이저 의원 측은 뉴저지에서 망명생활을 하고 있는 김형욱(金炯旭) 전 중앙정보부장이 직접 한국중앙정보부의 미국 국내에서의 활동에 대해 말해 줄 것을 1976년 초부터 거의 1년여에 걸쳐 설득해 오고 있었다. 김형욱은 1973년 4월 15일 한국을 떠나 미국으로 왔다. 그는 1969년 정보부장에서 물러난 후 공화당의 전국구 의원을 지내기도 했으나, 자신의 정치생활이 한계에 달했다는 것을 알고 앞으로 어려움이 밀려 올 것이라고 예견했다. 미국에 도착한 후 한국에서 모은 재산으로 가족과 같이 조용히 살면서 언제고 한국으로 돌아갈 날을 기다리고 있었다. 그리고 그는 경호원까지 두고 고급승용차에 골프와 도박으로 소일하며 지냈다.

그러던 김형욱이 지난 4년간의 침묵을 깬 것은 마침 발표된 카터 미 대통령의 주한 미 지상군 전면철수 계획에 반대하는 그의 생각을 뉴욕 타임스의 리처드 헬로란(Richard Halloran) 기자에게 밝히면서부터다. 1977년 6월 5일자 뉴욕 타임스는 1면 기사로 김형욱이 한국 중앙정보부의 대미 로비활동에 대해 언급했고 이 활동에는 박동선, 문선명, 박보희, 수지 박 톰슨 씨 등이 포함되어 있다고 말한 것으로 보도했다. 6년이나 중앙정보부장을 지낸 김형욱의 회견기사는 미국민들의 비상한 관심을 불러 일으켰으며 다음날 워싱턴포스트 지도 비슷한 내용의 기사를 보도했다. 이렇게 침묵을 깬 김형욱은 결국 6월 22일 프레이저 청문회의 증인으로 출석할 것에 동의한다.

김형욱이 프레이저 청문회에서 증언키로 한 것은 한국 정부에게는 대단한 충격이었다. 어떻게 하든 이를 저지하기 위해 여러 가지 방안을 강구한다. 우선 서울의 문공부 대변인은 6월 7일 김형욱의 회견내용이 사실과 전혀 다르다는 부인성명을 발표했다. 그리고 김형욱과 죽마고우인 당시 민병권 무임소 장관을 뉴욕으로 보내 김형욱을 만류하려고 노력한다. 민 장관은 김형욱에게 증언하지 말라, 다른 나라로 가서 살라, 아니면 증언 날짜를 연기하여 증언내용에서 독소조항을 제거하자는 제안을 했다. 한국정부는 중앙정보부에 대한 이야기는 차치하고 어떻게 하든 박 대통령에 대한 나쁜 이야기만은 막아 보고자 끝까지 노력했다. 그러나 김형욱은 한국 정부의 모든 제의를 거부하고 결국 프레이저 청문회에 출두한다.

김형욱이 프레이저 청문회에서 증언하기로 결심한 것은 여러 각
도에서 분석해 볼 수 있다. 프레이저 측의 집요한 요구도 있었고 오
랜 은둔생활에서 오는 소외감에서 저질렀다고 보는 사람도 있다. 그
리고 김형욱은 미국 내에서 한국에 대한 비판여론이 비등하고 한국
관계조사가 본격화되는 것을 보면서 한국정부는 이제 미국으로부
터 버림받아 고립무원이 되었다고 판단한 것 같기도 하다. 그리고
카터의 주한미군 전면철수 계획도 박 대통령에 대한 미국의 불신에
서 나왔다고 보았고, 대사관 직원 중에 이탈자가 발생하고 재미교포
사회의 반정부활동도 활기를 띠고 있던 것이 김형욱의 결심에 영향
을 미쳤을 것으로 본다.

부끄러운 청문회

한국대사관은 며칠 전부터 김형욱 청문회에 대비했고 6월 22일
청문회 날은 아침부터 분주했다. 특히 의회와 한국관계 조사를 전담
하고 있는 나는 전에 있었던 여러 청문회와 달리 보다 철저한 준비
를 했다. 필기도구도 여러 벌 준비했다. 청문회장에는 금속 탐지기
까지 동원해 출입자를 단속하고 있기 때문에 먼저 출입증을 확보하
고 증언소리가 잘 들리는 위치에 자리를 확보해야 했다. 이 문제는
나와 항상 협조해 온 프레이저 측의 보에처 보좌관이 잘 마련해 주
었다. 대사관에서는 정무과 고참직원 2명이 나를 도와 현장에 같이
가서 증언을 기록하기로 했다. 기록은 주로 내가 많이 했고 30분마
다 나의 기록을 가지고 한 사람이 청문회장 밖으로 나가면 수송담당
직원이 대기하고 있다가 이 기록을 받아 대사관으로 급송하는 체계

를 갖추었다. 대사관에서는 대사에게 보고하고 서울에 즉시 타전(打電)할 수 있도록 준비하고 있었다.

드디어 6월 22일 아침 9시 45분 레이번 빌딩 2172호실에서 프레이저 소위원회 주관으로 김형욱이 증언하는 청문회가 열렸다. 김형욱은 회색 싱글 차림에 점박이 푸른색 넥타이를 매고 교포 김재현 변호사와 함께 입장했다. 굳은 표정으로 경호원의 호위를 받고 있었다. 나는 이러한 김형욱을 쳐다보면서 얼마 전까지 정부에서 핵심적인 역할을 하던 인물이 외국의 청문회에서 공개적으로 자기 나라를 욕되게 할 수 있는가에 대해 환멸을 느끼지 않을 수 없었다.

김형욱은 먼저 준비한 성명서를 읽어나갔다. 그는 자신이 반공주의자이고 자유민주주의자라고 자처하면서 역사와 조국에 대한 충성은 박정희 개인에 대한 충성보다 중요하다고 말했다. 그는 해방 후 북에서 월남한 자신의 배경을 소개하고 5·16 혁명에 가담하여 중앙정보부장까지 역임한 경력도 소개했다. 김형욱은 자기가 중정부장을 떠나자마자 자기의 추종자들이 감시를 받게 되는 등 불편을 느끼고 있던 차에 대만에서 명예박사학위를 받는 것을 기회로 한국을 떠나 미국에 왔다고 말했다.

김형욱은 박 대통령이 3선 개헌을 할 당시 개헌 초안에 대통령 임기가 6년으로 되어 있었으나 자기의 반대로 4년이 되었다고 내세웠다. 김형욱은 유신헌법이 비민주적이라고 하면서 그 헌법은 5·16 혁명의 이상과 이념에 배치되는 것이라고 주장했다. 그는 또 유신체제 11년간 박 대통령에게 충성을 바친 것을 후회한다면서 국민과 역사 앞에 얼굴을 들 수 없다고 말했다. 김형욱은 박동선이 중앙정보부 직원은 아니었으나 자발적으로 협력하기를 원한 인물이었다고 말했다.

김형욱은 통일교에 대해서는 통일교가 한국에서는 지식층으로부터 유리되어 있는 등 별로 인정을 받지 못하고 있는데 미국에서는 수천의 젊은이들이 추종하고 있는 이유를 알 수 없다고 말했다. 그는 통일교의 박보희 씨가 양유찬 전 주미 대사와 함께 자기를 찾아와서 '미국의 소리'와 같은 자유아세아방송을 서울근교 김포에 설립하고 싶다고 말했고 이에 대해 자기는 공산국가들에 '자유의 소리'를 방송한다는 것은 훌륭한 일이라고 생각해 도와주었다고 증언했다.

그리고 김형욱은 한미관계에 대해서 대강 다음과 같이 말했다.

"나는 인권문제에 대해 카터 대통령과 견해를 같이하나 주한미군의 철수에 대해서는 반대한다. 나는 카터 대통령의 철군 안은 미국 일반국민이 박 대통령을 싫어한다는 표시라고 생각한다. 내가 이 위원회에 출두하지 않도록 하기 위해 한국정부는 고위직을 보내 나에게 멕시코나 브라질 대사직을 제의했으나 거절했다. 나의 궁극적인 목적은 한국의 민주적인 자유와 인권의 회복이며 박 대통령의 하야다."

성명서 낭독이 끝나자마자 바로 질의응답에 들어갔다. 프레이저 위원장이 박동선과 김한조와의 관계를 질문한데 대해 김형욱은 대략 다음과 같이 답변했다.

"내가 박동선을 알게 된 것은 1960년대였다. 당시 김현철 주미대사가 박동선이란 사람이 박 대통령의 친척이라고 하며 다닌다는 보고를 해왔기에 귀국한 박동선을 조사한 것이 그를 알게 된 계기다. 나

는 박동선이 미국 내에 많은 저명인사들과 교분이 있다는 것을 알고
그에게 편의를 제공했다. 박동선이 운영하는 조지타운 클럽이 자금
난이라고 해서 박동선이 한국에 가지고 있는 원화를 암시장에서 바
꿔 약 10만 달러를 파우치 편으로 보내준 적이 있다. 정부보유 달러
중 약 3백만 달러를 박동선이 거래하는 은행에 예치해 주고 박동선이
그 은행으로부터 융자를 받을 수 있도록 편의를 봐준 일이 있다. 재미
한인 김한조에게 모두 60만 달러를 파우치 편으로 보냈다." 김형욱은
질의응답 말미에 "내가 한번 죽을 거라면 박정희는 백번 죽어 마땅하
다"는 말까지 내뱉던 그의 모습을 지금도 기억한다.

이날 나와 대사관의 청문회 담당직원들은 손에 피가 날 정도로
모든 질의 답변을 상세히 기록하여 거의 속기록 비슷하게 서울에 신
속히 보고했다. 김형욱 청문회를 통하여 현안중인 문제들과 청와대
와의 관련성을 입증하려던 프레이저 측의 기도는 실패했다고 현지
종합평가를 타전했다. 청문회의 분위기를 현장에서 관찰한 나는 김
형욱이야말로 한국정부뿐 아니라 우리 국민 전체의 위신을 크게 손
상시켰다고 뼈아프게 느꼈다. 김형욱의 증언 직후 한국정부는 6월
23일 문공부 대변인 이름으로 "배신자가 무슨 말을 못할 것인가"라
고 김형욱의 발언을 무시하는 짧은 논평을 발표했다.

김상근 참사관의 이탈

김상근(金相根) 참사관은 중앙정보부 파견 직원으로 유신 이후 악
화된 교포사회의 반정부 움직임을 개선하는 일을 담당했다. 그는 이
미 터지기 시작한 미국정부와 의회의 한국관계 조사에 대처하기 위

해 거의 매일같이 대사관 정무과 직원과 머리를 맞대고 협의하던 동료다. 그가 미국 측에 망명을 요청하기 며칠 전까지도 나와 김상근 참사관은 전직 외교관의 은행 계좌기록이 미측에 압류된 문제와 관련 여하히 대처할 것인지 저녁 늦게까지 협의하고 있었으니 한치 앞을 알지 못했던 시절이다.

김상근은 본부로부터 귀국명령을 받자 주미대사관에서 공사로 모시던 양두원 씨가 마침 본부의 보안차장보로 있어 처음에는 좋아했다. 그러나 곧 양두원 씨가 사임하게 되고 자기가 국내에 들어가면 처벌받을 수도 있다는 소문을 듣는다. 그리고 뉴욕 타임스 지에 김한조에 관한 기사가 실린 것을 보고 그는 1976년 11월 말 워싱턴에서 사라진 뒤 뉴욕에서 FBI에 망명요청을 했고 국무성은 한국대사관에 전화로 이 사실을 알려왔다. 김상근의 망명은 대사관을 무척 당황하게 했다. 대사관은 김 참사관의 자유의사 확인을 위해 대면을 요청했으나 미측은 본인이 원치 않는다며 대사관의 요구를 들어주지 않았다. 본국에서 김 참사관의 동생을 미국에 보내 면담도 시도했으나 김 참사관은 이 요청 또한 거부했다.

결국 국무성 대변인은 12월 1일 김상근이 "미국에 영주하기를 원하면서 체재자격 변경을 요청해 왔다"고 발표했다. 우리 정부는 12월 28일 박동선 관계를 언급하는 가운데 처음으로 김상근 관계도 포함하여 "김상근 본인의 의사라기보다 일부 반정부 분자의 책동이나 유인공작이 작용한 것으로 볼 수 있다"고 발표했다.

프레이저 위원회에서는 김상근 사건을 한국대사관의 중앙정보부 직원이 이탈해 온 첫 케이스라고 해서 큰 기대를 했다. 김상근은 1977년 10월 19일 프레이저 소위원회의 청문회에 증인으로 등장한다. 김형욱 청문회가 끝난 지 4개월 뒤다. 이날 청문회에서 프레이저 위원장은 김상근에게 "귀하의 임무를 설명해 보라"고 질문했다. 이에 대해 김상근은 "미행정부의 대한정책 수립 내용을 파악하고 언론계나 한국특파원에 유리한 글을 써줄 것을 종용하며, 워싱턴 지역 주요일간지에 게재된 한국 관계기사를 요약보고 하고 미국학자가 한국에 유리한 논문을 발표케 하는 것 등"이라고 답변했다. 일견 거창한 임무를 맡고 있는 것처럼 보이지만 실제로 김상근이 수행하기는 어려운 과제들이고 영어가 부족한 그에게 외국 언론계나 학자와의 접촉은 실제와는 거리가 먼 임무였다고 보아야 할 것이다.

프레이저 의원은 질문에 열을 올렸으나 김상근의 답변은 기대에 빗나가는 것이었다. 프레이저 의원이 "당신은 1976년의 대미공작보고서와 유사한 계획서를 보았다고 했는데 이러한 계획은 반드시 실천하려 했던 것인가"라고 질문한데 대해 김상근은 "그것은 유치하고 실현가능성이 없는 것이다. 그 이유는 2백 달러로 미국정보요원을 어떻게 할 수 없을 것이기 때문이다. 연말에 본부에 보고하기 위해 과장되고 '보고를 위한 보고'를 작성한 것이 아닌가 생각 된다"라고 답변했다.

이날 청문회를 담당하여 현장에 나갔던 나는 얼마 전까지 대사관 동료였던 그가 미국관헌의 호위를 받으며 청문회장에 들어오는 것을 보고 깊은 연민을 느꼈다. 김형욱 청문회 때와는 달리 청문회가 끝나 대사관으로 돌아가는 나의 기분은 썩 나쁘지만은 않았다. 프레이저 위원장의 기대를 무너뜨리는 김상근의 솔직한 답변이 자꾸 생각났기 때문이었을까?

김한조와 백설작전

김상근은 김한조(金漢祚)사건과 연관되어 더 자주 증인으로 출석했다. 1977년 9월 27일 연방 대배심원은 미국 국적을 가지고 워싱턴 근교에 거주하며 화장품상을 하는 김한조 씨를 기소했다.

김상근은 김한조 재판의 증인으로 출두하여 "중앙정보부 본부의 양두원 씨로부터 직접 온 돈 총 60만 달러를 1974년과 1975년에 걸쳐 김한조 씨에게 전달했다. 이 돈은 김한조로 하여금 미 의회 내의 한국관계 이미지 개선에 쓰게 하기 위한 것이며 이 작업에 소위 백설작전(Operation White Snow)이라는 암호명을 붙였다"고 진술했다.

이러한 공작은 주로 하원 국제관계위원회 소속의원들을 대상으로 프레이저 소위원회가 한국정부에 주는 피해를 중화시키기 위해 시작된 것이며 박동선이 지나치게 외부에 노출돼가자 대타로 김한조를 활용하려고 했다는 것이 프레이저 측의 주장이다.

김한조는 김상근으로부터 받은 돈을 소위 이 '백설작전'의 대상인 미 의원들에게는 거의 쓰지 않고 개인의 새 고급승용차 구입과 오래 밀린 빚청산 등에 전용하고 활동보고는 과장되게 만들어주면 김상근은 이를 그대로 서울에 보고하는 꼴이 되어버렸다. 그래서 오히려 김한조는 뇌물공여죄에는 해당되지 않았고 여타 조목으로 기소된 것이다.

김한조 재판을 계속 참관한 나는 처음으로 미국의 법정과 제도에 접할 기회를 가졌다. 정부 측 검사와 김한조 측 변호사의 공방, 많은 증인들의 증언, 판사 입장시 모두가 기립하는 엄숙함 배심원들의 협의와 유죄평결 등 지금도 그때 장면들이 선하다. 그리고 김한조의 신용카드 사용내역서와 모든 지출을 샅샅이 파헤치는 미국의 수사가 얼마나 철저한가도 알게 되었다. 특히 그동안 여러 곳에서 시달린 김상근이 초췌한 모습으로 증언대에 나왔을 때 나는 그가 왜 한순간의 잘못된 판단으로 저 고생을 하는지 이해할 수가 없었다.

뉴욕 총영사관 손호영 망명사건

뉴욕 총영사관의 손호영(孫浩永)은 중앙정보부에서 파견된 영사로 뉴저지에 살고 있는 김형욱을 관리하고 있었다. 손 영사는 특히 김형욱 전 중앙정보부장의 프레이저 소위원회 증언을 저지하거나 증언내용을 완화하는 특수임무를 맡아 서울에서 온 민병권 무임소 장관과 같이 설득 노력을 하였으나 결국 성공하지 못하고 김형욱은 한국정부와 박 대통령을 비난하는 내용의 증언을 하게 된다.

그 후 오래지 않아 손 영사는 서울로 돌아오라는 귀국발령을 받게 된다. 휴스턴에서 뉴욕총영사관으로 전임된 지 8개월밖에 안된 때라 의외의 발령이었다. 그는 서울에 돌아가면 김형욱 관계일로 책임을 추궁당하게 되고 앞으로의 신상에 불리할 것을 우려했다. 손 영사는 귀국하지 않고 미국에 남기로 결심한다. 후일 청문회에서 손 영사는 망명을 결심한 것은 9월 13일이었다고 했다. 외교관이 미국에 그대로 주저앉아 살기 위해서는 어려운 절차가 많다. 결국 손 영사는 프레이저 측에 접근한다.

1977년 9월 14일 손 영사 부부는 자동차로 워싱턴으로 가서 메릴랜드의 록크빌(Rockville) 교외의 콜로니얼 암스(Colonial Arms)라는 모텔에 묵는다. 손 영사는 9월 15일 아침 그의 방에서 프레이저 측

보에처 조사관과 만나 미국에 남을 수 있도록 보호해 줄 것을 요청하고 만일 프레이저 측이 도와 준다면 그가 가지고 있는 정보를 제공하겠다고 했다. 프레이저 측은 손 영사의 제의를 받아들이기로 하고 그의 은신처를 구하는 등 필요한 조치를 위해서 2,3일이 소요된다고 말했다. 손 영사는 이미 귀국준비를 하며 9월 24일 미국을 출발할 예정으로 이삿짐도 다 싸놓은 상태라 바로 다음 화요일로 D-day를 정하기로 했다. 화요일 날 손 영사가 공중전화로 프레이저 측에 전화를 해서 자신을 "이정식"이라고 하면 "모든 준비가 완료되었고 그와 가족이 워싱턴으로 간다"는 것을 의미한다는 치밀한 계획도 합의했다.

손 영사와의 첫 면담 후 돌아온 프레이저 측 조사관은 오후 2시경에 프레이저 위원장에게 보고를 했다. 프레이저 위원장은 동 계획을 승인하고 같은 소위원회의 공화당 수석의원인 더윈스키 의원을 제외하고는 누구에게도 이 사실을 알리지 말라고 지시했다. 프레이저 측은 이날 오후 4시 15분에 더윈스키 의원에게 손호영의 망명사건을 알렸다.

한국대사관이 누군가로부터 손 영사의 일을 귀띔 받은 것이 바로 그날 오후 5시였음을 미국 법무성은 이미 파악했고 프레이저측은 그 이튿날 오후 1시에 가서야 법무성의 미셸 검사로부터 이 사실을 듣게 된다. 프레이저측은 황급히 손 영사 집에 전화를 걸어 손 영사의 안위를 물었고 부인으로부터 손 영사가 사무실에 책상을 정리하러 갔으며 한두 시간 후에 돌아올 것이라고 하며 별일 없다는 답을 들었다.

프레이저는 급하게 FBI에 전화를 해 손 영사의 가족을 즉시 데려다줄 것을 요청했고 뉴저지의 FBI는 즉각 활동을 개시했다. FBI 요원이 한국총영사관에는 들어갈 수 없기 때문에 손 영사의 집으로 향했다. 3시 30분 다시 전화를 받은 손 영사의 부인은 아직 손 영사가 귀가하지 않았다고 했다. FBI가 손 영사의 집에 도착하여 가족을 보호하고 손 영사의 귀가를 기다리고 있은 시각은 오후 4시경이다. 오후 5시 45분경 프레이저측은 FBI로부터 손 영사가 아무것도 모른 채 귀가했다는 전화연락을 받았다. FBI는 즉시 손 영사와 가족들을 워싱턴으로 호송했다. 이들이 떠난 지 약 30분쯤 지나 일단의 한국 사람들(미 측은 한국중앙정보부 직원이라고 봄)이 손 영사의 집에 들이닥쳐 문을 두드렸으나 이미 손 영사는 떠나고 아무런 대답이 없었다.

어떻게 보면 잘된 일이다. 만일 한국 측에서 먼저 손 영사의 신병을 확보하여 데리고 갔다면 또 하나의 새로운 문제로 확대되었을 것이고 이 사건을 누설한 혐의를 받게 되는 더윈스키 의원에게 압력이 더 가중되었을 것이기 때문이다.

국무성의 글라이스틴(William Gleysteen) 부차관보(뒤에 주한대사)는 9월 17일 한국대사관의 구충회 공사에게 전화로 주 뉴욕총영사관의 손호영이 미 측에 망명을 요청해 왔음을 알려왔고 대사관이 원한다면 손 영사와의 면담을 주선할 용의가 있다고 말했다. 손 영사가 자유의사에 의해 망명한 것인지를 확인하는 절차인 셈이다. 대사관으로서는 담담하게 이 통보를 접수하고 국무성도 대사관도 아닌 제3의 장소에서 만나게 해줄 것을 요청하였으나, 결국 며칠 뒤 국무성에서 대사관 직원과 손 영사와의 면담이 이루어졌다.

손 영사는 이 자리에서 "김형욱 관계 일을 하면서 망명할 것을 생각하게 되었다"고 하면서 사직서를 제출했다. 그리고 총영사관의 열쇄 11개와 공급반환조로 10만7천6백57달러를 내놓았다. 대사관측의 종용에도 손 영사의 망명 의사가 변함없음을 확인한 정부는 손 영사의 귀국관련 이전비용과 9월 봉급 중 4천6백63달러를 반납토록 하고 파면했음을 알렸다.

손 영사에 대한 청문회는 1977년 11월 29일과 30일 양일에 걸쳐 개최되었다. 손 영사가 프레이저 측에 넘긴 소위 '1976년도 대미공작방안'이란 문서를 기초로 개최된 청문회는 동 계획서의 비현실성으로 인해 관심과 주의를 끌지 못했다. 워싱턴포스트 지는 사설을 통해 소위 대미공작계획서란 것은 공작경비 산출을 보더라도 비현실적인 것이라고 지적했다.

손호영의 망명이 누설된 미스터리

프레이저 의원은 누가 손호영의 망명과 관련된 비밀을 한국 측에 누설했는지 조사해 줄 것을 9월 19일 법무성에 요청했다. FBI는 모든 관계 인사들을 인터뷰했다. 그리고 이 문제는 법무성의 '코리아게이트' 대배심원에 회부되었다. 9월 28일 신문들은 손 영사의 망명을 보도했다. 그리고 10월 28일 워싱턴스타 지는 머리기사로 '하원의원이 한국 중앙정보부요원에게 누설했나(Did Congressman Tip Off KCIA Defection)'라는 제목의 자세한 기사를 보도했다.

기사내용은 "연방수사기관은 더윈스키 하원의원이 한국 중앙정보부 요원에게 손 영사의 이탈을 알려주었다는 의혹을 갖고 조사 중이다. 손이 이탈한 직후 국무성과 CIA 그리고 국방성은 모두가 프레이저 소위원회의 의원이나 직원 중에서 한국의 중앙정보부에 누설했을 것이라고 일치된 결론을 내렸다. 그리고 여러 가지 정황으로 봐서 더윈스키 의원이 주 용의자로 지목되었다"는 것이다.

미국 측은 자주 중앙정보부를 언급하고 있으나 내가 아는 한 더윈스키 의원은 평소에도 중앙정보부 직원과 별도로 접촉한 일은 전혀 없었다. 증거가 대배심원에 제출되었으나 더윈스키 의원을 기소하는 일은 쉽지 않았다. 증거로 제출된 것은 더윈스키 의원과 한국대사관 직원과의 통화내용으로 외국대사관의 전화를 도청한 첩보자료를 미국정부가 법정증거로 제출할 수는 없기 때문이다.

여기서 더윈스키 의원의 이야기를 적어보자. 더윈스키 의원은 수시로 한국대사관 직원과 접촉하고 있으며 한국대사관에 전화도 자주한다. 자신의 이러한 행동은 잘못된 것이 아니다. 한국을 지지하고 한국의 친구라는 것만으로 죄를 뒤집어씌우고 있다고 반박했다.

법무성은 더윈스키 의원을 기소하고자 11월 동 의원을 연방대배심원에 소환했다. 만일 더윈스키 의원이 의회조사와 관련된 증인을 위협하거나 증언을 방해했을 경우에는 5년 이하의 징역과 5천 달러 상당의 벌금형을 받게 되어 있다. 더윈스키 의원은 묵비권을 행사했다. 더윈스키 의원은 국회의원이 공적임무수행 중의 행위에 대해서는 면책특권이 보장되어 있음을 규정한 헌법의 '발언과 토의(Speech and debate)' 조항을 원용해 법무성의 질의에 답변을 회피하였다. 만일 거짓 답변을 할 경우 추후에 위증죄로 기소될 수 있기 때문이다. 결국 대배심원은 더윈스키 의원을 기소하지 못하고 특별 비밀보고서로 파일하고 만다. 이때 워싱턴포스트 지는 대배심원들이 더윈스키 의원이 유죄임을 확신했다고 보도했다.

대배심원의 권고에 따라 이 문제는 하원윤리위원회에 넘어갔다.

윤리위원회도 수개월간 여러 자료를 검토하였으나 첩보자료 이외의 다른 증거가 없어 아무런 조치 없이 이 사건을 종결짓고 말았다. 더윈스키 의원은 1978년 11월 선거에서 큰 표 차로 재선되었다.

자워스키 청문회

자워스키는 1977년 10월 달에 들어서서 몇 차례의 청문회를 개최하였다. 그는 한국관계 조사를 위해서는 박동선과 김동조(金東祚) 전 대사의 증언 없이는 문제를 해결할 수 없고 이를 위해서는 한국정부의 협조가 절대적이라고 판단했다. 그리고 한국정부의 협조는 미국이 강하게 압력을 가하면 가능할 것으로 기대했다. 한국정부에 압력을 가하는 방안의 하나로 우선 몇 번의 공개청문회를 개최했다. 언론의 대대적인 취재와 사진 방송 등 미디어의 동원도 한몫을 했다.

자워스키의 10월 19일 청문회는 이재현이 1976년 프레이저 소위원회에서 언급한 김동조 전 대사에 대한 증언을 되풀이하고 이를 뒷받침하는 새 증언을 듣는 것으로 시작했다. 즉 이 청문회에서 레리 윈(Larry Winn) 하원의원의 비서인 난 엘더(Nan Elder) 양이 1972년 9월 김동조 대사가 레리 윈 의원 사무실에 돈 봉투를 두고 갔으며 이 돈은 돌려준 바 있다고 증언했다. 또 이 청문회에서 김형욱은 자기가 박동선을 미곡 수입 대리인으로 지정하는데 역할을 했다고 말했다. 그리고 앵커리지 공항의 세관원 해즐턴의 이야기도 나왔고 김상근은 김한조의 백설작전에 대해 증언했다.

김동조 전 대사는 1978년 9월 18일자 미 하원의장에 대한 답변서에서 "본인은 문제된 시기인 1972년 9월 또는 10월에 레리 윈 의원

사무실을 방문한 사실이 없으며 더욱이 금전을 제공하거나 기도한 적이 없다. 본인은 미 의원을 사전 약속 없이 방문한 적이 없으며 본인의 방문 사실은 해당 의원의 일과기록에 명시돼 있을 것이다"라고 해명했고 그의 회고록에서도 레리 윈 의원 여비서 엘더의 증언은 "터무니없는 모략일 뿐"이라고 일축한 바 있다.

자워스키는 박동선에 대해서는 이미 미국언론에 널리 보도되었기 때문에 그의 청문회에서는 김동조 전 대사의 문제도 못지않게 중요하다는 것을 일반에게 알리는 데 주력했다. 그때쯤 박동선을 워싱턴으로 데려오기 위한 특수임무를 띠고 서울을 방문한 법무성의 시빌레티(Benjamin Civiletti) 차장보 일행은 한국정부와의 협상에 난항을 겪고 있었다. 이러한 소식에 접한 자워스키는 한국정부에 압력을 가할 것을 오닐 의장에게 요청했고 하원 본회의는 10월 31일 한국정부의 협조를 요청하는 다음과 같은 결의안을 407 대 0 만장일치로 통과시켰다.

"대한민국 정부는 하원윤리위와 동 위원회의 특별조사관에게 한미관계 조사와 관련된 모든 사실을 충분히 제공함으로써 위원회의 조사가 조속히 완료될 수 있도록 하여 미합중국과 대한민국의 역사적 동맹관계가 양국의 상호이익을 위하여 지속될 수 있도록 해야 한다고 하원은 생각한다."

박동선 사건의 외교적 해결

박동선, 한국으로 가다

박동선 씨는 1976년 9월 런던에 온 이후 도망자라는 인상을 받지 않도록 외견상 품위 있는 생활을 했다. 헌들리(William Hundley) 변호사의 충고에 따라 워싱턴의 공기가 좋아질 때까지 그곳에서 기다리고 있었다. 그런데 1977년 3월에 미 국세청에서 박 씨의 집을 차압하고 그곳에 있던 서류들을 법무성에 인계했으며 법무성 조사관들은 박 씨의 일기와 수첩을 찾아내어 본격적인 조사를 시작했다. 박동선 씨의 기대와는 달리 워싱턴의 공기가 오히려 악화되고 있었다.

새로운 증거의 확보로 법무성의 시빌레티 차장보와 미셸 검사는 박동선 씨를 미국으로 데려오기로 작정한다. 그러나 점차 런던에 정착의사를 굳히고 있던 박 씨로서는 미국에 돌아가서 법원에 기소되고 의회에 소환당할 생각은 추호도 없었다. 미셸 검사로서는 박동선 한 사람보다 뇌물을 받은 의원들을 밝혀내는 일이 중요하고 이를 위해서는 박 씨의 협조가 열쇠라고 믿었다. 그래서 박 씨에게 피의사실에 대한 면책특권을 제의하면서 미국에 와주기를 요청했다. 그러나 헌들리 변호사는 이를 거절했다. 그래서 법무성은 박 씨를 미국과 범죄인 인도조약이 체결돼 있는 영국에서 조사하는 방안을 검토하고 있었다.

1977년 8월 하원윤리위원회와 프레이저 소위원회 조사관들이 박동선을 찾아 런던으로 갔으나 만나지 못했다. 8월 9일 프레이저 위원회의 허시만 보좌관이 예고 없이 박 씨의 사무실로 찾아갔을 때는 이미 박 씨는 서울에 가고 없었다.

박동선 씨는 8월 25일 서울에서 기자회견을 갖고 미국에 돌아갈 의사가 없음을 분명히 밝힌다. 미셸 검사는 박동선이 런던에 오기만 하면 비밀기소장으로 체포할 차비를 하고 있었으나 비밀은 오래가지 않았다. 기소사실이 9월 1일 신문에 보도되었고 9월 6일에는 미국지방법원에 의해 공표되었다. 그는 36가지 죄목으로 기소되었다. 기소장에는 쌀과 정치거래 공모죄, 뇌물공여죄, 불법 선거헌금죄, 우편물사기죄, 공갈협박죄, 한국중앙정보부 에이전트 미등록죄 등이고 기소장에는 지난 9년간의 박동선의 복잡한 정치 사회적 생활이 자세히 기술되었고 23명의 하원의원과 4명의 상원의원 이름이 나왔다. 공모자로 헤너 전 의원과 김형욱, 이후락 전 한국중정부장도 거명되었다.

이 때 대통령으로 취임한 카터 대통령 앞에는 세 가지 중요한 한국관계 문제가 있었다. 주한미군철수, 한국관계 조사 그리고 인권문제였다. 미 국무성은 가급적 세 가지 문제를 연관시키지 않고 별도로 다루고자 했으나 불가피하게 서로 연관되지 않을 수 없는 상황으로 발전해 나갔다. 결국 카터 대통령은 주한미군 철수를 위한 의회의 지지를 얻기 위해 의회가 주력하고 있는 한국관계 조사에 도움을 주지 않을 수 없었다. 카터 대통령은 박정희 대통령에게 편지를 써 박동선 씨의 도미를 요청하고 그가 의회에서 증언한다면 피의사실에 대해 면책조치를 해주겠다고 제의했다. 그러나 한국정부는 의회 증언은 박 씨 자신이 결정할 문제라고 하면서 정부로서는 어쩔 수 없다는 부정적인 반응을 보였다.

박동선 사건의 외교적 해결

박동선 씨가 서울로 돌아오자 한국정부는 8월 18부터 3일간 검찰에 출두해 조사를 받도록 했다. 이 조사내용을 주한 미 대사관을 통하여 미 법무성에 전달하는 선에서 문제를 마무리 하려고 했으나 미국측이 이에 만족할 리가 없었다. 그 후 서울을 방문한 시빌레티 미 법무성 차장보 일행은 한국 법무부와 박동선 씨의 심문방법에 대해 협의하였으나 견해가 엇갈려 그냥 돌아갔다.

스나이더(Richard Sneider) 주한 미국대사와 우리 정부 사이에 여러 번 이야기가 오간 결과 박동선 씨 신문에 관해 어렵게 합의점에 도달한다. 이 합의에 따라 시빌레티 일행이 다시 방한하고 12월 30일 한미 간에 박동선 씨에 관한 사법공조 협정이 서명된다. 이는 박동선 사건을 외교적으로 해결하려는 노력의 시작이 되었고 이 협정 체결을 위해 워싱턴 한국대사관 직원들은 타국의 선례를 조사 보고하는 등 분주한 날을 보냈었다.

이 사법공조 협정 전문에는 서울에서의 박 씨에 대한 신문, 서울에서의 신문 후 미국에 가서 미국인에 대한 재판에서 증언하는 것, 미 법무성이 박 씨에게 피의사실과 관련해 면책을 부여하는 것, 박 씨에 대한 공소를 취하하는 조건 등을 나열했다. 이에 대해 자워스키는 대단히 불만이었다. 그의 목표는 박 씨를 자신의 청문회에 증인으로 출두시키는 것인데 법정증인으로 국한한다는 합의는 애당초 말이 안 된다고 보았다. 미국의 밴스 국무장관과 벨 법무장관은 자워스키에게 이 기회에 서울에 직접 가서 박동선을 신문하는 것이 어떠냐고 권유도 했다. 미 행정부가 박동선에 대한 조사에만 집중하고 그에 못지않게 중요한 김동조 전 대사에 대한 조사에 비협조적이라고 불만스럽게 생각해 온 자워스키로서 이러한 행정부의 권유를 들을 리 없었다.

한미 양측의 박동선 씨에 대한 신문은 1978년 1월 13일 서울에서 비공개로 시작되어 13일간이나 계속되었다. 미측은 시빌레티 법무성 차장보를 단장으로 하고 일행에는 미 상원윤리위의 스윌링거 차석 특별조사관도 포함되어 있었고 하원의 카푸토(Bruce Caputo) 의원이 옵서버 자격으로 참석했다. 한국측에서는 이종원 법무차관이 대표로 참가했다. 그리고 박 씨의 미국인 변호사인 윌리엄 헌들리와 한국인으로 문인구 변호사가 배석했다. 미셀 등 미국검사들은 박 씨가 한국정부의 대리인으로 미 의원에 대한 불법 매수활동을 벌였는지 집요하게 신문했다. 거짓말 탐지기까지 3번씩이나 사용했으나 박 씨의 대답은 미국측 검사들의 의도를 충분히 만족시켜 주지는 않았다. 그러나 박 씨에 대한 서울에서의 조사는 적어도 헤너 의원, 패스만 의원, 갤러거 의원, 민셀 의원 등과 금전 거래가 있었다는 것을 인정시켜 주는 성과를 거두었다.

결국 박 씨의 증언으로 3월 31일 패스만 의원이 21만 3천 달러를 받은 수뢰혐의로 기소되고 4월 28일 탈세혐의로 추가기소된다. 노쇠한 그는 재판을 받는 것이 힘겨워 처음에는 죄를 인정하려 했으나 고향의 유능한 변호사가 이 사건을 패스만 의원의 출신지인 루이지

애나 주에 이관토록 했고 그곳에서 심리 끝에 무죄가 되었다.

헤너 의원의 경우는 당초 법무성이 그의 수뢰혐의에 대해서는 충분한 증거를 갖고 있지 못했다. 그러나 1977년 9월 중순 헤너 의원이 하원윤리위 조사를 받던 중 박동선 씨로부터 양곡거래 커미션 중 25%를 자기 몫으로 기대했었다는 말을 흘린 적이 있었는데 윤리위 조사관이 이 사실을 법무성에 통보함으로 결국 10월 14일 기소되었다. 그는 박동선 사건으로 기소된 첫 의원이며 현역의원이 외국 정부의 에이전트로 기소된 것은 미국역사상 처음이다.

오닐 하원의장과 한국 대사와의 만남

1978년 1월 윤리위원회의 제피 보좌관으로부터 나에게 연락이 왔다. 때가 때인만큼 나는 거의 매일 윤리위원회 보좌관과 연락을 하고 있었다. 오닐 의장이 김용식 대사를 만나고자 하는데 어떻게 생각하는지 나의 의견을 묻고 이를 사전에 김 대사에게 전해 달라는 부탁이었다. 나는 즉시 김 대사에게 보고하였고 별도로 오닐 의장 측에서 김 대사를 1월 18일에 만나자는 연락이 왔다. 김 대사는 워싱턴 부임 직후인 1977년 5월 오닐 의장에게 예방신청을 하였으나 전혀 회답이 없다가 7개월이 지나 느닷없이 오닐 의장으로부터 연락이 온 것이다.

1월 18일 약속시간에 나는 김 대사를 모시고 의회로 갔다. 제피 보좌관이 마중 나와 안내해주었다. 첫 만남이라고 하기에는 어울리지 않게 오닐 의장은 강경한 어조로 박동선을 빨리 미국에 오게 해달라고 당부했다. 나는 대사관에 돌아오자 오닐 의장과의 면담 보고를 만들었다. 김 대사는 또 하나의 전문으로 워싱턴의 분위기를 직접 보고하기 위해 일시귀국신청을 했다. 처음에는 대사가 자리를 비우는 것보다 참사관을 보내라는 본부의 답신이 왔으나, 결국 재건의하여 김 대사가 일시귀국했다.

김용식 대사는 귀국 즉시 박 대통령에게 워싱턴의 사정을 보고하고 박동선 씨의 미 의회 청문회에서의 증언이 필요하다고 건의했다. 그리고 박 씨의 도미가 지연되면 한국정부가 그를 미국에 못 가도록 잡고 있다는 오해를 살 수도 있다고 설명했다. 김 대사의 건의는 총리 주재하의 관계관 회의에서 토의되었고 결국 박 씨를 미국에 보내는 것으로 결론이 났다.

김 대사는 워싱턴으로 귀임하자 박 씨의 도미결정을 우선 미 국무성 홀브루크 차관보에게 알렸다. 이 자리에서 김 대사는 박 씨가 미국에 오면 상하 양원 윤리위원회에서는 증언할 것이나 프레이저 위원회의 소환에는 응할 수 없다는 우리의 입장을 전했다. 프레이저 위원장은 이미 1976년 8월부터 박 씨에 대한 강제 소환장을 국제관계위원회 결의를 통해 준비하고 있었다. 그러나 우리의 주장을 감안한 오닐 의장은 프레이저 위원장에게 박 씨에 대한 소환장을 집행하지 않도록 요청했고 프레이저 위원장도 이에 동의했다.

박동선 도미 결정

김용식 대사는 1978년 1월 31일 오후 3시 토마스 오닐 하원의장을 방문한다. 나와 국무성을 담당하는 박건우(朴健雨) 참사관이 대사를 수행했다. 오닐 의장은 자신이 박동선을 미국에 오게 하는데 큰 역할을 했다는 것을 부각시키기 위해 배려한 흔적이 여기저기 보였다. TV와 신문기자들이 의장실 입구 가득이 대기하고 있었고 의장실 안에는 이미 플린트 윤리위원장, 동위원회의 공화당 수석의원인 플로이드 스펜서(Floyd Spencer) 의원 그리고 피터 화이트 조사관이 배석하고 있었다.

의례적인 인사와 배석자 소개가 끝나자, 오닐 의장은 자신이 지난 18일 김 대사에게 박동선의 도미를 도와주도록 협조를 요청한 바 있다고 설명했다. 그리고 모두 대사의 말을 기다렸다. 김 대사가 "오닐 의장의 요청을 정부에 전달했으며 한국정부는 박동선 씨가 하원 윤리위원회에서 증언하는데 반대하지 않는다. 박 씨 자신도 윤리위에서 증언하는데 동의했다"고 말하자 모두가 안도하는 표정이었고 특히 오닐 의장은 자신의 개인외교가 결실을 맺은 것이라고 흡족해했다.

오닐 의장은 플린트 위원장에게 더 문의할 사항이 있는지 물었다. 플린트 위원장은 김동조 전 주미대사도 워싱턴에 올 수 있는지를 물었다. 김용식 대사는 전직 대사에 대한 신문은 국제관례에 어긋나고 전례도 없으므로 한국정부로서는 절대로 응할 수 없다고 단호히 대답했다. 그러자 오닐 의장은 김동조 전 대사의 문제는 다음 기회에 이야기하자는 식으로 여지를 남겨두려고 했다. 이에 김용식 대사는 한국정부는 국제법과 국제관례에 어긋난 어떠한 조치도 할 수 없고 하지 않을 것이라고(The Korean Government cannot and will not deviate from the international laws and practices) 거듭 잘라 말했다. 그때 김용식 대사의 영어와 단호한 모습이 지금도 그대로 생각난다. 하원 의장실을 멀리 떠날 때까지 기자들의 질문과 TV 카메라의 불빛이

뜨거웠다. 그날 오후 4시에 김 대사는 스티븐슨 상원윤리위원장도
방문하여 박동선 씨의 도미결정을 알렸다.

박동선, 드디어 증언대에 서다

박동선 씨의 도미가 결정되었으나, 몇 가지를 사전에 확실히 해
두어야 할 일이 있었다. 1978년 2월 21일자로 대사관은 국무성 앞으
로 도미하는 박 씨를 법무성이 구속하지 않는다는 보장을 요구하는
공한을 보냈다. 국무성도 동일자로 박 씨를 구속하지 않는다는 양해
사항을 확인한다고 회신해 왔다.

미 측은 박 씨의 숙소로 기자들의 접근을 차단할 수 있는 포토맥
강변의 병영(兵營)인 포트멕네어 영내의 장군숙소로 정하고 이를 대
사관에 알려왔다. 대사의 지시에 따라 나는 다른 직원과 함께 이 숙
소를 사전 답사했다. 박 씨는 증인으로 미국에 오는 것이지 범죄인
이 아니기 때문에 구속되어 있는 듯한 인상을 줄 수 있는 이 숙소가
부적절하다고 대사에게 보고했고 결국 미측도 다른 곳으로 숙소를
정했다. 그리고 박 씨가 증언하기 전에 대사관으로서도 한번 그를
만나는 것이 필요하다고 판단했다. 그러나 박 씨가 대사관을 찾아온
다든가 조사에 대비하는 것 같은 면담보다는 자국민 보호라는 차원
에서 총영사가 만나는 것이 좋을 것이라는 결론을 내렸고 한탁채 총
영사가 헌들리 변호사 사무실에서 박 씨를 만났다. 형식적이나마 대
사관으로서는 자국민의 미 의회 증언에 앞선 절차를 갖춘 셈이다.

박 씨는 2월 28일 하원 레이번 빌딩 2337호에서 비공개 증언을
시작했다. 그 후 4월 3일 공개증언은 의사당 본관 2141호 실에서 이

루어졌다. 박 씨의 증언은 7일간 총 40시간이 걸렸다. 청문회장에는 금속탐지기가 설치되었고 30명의 경찰이 배치되었다. 그리고 100여 명의 보도진이 이 증언을 지켜보았다.

나는 김형욱 청문회 때 못지않게 준비를 했다. 윤리위의 제피 보좌관의 협조로 우리 대사관 직원의 좌석을 미리 확보해 두었다. 나는 대사관 정무과 다른 직원들의 협조를 받아 청문회의 질의와 증언 내용을 소상하게 기록하여 신속하게 서울에 보고했다. 박동선 씨는 헌들리 변호사와 그리고 텐디 디킨슨 여자친구와 같이 당당한 모습으로 청문회장에 나타났다. 그리고 유창한 영어로 조금도 굴하는 기색이 없이 증언해 나갔다.

첫날부터 자워스키가 직접 박 씨를 신문했다. 이어서 존 닐스(John Nields) 조사관 그리고 윤리위원회 소속의원들의 질의가 이어졌다. 뉴저지 출신의 펜위크(Millicent Fenwick) 여자 의원이 박 씨에게 "당신은 쌀 중개인이 되기 전에 이 방면에 경험이 있었는가"라는 질문에 대해 박 씨는 "의원님 당신은 의원이 되기 전에 의원의 경험이 있었습니까?"라고 대답해서 장중의 웃음을 자아내기도 했다.

박 씨는 한국정부의 에이전트가 아닌가라는 질문에 조목조목 들어 부인해 나갔고 4월 4일 마지막 증언에서는 "본인이 한국정부의 에이전트라는 주장과 관련하여 한마디 하고자 한다. 이는 소문에 불과하다. 본인은 한국정부로부터 에이전트로 지명된 바도 없고 지시 또는 급료를 받은 바도 없다. 만약 내가 쌀 중개를 통해서 그러한 일을 했다면 본인이 쌀 중개권을 일시나마 상실했을 이유가 없다. 한국정부가 에이전트로 하여금 쌀 커미션을 사용케 했다고 하면 커미션의 6~7%를 사용토록 했겠는가, 또한 만약 본인이 한국정부의 에

이전트였다면 역대 한국 대사들이 나를 반대할 이유가 있었겠는가”
라고 말했다.

현장을 지켜본 나는 김형욱 청문회 때와는 전혀 다른 분위기를
감지했다. 한국의 젊은이가 미국정치의 한복판에 와서 당당하게 자
기소신을 이야기하고 있는 것은 종래 다른 한국인 증인들이 타국에
서 자기나라 정부를 욕하는 것과 너무도 대조가 되어 보였다. 박 씨
는 미 의회 증언을 마치고 4월 17일 서울로 돌아갔다.

전직 대사 조사

자워스키의 압력과 국무성의 입장

자워스키는 박동선의 도미가 미국의 압력에 의해 이루어진 것으로 보고 김동조 대사도 한국정부에 압력을 가하면 결국은 오게 될 것으로 믿고 있었던 것 같다. 그러나 한국이 외교관 특권을 내세워 전직 대사의 증언을 거부하는 완강한 입장을 고수함에 따라 자워스키는 전국적인 미디어를 통해 국민에게 직접 호소하고 백악관에도 압력을 가하는 방법을 생각한다.

한번은 자워스키가 오랜 친구인 밴스 국무장관을 찾아가서 "나는 진실을 찾고자 할 뿐이다. 만일 이 문제가 풀리지 않으면 직접 미국 국민에게 호소하고 그들이 판단하게 할 수밖에 없다"고 말한 바 있다. 밴스 장관으로서는 자워스키가 공개적인 성명을 통하여 국무장관이 진실을 은폐하는데 도움을 주고 있다는 인상을 주는 것을 원치 않았다. 그리고 자워스키가 국무장관의 어려운 입장을 이용하고 있다고 불평했다.

자워스키는 드디어 1978년 2월 5일 미국 NBC TV의 유명한 '언론과의 만남'(Meet the Press) 프로에 나가 한국정부가 박동선을 사건의 주인공인 것처럼 내세우고 있지만 이는 김동조 전 대사를 숨기기

위한 작전이라고 하며 김동조 전 대사의 증언이 꼭 필요하다고 강조
했다.

뉴욕 타임스의 리처드 헬로란 기자가 "당신은 한국정부에게 전직
대사를 증언케 함으로써 외교특권을 포기하라고 요구하는 것이 아
닌가"라고 질문한데 대해 자워스키는 "그렇지 않다. 우리는 한국의
자발적인 협조를 요청하고 있는 것이다. 이것은 국가 간의 예양
(comity)으로 볼 수 있다. 한국은 미국으로부터 많은 혜택을 받았다.
오직 우리가 요구하는 것은 미국의 중요기관을 침해한 스캔들을 깨
끗이 해결하는데 도움을 달라는 것뿐이다"라고 그의 주장을 거듭했
다. 그리고 백악관과 국무장관이 한국정부에게 영향력을 행사해야
한다고 호소했다.

자워스키의 기자회견이 있던 다음날 백악관 각료회의에서는 이
문제에 대한 많은 토의가 있었다. 각료들은 자워스키나 한국정부의
주장에 다 일리가 있다고 보면서도 한국의 자발적 협조가 바람직하
다고 생각했다.

그러나 밴스 국무장관은 "비엔나 협정은 한국뿐 아니라 미국 외
교관에게도 이로운 것이다. 만일 국무성이 자워스키의 주장을 지지
한다면 앞으로 많은 나라들이 미국 대사를 선서하에 신문할 권리가
있다고 생각할 것이다. 이미 상당수의 나라들이 미국 대사에 대해
불만을 표한 바도 있다. 만일 카터 대통령이 압력을 행사하고 한국
측이 그들의 주장을 굽힌다면 이것은 이미 자발적인 협조가 아니다.
무엇보다도 자워스키의 주장은 기본적으로 비엔나 협정에 위배되
는 것이다"라고 주장했고 카터 대통령은 밴스 국무장관의 논리에
동조했다.

　　결국 국무성은 2월 6일 "전 현직 외교관에 대한 증언 요구는 부당하다"는 성명을 냈다. 밴스 장관도 물론 한국관계 문제가 해결되기를 바라고 있으나 자워스키식 비엔나 협정 해석에는 동조할 수 없었다. 이러한 사정하에서 국무성이 할 수 있는 일은 윤리위원회와 한국정부간의 충실한 중개역할이었다.

　　한편 3월 6일자 뉴스위크 지에 김동조 전 대사와의 인터뷰 기사가 실렸다. 이 인터뷰에서 김 전 대사는 "미국 친구들과 함께 골프나 오찬을 즐기기는 했으나 전혀 뇌물을 준 적이 없다. 터무니없는 혐의를 씌우는 이유를 도무지 알 수가 없다"고 심경을 토로했다.

　　문제의 NBC 회견 이후 자워스키는 김용식 대사와의 면담을 국무성을 통해 요청해 왔으나 김 대사는 이에 응하지 않았다. 자워스키의 오만한 태도와 압력이 못마땅해서이기도 하지만 대사가 윤리위원회의 조사관을 만나는 것이 형식상 좋지 않다고 판단했기 때문이다. 자워스키의 대사면담 요청에 관해 서울에 보고했으나 이에 대한 구체적인 훈령이 없었다.

　　홀부르크 국무성 차관보는 우선 화이트 조사관을 한번 만나보라고 재차 종용해 왔다. 국무성의 요청이 있고 하원 윤리위원회로부터 압력을 받고 있는 국무성의 입장도 고려해서 김용식 대사는 결국 화이트 변호사를 만나기로 했다. 화이트 조사관을 국무성 홀부르크 차관보 실에서 만난 김 대사는 우선 한미관계의 역사를 잘 정리해서 설명했다. "미국이 국제법을 위반하면서까지 독립국가인 한국의 전직 대사를 증언대에 세워놓고 신문하겠다는 것은 한국 국민의 기대에 어긋나는 것이다. 한국은 작은 나라이다. 그러나 한국도 그 주권을 국제법에 의해 보호받을 권리를 가지고 있다. 미 의회는 김동조 전 대사를 신문하겠다는 요구를 철회해야 한다"라고 강하게 주장했다. 이러한 한국 측의 주장에 대해 미 국무성은 원칙적으로 동조하면서도 자워스키가 대표하는 의회 쪽의 압력이 워낙 드세자 자못 곤혹스러워하고 있었다.

대사관 은행기록과 국제사법재판소

자워스키는 1977년 7월과 8월에 대사관이 거래하는 릭스 내셔날 (Riggs National) 은행에 중앙정보부에서 파견된 김영환(金泳煥) 공사, 김상근 참사관 그리고 무관 이규환(李揆煥) 대령과 한국대사관 명의 (名義)로 된 은행계정의 출입금 내역을 조사하겠다고 나선 일이 있었다. 대사관의 은행기록은 대사관의 문서에 해당되며 비엔나 협정과 국제관례에 의해 불가침의 특권대상이 되어 있다는 것이 대사관의 입장이다. 윤리위측은 은행이 보관중인 문서는 은행의 재산으로 특권을 인정할 수 없다고 하며 자기들의 주장대로 손을 쓰기 시작했고 의회로부터 기록제출 명령을 받은 은행 측은 자료제출 이전에 대사관에 이 사실을 통보해 왔다.

은행기록조사와 관련해 대사관은 즉각 국무성에 항의했다. 국무성은 대사관이 윤리위원회와 상의해서 해결하라며 적극적으로 개입할 의사가 없음을 내비쳤다. 대사관으로서는 국무성의 태도에 실망하고 제3의 객관적인 판단이 필요하다고 생각했다. 즉 국제사법재판소에 이 문제를 제소하는 것이다.

대사관은 원래 윌리엄 로저스 전 국무장관의 법률 사무소에 고문 변호사를 의뢰하고 있었으나 한국관계 조사가 복잡해짐에 따라 워싱턴의 저명한 법률사무소를 추가로 지정할 필요가 있었다. 그래서 '베링 앤드 카빙턴' 법률사무소를 고문변호사로 지정했다. 김용식 대사와 나는 이 법률사무소를 가끔 찾아서 자문을 구했다. 워낙 시간으로 수임료를 계산하기 때문에 경비를 줄이기 위해 김 대사와 나는 할 말을 요령 있고 짧게 미리 정리했고 변호사 사무실문에 들어가는 시간과 나오는 시간까지 재면서 서로 쳐다보고 웃던 생각이 난다.

1977년 8월 대사관 고문변호사 에세이(Essay) 씨는 화이트 하원 윤리위 특별조사관에게 두 개의 각서를 수교했다. 하나는 대사관 및 외교관의 은행계정기록의 특권을 둘러싼 분쟁에 있어 국제사법재판소의 관할에 대한 각서이고, 다른 하나는 대사관과 외교관의 은행계정기록에 관한 국제법학자의 의견서였다. 그리고 에세이 변호사는 자워스키에게 한국대사관 및 외교관의 은행계정이 국제법상 특권영역이기 때문에 이 특권을 포기할 수 없다는 점도 분명히 전했다. 그러나 자워스키는 조사를 강행할 태세였다.

윤리위의 태도를 감안하여 대사관은 대처 방안을 서울에 건의했다. 윤리위가 한국정부를 조사하는 것이 아니고 협조를 요청하는 것이라면 협조범위에 관해서 교섭할 여지가 있으나 만일 윤리위가 조사차원에서 대사관 은행 계정기록을 무제한 열람하겠다는 태도라면 국제사법재판소에 제소하는 길밖에 없다는 요지였다.

본국 정부에서 미국을 상대로 국제사법재판소에 가자고 할 가능성은 적었다. 예상한 대로 서울에서는 가급적 국제사법재판소에 가지 않고 윤리위와 해결하는 방향으로 하라는 회신을 보내왔다. 대사관은 국제사법재판소 제소준비를 중단했고 윤리위원회도 그들의 요구를 대폭 수정했다. 그간 대사관이 국제사법재판소 문제를 전면에 내세워 국제법에 따라 특권을 지키겠다는 단호한 결의를 보임으로써 윤리위와의 씨름에서 강한 위치에 설 수 있었다.

외교적 묘안을 찾아서

하원 윤리위원회의 제피 보좌관으로부터 나에게 또 연락이 왔다. 오닐 의장이 의장실이 아닌 의회 내의 다른 장소에서 다시 대사를 만나고 싶어한다는 것이다. 3월 10일 정오 나는 김용식 대사를 수행하여 약속장소로 갔다. 제피 보좌관의 안내를 받아 방으로 들어가니 그곳에 오닐 의장이 기다리고 있었다. 오닐 의장은 5월 15일부터 의회가 한국에 대한 원조 안을 심의하게 되어 있는데 원조를 삭감하자는 수정안이 제출될 가능성이 크다고 말하고 다시 한 번 김동조 전 대사의 증언을 위한 한국정부의 협조가 필요하다고 강조했다. 그러면서 오닐 의장은 윤리위원회의 자워스키 특별조사관이 보좌관과 같이 약 2일간 서울을 방문해서 김동조 전 대사를 인터뷰할 수 있도록 한국정부가 협조해 주면 모든 문제가 다 해결될 수 있을 것이라고 했다.

김 대사는 즉석에서 전직 외교관에 대한 증언요구는 받아들일 수 없고 국무성도 같은 생각임을 상기시켰다. 오닐 의장은 의회는 행정부와 독립된 기관으로 행정부의 생각에 구애되지 않는다고 퉁명스레 말하고 만일 한국이 협조하지 않으면 한국에 대한 모든 원조에 영향을 미치는 심각한 결과를 가져올 수도 있을 것이라고 다소 위협적인 태도를 보였다. 이러한 공방(攻防)으로 이 날 면담은 끝났다.

의회의 압력이 점점 강해지고 문제해결의 출구를 찾지 못하고 있는 암울한 나날들이 지나갔다. 김용식 대사와 우리 몇몇 직원은 한 미관계를 정상화해야 하는 커다란 대의를 위해서 과연 외교관 특권 에만 계속 매달려 있을 것인가, 아니면 현지 대사로서 묘안을 찾아 총대를 메고 서울에 건의해야 할 것인가를 고민하고 있었다.

김동조 전 대사가 미국에 오지 않고 전화나 사신(私信)으로 미 의 회에 해명하는 방안이 제1안으로 떠올랐다. 이는 외교관의 특권을 포기하지 않고도 문제를 해결할 수 있는 방안이다. 그러나 과연 이 에 대해 미 의회가 동의할 것인지 그리고 서울에서 좋다고 할 것인 지가 미지수였다. 김용식 대사는 이러한 문제들을 협의하기 위해 또 다시 서울로 일시 귀국한다. 서울에서도 별 다른 묘안이 없던 처지 라 한번 시도해 보자는 결론이 났다.

김 대사는 워싱턴으로 귀임 즉시 4월 6일 국무성 홀부르크 차관 보에게 우리의 생각을 알렸다. 즉 김동조 전 대사가 오닐 의장에게 전화 또는 사신(私信)으로 해명하는 방안을 설명하고 이것은 어디까 지나 김 전 대사의 자의에 의한 것이지 미 의회의 요청에 의한 것이 아님을 확실히 했다. 홀부르크 차관보는 우선 한국 측의 노력에 감 사한다고 하면서도 미 의회가 과연 어떻게 받아들일지 모르니 서로 노력해 보자고 했다.

김용식 대사는 4월 10일 나를 대동하고 오닐 의장을 찾아갔다. 김 대사는 "미국 의회가 필요로 하는 것은 사실을 규명하는 것이지 한 국의 위신을 손상시키자는 것이 아님을 잘 안다. 미 의회 측이 전직 대사에 대한 증언요구를 철회하면 전직 대사가 사신 형식으로 오닐 의장에게 편지를 보내는 방안을 고려할 수 있다. 만일 의장이 동의 한다면 전직 대사에게 이 방안을 제의하겠다"고 한국 측 입장을 설명했다. 오닐 의장은 윤리위 측과 상의해 보겠다고 하며 즉답을 하지 않았다.

4월 11일 홀부르크 차관보는 김용식 대사를 국무성으로 초청, 한국 측 안에 대해 자워스키는 만족스럽지 못하다는 반응을 보였다고 알려주었다. 그리고 김용식 대사에게 자워스키를 한번 직접 만나는 것이 좋겠다고 부탁했다. 4월 12일 오닐 의장으로부터도 다음과 같은 편지가 왔다.

"김 대사, 나는 지난 월요일 귀하와 솔직하고도 정중한 의견교환을 가질 수 있었던 것을 감사하게 생각합니다. 나는 현안문제가 조속한 시일 내에 우리 두 나라의 이익을 위해 해결될 것이라는 희망을 갖게 되었습니다. 나는 귀하와 하원윤리위원회의 대표인 레온 자워스키 씨가 이 문제를 협의해 줄 것을 진심으로 바라고 있습니다."

국무성과 의회 모두가 김용식 대사의 자워스키 면담을 바라고 있고 자워스키를 만나지 않고는 문제해결을 위해 한 발자국도 앞으로 나갈 수 없는 분위기였다. 한국의 협조로 박동선 씨의 증언도 이루어졌고 전직 대사 문제에 있어서도 한국이 성의를 다 하고 있다는 인상을 미국 국민들에게 심어주는 일도 중요하기 때문에 김용식 대사는 자워스키를 만나기로 결심했다.

자워스키 대 김용식

4월 25일 김용식 대사는 나와 박건우 국무성 담당 참사관을 대동하고 국무성으로 향했다. 기자들의 눈을 피해 지하 차고로 들어가 하차하고 거기서 승강기를 타고 6층의 홀부르크 차관보 사무실로 올라갔다. 자워스키 특별조사관이 미리 와서 기다리고 있었다. 미측 에는 자워스키, 피터 화이트 조사관, 홀부르크 차관보, 리치 한국과 장이 앉았고 우리 측은 김 대사와 두 참사관이 자리를 잡았다. 홀부 르크 차관보는 양측 인사를 소개한 뒤 자리를 피해 줬다.

김용식 대사와 자워스키 특별조사관은 웃는 얼굴로 악수를 나누 고 서로 덕담으로 대화를 시작했다. 김 대사는 그의 외교적인 말솜 씨로 자워스키를 한껏 올려 세웠다. 같은 변호사 출신으로 공통점을 강조했고, 2차 대전 후 자워스키가 뉘른베르크에서 미국을 대표한 검찰관으로 활약한 데 대해서도 경의를 표했다. 그리고 나이보다 건 강하고 젊어 보인다는 인사도 잊지 않았다. 기분이 좋아진 자워스키 도 휴스턴에 있는 자기 집을 자랑하며 한번 놀러오라고 하고 자기는 장작을 패는 일이 건강유지법이라는 이야기도 했다.

두 사람은 본론으로 들어갔다. 자워스키가 먼저 말을 꺼냈다. 그 는 "미 의회안의 한국관계 스캔들 문제는 그 방증이 거의 다 수집되 었다. 이제 가장 중요한 증인인 전직 대사의 증언을 듣는 것이 필요 하다. 나는 증언을 듣는 것이 목적이지 한국의 위신을 손상하거나 어떤 정치적 효과를 얻고자 하는 것이 아니다. 전직 대사가 미국에 오는 것이 거북하다면 내가 서울에 가서 증언을 듣거나 제3국에서 증언을 듣는 것도 고려할 수 있다"고 했다.

이에 대해 김 대사는 "한국정부는 어떠한 경우에도 조사의 성격 에서 이루어지는 전직 대사의 증언은 용인할 수 없다. 사실을 파악 하는 것만이 귀측의 목적이라면 전직 대사가 오닐 의장에게 보내는 서신을 통해 파악하면 되지 않겠는가"라고 말했다. 자워스키는 선서를 하는 증언이 필요하다고 강조했다. 합의점을 찾지 못한 두 사람은 1시간여의 대담을 끝마쳤다. 우리는 올 때와 마찬가지로 지하주차장을 통해 대사관으로 돌아왔다.

그 후 의회의 압력은 계속 가중되었다. 오닐 의장은 김 대사에게 전화를 걸어 8억 달러에 달하는 한국에 대한 장비이양법안의 본회의 상정이 어렵게 되었다고 말했다. 자워스키가 재차 대사와의 면담을 요청해 와서 5월 10일 2차 면담이 이루어졌다.

두 사람은 전과 같이 국무성 홀부르크 차관보의 사무실에서 만났다. 자워스키는 "전직 대사는 무선서 증언(Affirmation) 형식을 취해도 좋다. 그것도 어려우면 한국정부가 그의 증언이 사실과 틀림없다고 보장하는 방법도 생각할 수 있다. 이 경우 전직 대사와 직접 만나지 않아도 같은 건물 안에서 전화 또는 인터폰을 통해 대화하는 방안도 고려할 수 있다"고 했다. 김 대사는 어떤 경우에도 조사 성격의 방법에는 응할 수 없으며 한국은 더 이상 비엔나 협정을 위반하면서까지 조사에 협조할 수는 없다고 분명히 말했다. 그리고 전직 대사가 자발적으로 사신을 오닐 의장에게 보내는 방법을 이미 제시했다는 것도 상기시켰다. 자워스키는 8억 달러의 한국에 대한 장비이양법안이 그날 오후 하원본회의에서 심의 예정임을 들먹이면서 한국측의 협조를 요청했다. 회담은 결렬됐다.

자워스키는 대사와의 면담 직후 미리 준비한 18쪽에 달하는 다음과 같은 장문의 성명서를 발표했다.

　"이 성명의 목적은 윤리위원회가 필요한 증언을 확보하기 위해 어떻게 노력했는가를 설명하는데 있다. 내(자워스키)가 이와 같은 성명서를 발표하게 된 것은 한국 측과 장기간 협의를 거듭했음에도 불구하고 양측은 이 문제에 대해 완전히 대립된 상태에 있으며 의회도 어려운 국면에 처해 있기 때문이다. 나는 하원윤리위원회 특별조사관에 취임할 때 당시 수집한 증거로 보아 성공적인 한국관계 조사는 오로지 대한민국이 필요한 증인을 제공하는 데 따라 좌우될 것이라고 확신했다. 불법적인 행위를 저지른 국회의원이 자진해서 불법행위를 인정할 것이라고 기대할 수는 없기 때문이다. (중략) 우리의 요청에 의하여 하원윤리위는 만장일치로 대한민국이 필요한 정보를 제공할 것을 요청하는 결의안을 하원에 제출했다. (중략) 하원의 압력에 의해 박동선은 청문회에서 증언하게 되었다. 그러나 전직 대사에 대해 대한민국은 우리의 요구를 계속 무시하고 있다. (중략) 나는 5월 10일 11시 다시 김용식 대사와 만났다. 우리는 많은 양보를 했음에도 불구하고 대한민국의 공적 입장은 완강했다. 전직 대사로부터 선서하의 증언을 얻을 수 없게 되었다. 유감스럽게도 대한민국은 미 의회에 대해 진실을 은폐하기로 결심한 것이다. 나는 전술한 바와 같이 전직 대사의 증언이 없이는 조사를 완결할 수 없다.”

이러한 자워스키의 성명에 대해 대사관도 대변인 명의로 아래와 같은 성명을 발표했다.

“(전략) 미 의원과 한국인과 관련된 범법혐의 사건에 대해 대한민국 정부가 미 행정부 및 입법부의 조사에 충분히 협력했다는 사실은 그간의 기록으로 봐도 분명하다. 우리는 양국의 전통적인 우의를 수호하고 강화하는 의미에서 최대한의 협력을 해왔다. 그러나 전직 대사가 신문(訊問)을 받거나 또는 선서하의 증언을 하도록 하는 것은 국제법 위반이며 국제관례에 위배되는 것이다. 이에 대한 자워스키 씨의 요청을 수락한다는 것은 대한민국이나 미국의 이익에 합치되는 것이 아니며 양국의 우의에도 도움이 되지 않는다. 그것은 국가 간에 있어 위험한 선례가 될 것이다. 미국의 강력한 동맹국인 대한민국의 입장은 국제법의 테두리 안에서 충분한 협력을 다 한다는 것임을 거듭 말해두고 싶다."

최후의 압력 원조삭감 결의안

자워스키가 한국정부와 타협의 여지가 없다는 것을 밝힘과 동시에 윤리위원회의 카푸토 의원은 대한원조(對韓援助) 안에 대한 수정안을 제출했다. 이어서 제이콥스 의원의 재수정안도 상정됐다. 그런데 의외로 두 개의 수정안이 모두 부결되었다. 이에 당황한 자워스키는 오닐 의장과 중진의원들을 설득하여 짐 라이트 의원 이름으로 "전직 대사의 증언이 실현되기 전에는 한국에 대한 비군사 원조를 제공하지 않는다"는 취지의 결의안을 다시 제출했다. 그런데 이 결의안을 둘러싸고 의원들 간에 격론이 벌어졌다. 결국 이 결의안은 하원 국제관계위원회에 심의를 거치도록 회부됐다.

국제관계위원회 심의에서 크리스토퍼(Warren Christopher) 국무차관이 "원조 중단을 통해 한국에 압력을 가하는 것은 적절치 않다"고 국무성의 입장을 밝혔으나 자워스키의 의견을 청취 후 이 결의안은 31대 0으로 통과되었고 6월 1일 하원 본회의에 상정되었다. 관례에 없이 오닐 의장이 특별히 지지연설을 했다. 그는 열띤 어조로 미국은 한국에 110억 달러의 원조를 제공했고 5만 4천의 인명을 희생시켰다고 강조하고 연설 말미에 "대한민국이 이 사건에 협력하지 않으면 중대한 결과가 초래된다는 사실을 분명히 말해둔다"고 경고했다. 이 결의안은 321대 46으로 하원 본회의를 통과하였다. 통과된 의안 1194호의 내용은 다음과 같다.

1. 한국은 하원 윤리위와 위원회 특별조사관이 한국의 전직 대사로부터 선서증언, 무선서 증언 또는 위원회를 만족시킬 만큼 신빙성이 보장된 유사한 방법으로 필요한 정보를 얻을 수 있도록 완전한 협조를 해야 한다는 것이 하원의 의사이며,
2. 한국 측이 이러한 협조를 거부하면 이는 양국관계에 심각한 영향을 준다고 보고 하원은 한국에 대한 비군사원조(非軍事援助) 안을 심의할 때 미국의 안보상 이익과 한국의 영토보전에 영향을 미치지 않는 한도에서 원조를 거부하거나 감축할 용의가 있으며,
3. 한국에 대한 비군사원조의 감축과 거부가 현재로서는 미국의 안보상 이익과 한국의 영토보전에 영향을 미치지 않는 것으로 생각한다.

자워스키나 일반 미 의원들은 한국이 미국의 원조에 의해 생존을 유지하고 있는 작은 나라라는 막연한 인식을 가지고 이 결의안의 통과가 문제를 해결하는데 도움이 될 것으로 오판했다. 한국인은 압력을 가하면 오히려 반발한다는 것을 미국사람들은 이해하지 못했다.

비군사원조라는 것은 1979회계연도의 경우 '평화를 위한 식량계획'과 '평화봉사단' 경비를 합한 6천6백만 달러다. 당시만 해도 한국의 수출은 1백억 달러를 넘어서고 있어 이 정도의 액수가 압력수단이 될 수는 없었다. 대사관은 그와 같은 압력에 굴복하지 않는다는 성명을 냈다.

한국 측의 반발에 당황한 것은 오히려 자워스키 쪽이다. 한국에 대한 비군사원조 삭감이라는 칼자루를 쥐고 자워스키는 6월 6일 다시 김 대사를 만난다. 이번에는 전직 대사의 선서를 요구하지도 않고 전직 대사의 해명을 한국정부가 진실이라고 보장만 해주면 된다고 했다. 그러나 김 대사는 전직 대사의 서신은 어디까지나 개인의 사신이며 정부가 보장할 성격의 것이 아니라고 종래의 입장을 다시 분명히 했다.

자워스키나 미 의회는 결의안 통과가 한국에 대한 압력수단이 될 것으로 믿었으나, 오히려 한국 측의 반발만 사고 미국 농민들에게도 불리한 것으로 나타났으며 상원도 하원에 동조하지 않았다. 결국 자워스키는 6월 19일 오닐 의장 앞으로 "하원의 결의안 통과에도 불구하고 한국의 협력을 얻을 수 없고 김용식 대사와의 협상도 어렵게 되었음"을 서면으로 알렸다. 결국 하원은 6월 22일 한국에 대한 비군사원조 5천6백만 달러를 삭감하는 짐 라이트 민주당 총무의 수정안을 통과시켰다.

국무성은 6월 22일 하원의 조치에 대해 다음과 같이 유감의 뜻을 밝혔다.

"우리는 수차에 걸쳐 한국에 대한 PL480(평화를 위한 식량계획)의 자금배정과 전직 한국 대사의 증언문제는 별개로 취급해야 한다고 주장한 바 있다. 그런데 이 두 문제를 연관시킴으로써 국제협약에 의해 보호받는 사안에 대해서도 제재를 가하는 것은 불행한 일이다. 한국에 대해 PL480을 위한 예산배정을 하는 것은 충분한 이유가 있었던 것이다. 이 예산배정은 미국의 이익에 합치되는 것이다. 아무 상관도 없는 이유를 들어 관계예산을 삭감한 것은 유감스러운 일이다."

　김동조 전 대사는 한국에 대한 비군사원조 삭감수정안이 통과하자 6월 23일 청와대 외교담당 특보직을 사임한다. 사실상 그보다 훨씬 이전에 워싱턴의 김용식 대사는 전직 대사에 대한 조사 문제가 이토록 중대한 현안으로 한미관계 발전에 걸림돌이 되고 있는 마당에 당사자가 대통령 곁에 있다는 것은 대통령에게 누가 된다고 지적하면서 김동조 특보가 물러나야 한다고 박 대통령에게 친전전보로 건의한 바 있다.

　한국 대사의 협조도 어렵고 국무성의 지원도 받지 못하게 된 자워스키와 하원은 박정희 대통령에게 직접 호소하는 최후의 방안으로 오닐 의장이 하원의 특사로 리 해밀턴(Lee Hamilton) 의원과 플로이드 스펜스(Floyd Spence) 의원을 서울에 파견하는 내용의 서한을 박 대통령에게 발송하였다. 박 대통령은 오닐 의장의 요청을 거부하는 다음과 같은 답신을 보냈다.

　"한국에 두 사람의 특사를 파견하고 싶다는 귀하의 제안을 면밀히 검토한 결과 두 특사의 파견은 전직 대사의 문제를 즉시 해결하는데 아무런 도움이 안 된다는 결론을 얻었습니다. 오히려 그 같은 특사파견은 양국에 좋지 않은 보도 등을 유발하게 될 것으로 봅니다. 따라서 쌍방이 만족할 수 있는 해결방법은 문제의 극적인 해결을 모색하는 것보다는 조용한 대화를 통한 방안이 바람직합니다. 그 대신 우리가 제안하는 것은 워싱턴에 있는 우리 대사나 서울에 있는 미국 대사에게 메시지를 전해 달라는 것이며 메시지가 전해지면 우리는 이를 면밀히 검토할 것입니다."

코리아게이트의 마침표

자워스키의 퇴장

화려하게 등장하여 한국에 집요한 압력을 가해 온 자워스키가 드디어 퇴진한다. 그는 7월 28일 하원윤리위 특별조사관직을 사임할 것임을 발표하고 8월 2일 오닐 의장에게 다음과 같은 서한을 보냈다.

"의장, 하원윤리위와 체결한 계약에 따라 본인의 역할이 종료됐음을 통보하는 바입니다. 본인은 여기에 그간 수행한 업무내용과 한국관계 조사경과에 관한 본인의 성명서를 동봉합니다. 이 성명서는 금일 공표될 것입니다. 본인은 이 서한을 통해 본인이 계약상의 의무 즉 한국관계의 조사와 관련된 법률상의 업무를 전부 수행했다는 점을 분명히 하고자 합니다. 따라서 본인 및 본인의 대리인 피터 화이트 씨는 위원회 활동으로부터 물러날 의향임을 밝혀 둡니다."

자워스키의 퇴진은 조용하게 다루어졌고 보도도 간략했다. 자워스키가 워싱턴 입성 때 "자워스키의 등장"이라고 워싱턴포스트 지가 사설까지 게재했던 것과는 사뭇 대조적이었다.

하원도 8월 16일 휴회에 들어가고 11월의 중간 선거를 앞두고 있었던 시점이었다. 95대 국회까지 한국관계 문제를 끌고 갈 수는 없기 때문에 가능하면 휴회 전에 한국관계 문제를 해결해야 한다는 것이 하원의 입장이었고, 그래서 한국에도 그토록 압력을 가했던 것이다. 하원으로서도 그동안 모든 방법과 압력을 다 행사하였다는 명분을 축적했고 국제법의 준수를 주장하는 국무성의 견해도 감안하여한국 측이 제시한 방안을 보다 적극적으로 검토해 볼 가치가 있다고태도를 바꾸게 된 것이다. 자워스키가 퇴진한 바로 그날인 8월 2일오후 미 국무성은 윤리위원회가 문제해결을 새로운 각도에서 검토한다는 소식을 대사관에 알려왔다.

드디어 플린트 하원 윤리위원장은 8월 3일 오전 다음과 같은 성명을 발표한다.

"최근 하원의장과 양당 총무 및 윤리위의 노력으로 대한민국은 처음으로 전직 대사와 미 의원들의 관계에 대하여 구체적인 새 정보를제공할 것이라는 보장을 했다. 이는 앞으로의 조사 진전에 기여할 것으로 기대된다. 윤리위는 대한민국의 제의를 수락하기로 하고 전직대사에게 문의할 사항을 질문서로 제출키로 했다. 나는 대한민국이이와 같이 보장해 준 것을 환영하는 바이다. 이는 우리 두 나라 사이의 우의와 협력의 새 증좌라고 볼 수 있다."

이러한 플린트 위원장의 성명은 다분히 정치적인 것으로 "한국이처음으로 구체적인 새 정보를 제공할 것이라고 보장"한 바가 없다.그러나 이는 하원으로서 체면을 차리면서 우리 측 안을 수락하는 방책이었다. 사태가 해결의 방향으로 전환점을 찾아가는 마당에 대사관으로서도 반론을 제기할 필요는 없었다. 이날 오후에는 상원도 비슷한 내용의 성명서를 발표했다. 그래도 외무부는 혹시 오해의 소지를 사전에 불식해 두기 위해 플린트 위원장의 성명서가 발표된 다음 날 8월 4일자 외무부 논평을 통하여 "전직 대사의 개인서신은 정부로서 보증할 성격이 아니다. 정부로서는 이 문제에 관해 성실한 답변을 권고하는 입장일 뿐이다"라고 다시 한 번 선을 그어두었다.

김동조 대사 사신(私信)으로 마무리된 윤리위 조사

1978년 8월 18일 외무부와 주한 미 대사관 간에 전직 대사의 사신에 관한 절차문제가 협의되었다. 미국 측이 질문서를 일괄 전달하며 답변 사신의 전달은 외무부의 미 대사관 앞 비망록에 사신을 첨부하는 형식을 취하기로 합의했다.

주한 미국 대사가 본국 정부에서 보내 온 질문서를 8월 19일 외무부에 전달해 왔다. 자워스키가 사임하기 전에 선서과정 없이 전직 대사의 증언을 청취하겠다고 마련한 23가지로 세분화된 질문서였다. 이에 대한 김동조 전 주미 대사의 9월 18일자 답변서는 장문의 서신 1통과 8가지의 첨부 설명으로 구성되었다. 국무성은 9월 20일 주한 미 대사관으로부터 김 전 대사의 답변서를 접수하고 이를 밀봉하여 상하 양원에 전달했다.

10월 16일 상원 윤리위는 스티븐슨(Stevenson)위원장이 동위원회 부위원장, 수석조사관과 같이 공동회견을 갖고 한국관계 조사 보고서를 발표했다. 스티븐슨 위원장은 "그간의 철저한 조사결과 한 사람의 상원의원도 징계할 만한 비리나 박동선으로부터 영향을 받았다는 증거가 없다. 그래도 미심쩍은 사항은 법무성이 조사결론을 내려줄 것을 요망한다"고 말했다. 이로써 한국관계 조사는 하나씩 종지부를 찍기 시작하였다.

하원의 경우는 좀 달랐다. 소장파 의원들과 과격한 조사관들이 서신내용에 불만을 토로하고 다음 회기로 이 문제를 넘기더라도 전직 대사의 서신을 반송하자는 소리가 높아 한국 대사관을 긴장하게 했고 국무성도 걱정이 많았다. 그러나 중간 선거를 앞두고 문제를 확대하고 싶지 않은 오닐 의장과 플린트 위원장 그리고 중진의원들의 설득과 한미 간의 불편한 관계를 하루라도 빨리 청산하려는 국무성의 노력으로 서신을 반송하는 사태는 발생하지 않았다.

하원 윤리위는 10월에 들어 3명의 현직의원이 부정행위를 하였다고 결론지었다. 에드워드 로이발(Edward Roybal) 의원에 대해서는 선서를 하고도 위증을 하였고, 1974년 박동선 씨로부터 받은 선거헌금 1천 달러를 개인적으로 유용했다는 이유로 견책(censure)을 건의했다. 존 맥폴 의원과 찰스 윌슨(Charles Wilson) 의원에 대해서는 약간 경한 질책(reprimand)을 건의했다. 맥폴 의원은 1972년과 1974년에 걸쳐 박동선으로부터 총 4천 달러의 선거헌금을 받고 신고를 누락했고 윌슨 의원의 경우는 1975년 박동선으로부터 1천 달러 상당의 결혼선물을 받고 이를 신고하지 않았다는 것이다. 하원 본회의는 윤리위의 건의대로 세 의원에게 견책조치를 취하였다. 이러한 견책조치는 의원의 자격이나 권리에는 영향을 미치지 않는 것이었다.

그 외도 6명의 현직 의원이 박동선으로부터 선거현금을 받았으나 1975년 이전에는 외국인으로부터 선거헌금을 받는 것이 불법이 아니었기 때문에 문제시되지 않았다. 그 외 약간의 전직 의원에 대한 의혹을 발견했으나 윤리위의 소관사항이 아니었다.

이와 같이 자체조치를 완료하고 전직 대사의 사신을 검토한 하원

윤리위원회는 1978년 12월말 마지막 보고서를 채택하고 한국관계 조사를 종결지었다. 동 보고서의 결론 부분은 다음과 같다.

"언론은 당초 115명의 의원이 관련된 것처럼 보도했으나 이것은 과장된 보도였다. 한국정부의 미 의회에 대한 영향력 행사계획은 1972년부터 실재했다고 본다. 위원회의 조사자체는 철저했으나 의회의 권한이 미치지 못해 미완성인 채로 조사는 종결되었다. 박동선의 의회증언은 신빙성이 있다고 본다. 박동선으로부터 부당한 금전을 받은 의원들에게는 그에 상응한 징계조치를 건의했다."

프레이저 위원회 조사의 종결

프레이저 위원회는 1978년 6월 2일과 6월 12일 양차에 걸쳐 박동선 씨를 비공식 면담했다. 당초 합의에 따라 프레이저 측은 박동선 씨에게 공식질문은 하지 않기로 되어 있었다. 그러나 프레이저 측은 이 합의사항은 박 씨의 1차 방미 때에만 적용되고 2차 도미시에는 이미 확보하고 있는 강제소환권을 행사할 수 있다는 주장이었다. 대사관의 고문변호사 그리본(Gribbon) 씨와 박 씨의 변호사 헌들리 씨가 프레이저 측과 접촉한 결과 박 씨를 선서 없이 비공식으로 면담하는 것으로 절충이 된 것이다.

박 씨와의 면담에서 프레이저 측은 통일교 및 한국문화재단 그리고 박 씨와 한국 국내인사들과의 관계에 대해 집중 질문했다. 그러나 양국 간의 사법공조협정에 따라 한국정부와의 관계나 한국 내 인사와의 관계에 대해서는 신문하지 않도록 되어 있어 프레이저 측의 여사한 질문에는 박 씨가 완강히 답변을 거부한 것으로 알려졌다.

이것으로써 프레이저 위원회의 박 씨에 대한 관심도 일단락되었다.

프레이저 위원회는 1978년 7월 11일과 8월 15일 김형욱을 다시 증인으로 불러 청문회를 개최했다. 이 청문회에서는 김형욱의 재산관계 은행관계, 달러의 반출 반입관계에 대해 집중적인 질문이 있었다. 그 동안 김형욱에 대한 관심이 낮아지고 증인으로서 가치가 줄어든 때라 청문회장은 1차 때에 비해 현저히 한산했다. 김형욱은 유럽여행을 가끔 하는데 1978년 1월 18일 뉴욕의 케네디 공항으로 재입국시 미화 5만 달러와 불화 6만1천5백 프랑(미화 2만5천 달러 상당)을 신고하지 않고 바짓가랑이에 넣고 엉거주춤하게 걸어 나오다가 세관당국에 적발되어 뉴욕 동부법원에서 1년간의 집행유예 선고를 받은 바 있다. 이러한 사실이 청문회장에서 언급될 때 미국사람들은 웃었지만 그곳에 있던 한국 사람들은 얼굴을 숙여야만 했다.

여기서 김형욱의 재산관계에 대해 살펴보자. 김형욱은 1977년 6월 22일 청문회에서 "나는 부자가 아니다. 15만 달러의 돈을 한국으로부터 가져오는 데 2년이나 걸렸다. 지금은 자성(自省)과 공부로 소일하고 있다" 그리고 "중정부장 때는 월 7백5십 달러 내지 1천 달러의 월급을 받았고 생활비는 몇 명의 친구들이 도와주었다"고 증언한 바 있다. 이러한 그의 증언이 보도되자 미국의 교포사회와 한국 국내에서는 '부정축재로 소문난' 그가 거짓말을 한다고 비난의 소리를 드높였다. 그러나 증거가 없던 차 박동선 씨의 수첩에서 '돈까스'(김형욱의 별명)에게 1만6천 달러를 지출한 기록을 발견하고 프레이저 조사팀은 김형욱의 재정사항을 다시 조사하기 시작한다.

조사가 시작되자 김형욱은 처음에 2백6십만 달러의 돈을 미국에 가져왔으나 도박 등으로 반감되었다고 말했다. 그러나 지속적인 조

사 결과 김형욱은 미국에 1천5백만 달러 내지 2천만 달러가 있고 외
국에 4~6백만 달러가 있는 것으로 파악되었고, 친구의 사업계좌를
통하여 1977년 6월까지도 한국에서 돈을 가져오고 있었다. 그리고
그는 중정부장 때 김성곤 공화당 재정위원장으로부터 7만5천 달러
를 받은 것도 시인했다. 1978년 7월과 8월 프레이저 소위원회의 비
공개 증언에서 김형욱은 그의 재정관계에 관해 설명하였으나 어디
까지가 진실인지 알 수 없었다 한다. 따라서 그가 과연 다른 모든 문
제들에 대해서도 사실대로 충분히 증언하였는지 프레이저측도 다
시 한 번 의심하게 되었다

　1974년 6월 30일 첫 한국 인권에 대한 청문회를 시작으로 수많은
한국관계 청문회를 개최하였고 인권탄압을 이유로 한국에 대한 원
조 9천3백만 달러를 삭감하는 수정안을 통과시키는 등 한국과는 몹
시도 불편한 관계를 가졌던 프레이저 위원장이다. 이 프레이저 소위
원회도 1978년 10월 31일자로 '한국-미국 관계 조사 보고서'라는
이름으로 447쪽에 달하는 종합 보고서를 발표하고 한국관계 조사의
막을 내리게 된다.

맺음말

　1960년대 후반 이후는 악화되어가는 한반도 안보상황 속에서 미
국의 지원이 더욱 절실했던 시절이다. 미국의 대아시아 정책의 변화
와 한국 국내문제에 대한 미국의 비판을 동시에 대처해 가야 하는
것이 당시 한국정부가 직면했던 중대과제였다. 이러한 어려움 속에
서 한국은 생존을 위한 노력을 다할 수밖에 없었고 그 노력의 과정

에서 서로의 풍습과 제도를 충분히 이해하지 못하는 데서 빚어진 일들이 바로 '코리아게이트'라고 할 수 있다.

'박동선 사건'은 박 씨가 자신의 사업상의 이익을 위해 독특한 방식으로 행동함으로써 실제보다 과장되었고 한국정부 인사와의 개별적 관련을 배제할 수는 없지만 처음부터 한국정부가 기획하고 추진한 일은 아니다. 전직 대사에 대한 조사문제는 국제법의 원칙을 벗어날 수 없는 법률적 한계가 있고 미 국무성도 이 원칙에 동조하는 상황 속에 미 의회의 조사는 시작부터 미완의 결과를 예측하는 것이었다. 한국 중앙정보부의 미국 내 활동에 대한 프레이저 위원회의 조사는 개개의 단편적 문제들을 하나의 연관된 공작으로 만들어 보려고 시도하는 과정에서 한미관계에 부정적 상처를 남겼다.

결국 이러한 문제들은 '박동선 씨에 관한 사법공조협정'과 '전직 대사의 사신 해명'이라는 외교적 방안으로 해결되었다. 비외교 분야에서 외교와 관계없이 저질러지는 어떠한 국가 간의 문제도 결국은 외교적으로 해결될 수밖에 없다는 또 한 번의 값진 경험이요 교훈이었다.

'코리아게이트'의 종결과 더불어 한미관계도 급속도로 달라졌다. 대미의존도가 컸던 시절의 한국의 생존전략, 세계화·국제화되지 못한 시절의 한국 정치인이나 관리의 사고(思考) 그리고 한국에 대한 미국사람들의 부족한 이해 등이 복합적으로 겹쳐 일어난 사건들을 뒤로 하고 양국관계는 새로운 출발을 다짐했다. 한국과 미국은 우방으로서 민주주의 정신과 시장경제 체제를 공유하며 신뢰할 수 있는 동맹국으로 되돌아 왔다. 나도 2년 8개월의 잊을 수 없는 워싱턴 근무를 마치고 주 스웨덴 공사로 갔다.

잊을 수 없는 사람, 더윈스키 |

1976년 워싱턴에 부임하자 가장 먼저 나는 더윈스키 의원을 사무실로 예방하고 앤 볼톤(Ann Bolton) 보좌관과도 인사를 나누었다. 에드워드 더윈스키(Edward Derwinski) 의원은 일리노이 출신 하원의원으로 폴란드계의 반공인사다. 그의 사무실은 온통 사진으로 도배를 해놓았다. 한국 인사들이 자주 찾아오는 방이다. 그 사무실 속에 거구이며 온화한 목소리의 주인은 우리에게 항상 친절했다. 내가 그를 만난 것은 공적 사적인 일을 합해 수없이 많았다.

그는 '코리아게이트'가 있기 전부터 시종일관 한국의 입장을 철저히 지지한 인사다. 세계의 많은 국가들이 공산진영과 타협해 가는데, 가장 호전적인 북한의 위협 속에서도 굳건히 반공노선을 지키는 한국이야말로 진정한 우방이라는 소신으로 한국을 지지했다. 그도 국제정세의 흐름을 잘 알고 있었다. 그러나 그는 소신을 굽히지 않고 반공노선과 반공정부를 지지했다. 한국의 반정부인사 특히 전 주미 공보관장 이재현의 이름만 나와도 얼굴이 상기된다고 프레이저 보좌관들이 표현할 정도로 반한인사에 대해 못마땅하게 생각했다.

더윈스키 의원의 이름은 박동선 사건의 어느 곳에도 거명되지 않았다. 뇌물을 받는다는 것은 상상할 수도 없는 성품으로 박동선 씨로부터 금품을 받은 의원들과 좋은 대조를 이루었다. 그야말로 '코리아게이트'의 와중에서도 시종일관 박정희 정권을 지지한 유일한 미국 국회의원이라고 할 수 있다.

1977년은 한국관계조사가 한창이고 언론의 비판과 폭로가 연이어 쏟아지던 시절이지만, 한국대사관은 국경일 경축리셉션을 하지 않을 수 없었다. 그러나 얼마나 많은 손님들이 올 것인지 걱정이었다. 워싱턴포스트 지는 대사의 리셉션 초청장을 실물 크기로 인쇄하여 사교란에 싣고 "누가 이 파티에 참석할 것인가"라고 토를 달았다.

10월 3일 저녁 파티시간 훨씬 전부터 모든 TV와 언론사 사진기자들이 입구에 진을 치고 리셉션에 참석하는 미국 중요인사의 얼굴을 찍기 위해 기다리고 있었다. 워싱턴포스트 사교란을 쓴 여기자 낸시도 일찌감치 와 있었다. 나는 낸시에게 이렇게 말했다. "월남과 전쟁할 때도 월남의 명절 설날에는 공습을 중단하던 미국이 혈맹 한국의 경사스러운 국경일을 이렇게 방해해도 되는 것인가"라고 항의했다. 이러한 나의 불평은 그 이튿날 워싱턴포스트 지 기사로 인용되었다. 이 리셉션에 당당하게 나타난 것이 바로 더윈스키 의원 내외였다. "내가 우방국의 국경일 경축파티에 온 것이 왜 이상한가"라고 기자들의 질문에 떳떳하게 대답하던 더윈스키 의원이 지금도 생각난다.

더윈스키 의원은 하원 국제기구소위원회의 공화당 수석의원으로 사사건건 위원장인 프레이저 의원의 발목을 잡았다. 한국의 인권문제 원조삭감문제 한국관계 조사 등 거의 모든 문제에 있어 프레이저 위원장과 의견을 달리했다.

이러한 한국의 친구가 손호영 사건으로 궁지에 몰리게 된 것이다. 다행히 그는 오랜 기간의 고통을 감내하며 이 문제에 잘 대처했고 결국 그에 대한 법무성이나 하원윤리위원회의 조사까지 종결되었다. 더윈스키 의원은 1978년 12월 선거에서 재선되어 2년을 더 하원의원으로서 활동했다. 그 후 그는 레이건 정부 때 국무성으로 자리를 옮겨 국무장관의 자문관(counselor)으로 일했고 이어서 안보원조 및 과학기술 담당 국무차관으로 봉직했다.

나는 '코리아게이트' 조사가 거의 마무리되고 정리단계에 있던 1978년 10월 주 스웨덴 대사관 공사로 전보발령을 받았다. 잠 못 이루는 수많은 밤과 고달픈 나날로 이어진 2년 8개월간의 워싱턴 생활을 정리하고 시원한 북구(北歐)로 떠났다. 김용식 대사의 지시로 나는 '코리아게이트'에 관해 내가 담당했던 일들을 상세히 잘 정리하여 종합보고서 형식으로 만들어 드리고 워싱턴을 떠났다. 그때 그 자료가 있다면 오늘 내가 이 글을 쓰는데 큰 도움이 되었을 것이다.

내가 스웨덴으로 전임된 후부터 1988년 6월 7일까지 더윈스키 의원과 여러 차례 서신 왕래가 있었다. 나는 그의 재선과 영전을 축하했고 그도 내가 자리를 옮길 때마다 나를 격려하기를 잊지 않았다. 그 후 내가 미주국장으로 근무할 때도 한번 한국에 왔다.

그리고 내가 파라과이 대사로 근무할 때 그는 파라과이에 볼일이 있어 공무 출장을 왔다. 내가 파라과이에 있다는 사실을 알고 미리 그곳 미국 대사에게 연락하여 나와의 만남을 주선하라고 지시했다. 나는 동료 미국 대사의 연락을 받았다. 더윈스키 자문관을 잘 아느냐고 하면서 곧 파라과이에 오니 미국 대사관저에서 만나라고 친절하게 자리를 마련해 주었다.

더윈스키 자문관은 파라과이에 도착해서 미국 대사관저에 여장을 풀자마자 나를 만난 것이다. 우리는 오랜 시간 옛 이야기를 했다.

March 6, 1987

Dear Mr. Kim:

As I move from the position of Counselor to that of
Undersecretary for Security Assistance, Science and Technology,
I want to take this opportunity to re-emphasize my personal and
official interest in excellent relations between the U.S. and
the Republic of Korea.

In my new duties, I will continue to work directly with
your key defense officials, and I do so cognizant of both the
historic ties that bind us and U.S. interest in the peace and
continued progress of the Republic of Korea.

By the way, in my new office I will retain my Olympics
portfolio and will continue my efforts to see that the U.S.
Government does all it can to help assure the complete success
of the 1988 Games in Seoul.

It has been a pleasure to know you over the years, and I
look forward to our continued friendship and association.

Sincerely yours,

Edward J. Derwinski

Honorable Suk Kyu Kim
Secretary for Political Affairs
Chong Wadae
Sejong-ro, 1 Chongro-gu
Seoul, Korea

P.S. Hope to see you on my next trip to Korea.

더윈스키 의원이 내게 보낸 편지(1987. 6. 6일자)

나는 그를 만나고 돌아오면서 내가 워싱턴에서 의회담당 정무참사
관으로 근무하면서 그의 도움을 받았던 일들을 되새겨봤다. 1977년
9월 14일 손호영과 프레이저 측 조사관이 면담한 오후 나는 한 통의
전화를 받았다. 누구냐고 물을 필요가 없었다. 귀에 익은 그의 목소
리와 "별일 없는가?"라는 말속에 무엇인가 있음을 직감했다. 우리는
만났다. 그것은 사무실도 식당도 아니었다. 그와 나의 만남은 2분 정
도였다. 우리가 언제 어디서 만났는지 무슨 말을 나누었는지 그와
나만이 안다.

　손호영 망명을 사전 누설했다고 미국 측이 증거로 제시하여 더윈
스키 의원을 괴롭힌 것은 바로 나와 더윈스키 의원 간의 전화통화였
을 것이다. 그러나 이 통화내용은 법정의 증거로 제시할 수 없는 첩
보적 성격의 것이다. 미국 측이 대사관의 전화를 도청하고 있을 것
이라는 것은 익히 짐작하고, 우리도 이에 대비하여 대사실의 커튼을
두껍게 하고 긴요한 이야기를 할 때는 도청 전파를 방해하기 위해
라디오를 틀어놓곤 했다.

　더윈스키 의원은 나와의 파라과이에서의 만남 이후 내가 청와대
외교담당 비서관으로 근무할 때도 방한해서 내 사무실까지 찾아주
었다. 옛날 그토록 한국을 지지했던 더윈스키 의원에 대한 한국정부
의 대접이 소홀한 듯해 미안했다. 그것이 워싱턴을 떠난 후 10년 동
안 지속적으로 연락을 유지했던 나와 더윈스키 의원의 마지막 만남
이었다.

파킨슨병 아내 곁에서

제 3 장

파킨슨병 아내 곁에서

아내와 나

나는 1963년 10월 6일 나의 아내 송혜옥(宋惠玉)과 조선호텔에서 결혼했다. 아내는 긴 세월을 나와 같이 살면서 고생 많이 했다. 아들 하나 딸 둘을 낳아 잘 키웠다. 내가 외교부에 봉직하는 40년 동안 멕시코로 스페인으로 뉴욕으로 워싱턴으로 그리고 스웨덴으로 옮겨 다니면서 애 키우고 남편 뒷바라지 잘해냈다. 파라과이, 이탈리아, 러시아, 일본에서는 대사 부인으로서 나랏일도 잘 도왔다.

2000년 4월 마지막 임지인 도쿄에서 귀국하여 우리는 앞으로의 은퇴생활을 위해 여러 가지 구상도 했고 계획도 세웠다. 새로운 삶에 대한 설렘도 있었다. 친구들과 해외여행도 1년에 한두 번 다녀왔다.

나는 한양대와 인하대에 강의도 나가기 시작했다. 신문에 기고도 하고, TV 대담에도 나갔다. 친구들과의 모임에도 적극 참여하고, 대학 동기회 회장을 맡기도 했다. 동네 헬스클럽에도 부지런히 다녔다. 브리지 게임을 배우고 집에 초대하거나 친구 집을 방문하며 게임을 했다. 막내딸 연경이도 좋은 신랑 찾아 결혼했다.

그렇게 3년이란 세월이 흘렀다. 나는 이집트와 스페인을 엮어서 해외여행을 가겠다고 계획을 짜고 있었다. 축적된 마일리지로 항공편 예약도 했다. 그러나 이 여행 계획은 아내의 발병으로 취소되고 말았다.

우린 평생 병원은 잘 가지 않았는데, 2003년부터 아내의 병원 출입이 잦아졌다. 나는 별 관심을 갖지 않았지만, 아내는 혼자서 이곳저곳 병원을 찾아다녔던 모양이다. 아내는 2004년 초에 파킨슨병이라는 확진을 받았다.

우리 집의 웃음을 앗아가다　　　|

파킨슨병 증상이 나타나다

아내는 파킨슨병으로 확진을 받기까지 여러 가지 증상들을 느끼면서 얼마나 괴로웠을까. 그동안 오른쪽 손가락 몇 개가 마비되고 삼성의료원 치과에서 크라운을 씌운 어금니가 자꾸 이상하게 느껴지기 시작했다. 동네 병원에서 목 디스크라 해서 아산병원에 가서 MRI를 찍고 가벼운 디스크라는 진단도 받았다. 삼성치과에 가서 이상을 호소했으나 보철상의 하자는 없다 한다.

서울대학교 정형외과와 치과에 가서 입속의 조직 검사도 해보았다. 어느 의사도 시원한 진단을 내리지 못하였다. 아내는 서울대병원 정형외과에 가서는 "손에 가면 목으로 가라 하고 목에 가면 손으로 가라 하니 나는 도대체 어디로 가야 합니까?" 라고 큰 소리로 울먹이며 불평을 했다. 정형외과 이춘기 교수는 파킨슨병일 수 있다고 하며 파킨슨병 전문의사인 전범석 교수에게 예약을 해주었다. 그때까지의 환자의 자각증세를 아래에 정리해 본다.

1. 2002년 2월 삼성의료원 치과에서 오른쪽 어금니에 크라운 보철을 한 후 어금니가 볼의 속살에 닿아 굳은살이 생긴 느낌이 든다고 했

다. 2003년 7월 크라운을 조금 깎아내니 다소 나은 듯했으나 사탕을 물고 있는 듯한 느낌은 여전했다.

2. 침이 부족하거나 조직에 이상이 있는 것인가 해서 서울대병원 치과에서 타액선 검사와 입의 속살에 암조직 검사도 했으나 이상이 없었다.

3. 2003년 초부터는 글씨 쓰는 일도 전과 같지 않고 글씨가 점점 작아졌다. 2003년 5월부터 오른손으로 단추를 잠그는 일, 손톱깎기를 쓰는 일이 힘들어졌다. 손이 힘이 없고 무겁게 느껴진다고 했다. 말하기 힘들어하고 말씨가 좀 어눌해지기 시작했다.

4. 2003년 5월부터는 입속뿐 아니라 오른손 손가락(4, 5번째)에 마비가 오고, 가만히 있을 때 약간씩 떨리기 시작했다.

5. 2003년 중반에는 체중이 전보다 줄어들어 56.7kg로 떨어졌다. 매일같이 운동을 했으나 때로는 잠도 잘 안 오고 전신이 피곤하다고 했다.

6. 2003년 말부터는 오른손 손가락 전체가 무디어지고, 팔목을 뒤로 젖히기 힘들어졌다. 또 오른쪽 발가락(3번째) 밑에 무엇이 들어 있는 듯(외관상 보이지 않았음) 걸을 때 아프고 불편했다.

7. 혹시 목 디스크가 아닌가 하여 2003년 11월 15일 서울아산병원에서 MRI 촬영 후 판독 결과 약간의 문제가 지적되었다. 그 후 서울대병원 정형외과 이춘기 교수에게 진찰을 받고 검사를 받은 결과 목 디스크는 아니라는 진단을 받았다. 그때 처음으로 파킨슨병일 가능성이 있다는 말을 들었다. 이춘기 교수가 처음으로 아내의 파킨슨병 가능성을 진단했던 것이다. 그리고 전범석 교수에게 정식 진단을 의뢰해 주었다.

파킨슨병 확진

당시 전범석 교수는 해외출장 중으로 그다음 해 2월 중순에나 진찰이 가능하다고 했다. 일정을 아무리 앞당겨도 2월 초나 되어야 가능하다고 하니 답답해서 견딜 수 없었다. 파킨슨병의 가능성이 있다는 말을 들은 뒤라 한시가 급한 마음이었다.

결국 알음으로 세브란스병원 최일생 교수에게 2003년 12월 31일 초진을 받고 뇌에 문제가 있다는 판단에 따라 2004년 1월 3일 뇌 MRI를 촬영키로 하였다. 최 교수도 파킨슨병일 가능성을 말했다. 2004년 1월 8일 최일생 교수는 MRI 판독 결과를 보니 파킨슨병 또는 플러스 알파일 수 있다고 하며 약을 처방해 주었다.

전범석 교수와의 약속이 앞당겨져 1월 19일 초진을 받았다. 그간의 경위를 들은 전 교수는 파킨슨병이 거의 확실하다고 하며 입원해서 여러 가지 검사를 해보자고 했다.

2004년 1월 26일 서울대병원 신경과 병동에 입원해 각종 검사를 철저히 받았다. 28일 아내는 병원에서 65세를 맞이했고, 아들, 며느리, 손녀와 같이 생일케이크를 잘랐다. 아내는 이제부터 전철을 공짜로 타게 되었다고 좋아했다. 그 후 파킨슨병이라는 확진을 받고 2월 3일 퇴원했다. 퇴원 후 아내는 한 번도 전철을 무료로 타보지 못했다. 이제 아내 송혜옥은 파킨슨 병 환자가 된 것이다.

그 이후 우리는 용하다는 한의원은 다 찾아가 보았고 침도 맞아보았다.

3월 10일에는 전범석 교수의 배려로 분당서울대병원에서 SPECT(Single-Photon Emission Computed Tomography, 단일광자단층촬

영) 검사를 했다. SPECT는 파킨슨병을 확진하는 데 도움이 되는 검사법이라고 했다. 전범석 교수는 당시 국내에서는 SPECT 검사가 공식적으로 허용되지 않고 있다고 하며 처음에는 주저했다. 그러나 아내는 파킨슨병이 아니기를 바라는 작은 희망으로 미국에 가서라도 받겠다고 하며 SPECT 검사에 대단한 집념을 보였다. 결국 나는 전범석 교수에게 여러 번 부탁하여 분당서울대병원에서 촬영할 수 있게 되었던 것이다. SPECT 판독 결과는 아내에게 파킨슨병이라는 것을 더욱 분명히 확인시켜 주었다.

미국에 가다

아내는 미국에 가면 파킨슨병도 혹시나 치료할 수 있지 않을까 하고 말하기 시작했다. 주위에서도 미국 의술의 진보를 이야기하며 방미를 권유하는 사람들이 있었다. 또 아내는 파킨슨병 관련 신문기사는 하나도 놓치지 않았고, 당시 크게 주목받고 있던 황우석 박사의 줄기세포 연구에도 큰 관심을 가지고 관련 기사를 빼놓지 않고 챙겨 봤다.

마침 그때 하버드대 의대 신경과 케네스 코식(Kenneth S. Kosik M.D.) 교수가 방한했는데, 아들이 한국인인 코식 교수의 부인과 연결이 되어 '아내 송혜옥의 미국 방문 프로젝트'가 시작됐다.

2004년 11월 8~17일 미국에 체류하는 동안 하버드대 의대의 교육 제휴기관으로 미국 보스턴에 있는 매사추세츠종합병원(Massachusetts General Hospital, MGH)을 방문하였다. 2004년 11월 11일 파킨슨병 전문의사인 찰스 졸링거(Charles A. Zollinger, M.D.) 교수와 데이비드 스탠다트(David Standaert, M.D.) 교수를 만나 2시간여의 진찰을 받았다. 11월 14일에는 MRI와 MRA(Magnetic Resonance Angiography, 자기공명혈관촬영)를 촬영했다. 그리고 귀국한 후인 11월 30일 진단 결과를 통보받았다.

(2004년 11월 30일 작성한 진찰결과를 다음과 같이 통보받았다.)

Dear Ms. Song and family,

Thank you for your patience waiting for your MRI results. I apologize for the delay. I reviewed the study with Dr. Standaert and included a copy of the report below. We both agree that there is no evidence of a hemorrhage to explain your symptoms. One special sequence, called a susceptibility sequence, is used to look for evidence of bleeding. It functions by detecting blood breakdown products, which contain minerals. This sequence did demonstrate "mineralization" of the basal ganglia. The most common deposit is calcium and is frequently seen in the basal ganglia. Another possibility is iron deposition. We are unable to tell the difference on this scan. A CT scan of the brain may be able to discern the two.

The other finding mentioned in the report is a "small out pouching of the supraclinoid ICA (internal carotid artery)". This is suggesting some dilatation of the left carotid artery or more likely is an artifact of the scan. This is not likely to be related to your symptoms but your neurologist may want to follow this up in the future with repeat MRA or CTA.

What does this mean for your symptoms? Dr. Standaert and I agree that you have some atypical features not usually seen with idiopathic Parkinson's disease. This may be because of previous small strokes as you reported. Another possibility is that you have a parkinsonism (Parkinson's like disease). Calcification of the basal ganglion, as seen in your scan, has been reported to cause these symptoms and is known as Fahr's syndrome. However, calcification has been seen without causing symptoms. Another rare possibility is that the mineralization is iron and represents late onset Pantothenate Kinase Associated Neurodegeneration (PKAN) (formerly Hallervorden-Spatz syndrome). This usually presents earlier in life, but there are cases of late onset. An easy way to differentiate between the last two syndromes would be a CT scan of the brain, which should be able to show calcium versus iron deposition.

As for treatment, I think it is reasonable to continue with your current medications. The other syndromes I discussed do not have alternative medications. Since your symptoms are referable to the basal ganglia, it is appropriate to continue with what you are on. There was also a question regarding aspirin use. Since we found no evidence of hemorrhage, it is safe to continue your aspirin and may be helpful in preventing vascular disease.

I know you would like a copy of your MRI on CD-ROM. I was surprised to discover that our film library does not have this service. We can send the printed film version. I have asked our international office to help coordinate this effort and the films should be on their way.

I would encourage you to discuss these ideas with your neurologist and possibly get a CT scan of the head. Ours is only one opinion in a complicated case. We'd be happy to see you again the next time you are visiting our city. Please feel free to contact us if you have any questions.

Sincerely,

Charles A. Zollinger, M.D.

파킨슨병 징후군(Atypical Parkinsonism)이라는 미국의사의 전반적 관찰

미국의사는 환자와의 면담 여러 가지 문답과 현장에서의 제반 검사를 통해 환자가 부정형적인 파킨슨병을 앓고 있다고 잠정 평가했다.

눈 검사 판단력 검사 운동검사 걸음걸이 검사 손과 다리의 떨림 검사 얼굴표정 관찰, 말과 발음 검사 자세 검사 결과를 보면 파킨슨 증후군의 증상이 보이고 특히 약에 반응하지 않는다는 것으로 미루어 불정형적 파킨슨병 징후군(Atypical Parkinsonism) 이라고 일단 평가할 수 있다는 것이다.

무엇이든 다 해보자

서울에서나 미국에서나 아내의 병은 파킨슨병 또는 파킨슨병증
후군이 틀림없는 것으로 진단되었다. 그때부터 우리가 할 일은 이
병을 이기는 것이고 이겨야 했다. 교회에서 기도도 더 많이 하고, 관
련된 책도 읽고, 신문기사도 놓치지 않았다. 미국의 파킨슨병 관련
인터넷 사이트를 매일같이 검색했다. 할 수 있는 것은 다 해보자고
다짐했다.

이겨야 한다

초기에 아내는 자신이 파킨슨병이 아닐 수도 있다는 생각에 이곳
저곳 병원을 찾았다.

아는 사람들이 김성윤 내과에 가보라고 해서 예약을 했으나 보름
후에나 오라고 했다. 그런데 아내는 그렇게 기다릴 수는 없다고 나
에게 앞장서라고 해서 예약도 없이 김성윤 내과에 가서는 원장실로
바로 쳐들어갔다. 체면과 규범을 다 넘어선 삶을 향한 하나의 절규
였다.

그러다 파킨슨병 확진을 받고 난 다음부터 아내는 몸에 좋다는
것은 다 해보려고 했다. 누가 어디 한의사의 침이 좋더라고 하면 그

곳에 데리고 가라고 며칠을 두고 계속 성화였다.

한번은 아기 태반이 좋다고 하며 경동시장에 가서 구해오라고 하다가 수지에 다니던 한의사에게 가서 태반을 구하는 방법을 알아보라고 졸랐다. 알아보니 태반은 전부 주사로 만들어져 나오는데, 태반주사는 성형외과에서 미용제로 주로 쓰인다는 것을 알았다. 그래도 그 주사를 맞아야겠다고 졸라서, 수소문한 끝에 강남의 구석진 곳에 있는 한 클리닉을 알아내고 가는 길을 미리 답사까지 했다. 그러던 차에 우리 집에 오는 물리치료사가 그것은 별 효과가 없다는 말을 하니까 그때부터 포기한 듯 조용해졌다.

또 신문에 파킨슨병 치료에 관한 연구 성과가 동물실험에서 효과가 있었다는 기사만 나도 나에게 알아보고 임상실험에 참여하게 해달라고 성화였다. 그래서 대학 교수들에게 전화를 해서 문의한 적도 한두 번이 아니었다. 교수들은 나의 하소연을 듣고 측은하게 생각하고 이해를 해주었으나, 파킨슨병 치료는 요원하다는 이야기들이었다.

세례를 받다

아내는 1992년부터 오랫동안 등록교인으로 다니던 소망교회의 김지철 목사님으로부터 2004년 4월 10일 세례를 받았다. 세례를 받는다고 불편한 몸에도 불구하고 문답집을 갖다놓고 공부를 했다. 시험 치는 날 말도 잘 못 하는 환자라고 해서 세례를 안 주면 어떻게 하나 걱정도 했다. 나도 세례식에 같이 참석하고 사진도 찍었다. 나는 이날 아내에게 꽃을 선사했다.

아내는 몸이 아주 불편하지 않으면 나와 같이 교회에 갔다. 교회에 갈 수 없게 되어서는 목사님의 심방을 부탁해서 몇 번인가 집에서 예배를 보기도 했다. 동네 권사님들도 자리를 같이 해주셨다. 아내는 특별한 날에는 자기 이름으로 특별헌금도 했다.

나는 늘 아침에 아내의 손을 잡고 기도했다. "오! 하나님 오늘도 이 죄 많은 딸에게 이토록 아름다운 아침을 허락해 주심에 감사드립니다."

지방종 수술

파킨슨병 확인 후 몸에 다른 병은 없는지 치료할 수 있는 병은 다 치료하자고 마음먹었다. 아내의 왼쪽 허벅지 안쪽이 상당히 크게 불룩하게 쳐져서 보기도 안 좋고 이상했다. 서울대병원 정형외과 김한수 교수의 진단으로 MRI를 촬영해 보니 지방종이 크다고 했다. 수술 날짜를 몇 번 미루다가 2004년 9월 10일 김한수 교수 집도로 수술했다. 수술은 잘되었다고 했다. 수술 직후 다리를 쓸 수 없어 하루 이틀은 대소변도 받아주었다.

아내는 수술 후 불편하고 허벅지의 늘어진 모양도 그다지 달라지지 않았다고 하며 수술은 이제 다시 안 한다고 계속 불만이었다. 종양은 검사해 보니 양성이었지만, 만일 수술을 하지 않고 방치했다면 종양이 점점 더 커지고 뼈와 근육 속까지 들어가면 어렵게 될 뻔했다. 나는 수술은 잘한 일이라고 생각했다. 몇 년 후에는 수술한 흔적도 알아보기 힘들었다. 솜씨가 좋은 의사다.

황우석 박사의 줄기세포

2004년 『사이언스』지에 사람의 체세포를 복제한 배아 줄기세포 배양에 성공하였음을 발표한 황우석 박사의 줄기세포 연구는 불치의 파킨슨병 선고를 받은 아내에게 유일한 구원의 빛이었다. 우리는 황우석 박사 홈페이지에 가입한 후 매일같이 들어가 보았다.

나는 일본대사관 국경일 축하연에서 황우석 박사를 만나 명함을 받았다. 그 자리에서 아내 이야기를 하고 연구의 성공을 기원하는 우리의 바람도 전했다. 명함에 있는 황우석 박사의 이메일로 격려와 성원의 글도 보냈다.

2005년 11월 1일 황우석 박사의 연구에 체세포 공여를 희망하는 환자를 등록하는 첫날, 우리는 아침 일찍 등록장소인 서울대병원 소아과별관 4층에 위치한 세계줄기세포허브로 갔다. 그곳에서 신경과에서 자주 만났던 낯익은 환자들 대부분을 볼 수 있었다. 줄을 길게 늘어서서 기다린 끝에 등록을 마쳤다. 이제는 살 수 있겠지, 병을 고칠 수 있겠지 하는 희망으로 그날 우리의 가슴은 부풀었다.

그런데 2006년 4월 구세주 같은 황 박사의 논문이 조작되었다는 검찰의 조사 결과가 발표되었다. 황 박사의 인간 줄기세포, 맞춤형 줄기세포의 실용화라는 우리의 꿈과 희망은 어디로 가나. 그리고 우리는 이제 어찌하나. 절망 그 자체였다.

제대혈 줄기세포

2005년도에 한번은 지인의 소개로 강남의 뉴라이프(New Life)라는 곳을 찾아가 보았다. 황우석 박사의 줄기세포가 한참 우리의 관심을 모으고 있을 때였다. 그곳은 기다리는 환자도 없는데 고급스럽게 꾸며놓고 있었다.

의사라는 사람이 탯줄 줄기세포에 대해 설명한 후 사무장인 여자가 응접실로 아내와 나를 데리고 와서 경비 문제를 먼저 이야기했다. 환자의 혈액을 검사하고 환자에게 맞는 탯줄을 찾아 그 제대혈을 주사로 만들어 한 번 맞는 데 3000만 원 정도이고, 3~4회는 맞아야 한다는 것이었다. 총 1억 2천만 원이 든다는 이야기였다. 그런데 이것은 임상실험의 성격이어서 좋아진다는 보장은 없지만 부작용은 없다고 했으며, 돈은 기부형식으로 내게 된다고 했다. 효과가 없어도 그만인 셈이었다.

나는 귀를 의심할 지경이었다. 아직 전 세계가 연구 중인 불치병 파킨슨병을 치료한답시고 환자와 보호자의 심리를 이용해 일거에 큰돈을 벌려고 하는 것이 아닌가. 이렇듯 효과와 관계없이 고액의 시술을 유도하는 것은 정말 잘못된 일이다.

탯줄 줄기세포가 난치병 치료에 성과가 있다는 이야기가 신문에 다시 한 번 났다. 아내는 나에게 자세히 알아보라고 성화였다. 나는 다시 여러 곳에 알아보았다. 보건복지부에도 알아보고, 식약청에도 알아보고, 뉴라이프와 제휴하고 있는 서울탯줄은행에도 알아보았다.

서울탯줄은행의 홍보 담당자도 뉴라이프와 비슷한 소리를 했다. 그런데 값이 훨씬 저렴했다. 한 번 시술에 약 900만 원이고 3번은 기본이며, 파킨슨병에는 아직 큰 성과가 없으나 버거씨병에는 간혹 성과가 있다는 말이었다. 파킨슨병에는 별 효과가 없다고 아내를 설득하는 데도 시간이 많이 걸렸다.

그 후 나는 차병원의 제대혈은행에도 전화로 여러 번 상담을 했다. 제대혈은 태아의 탯줄에서 채취한 혈액을 말하는데, 여기에는 조혈모 줄기세포가 들어 있어 난치병 치료에 효험이 있다고 했다. 백혈병 등 몇 가지 난치병은 드물게 효과를 본 바 있으나 파킨슨병 등 신경계통 질병에 대해서는 아직 연구 단계라는 대답을 들었다. 그 후 몇 번 더 전화해서 연구 진행사항을 물어보고 조속한 성과를 기원했다.

경희대한방병원 임상실험

경희대한방병원에서 파킨슨병 치료를 위한 임상실험을 한다고 신문에 나서 전화로 문의했으나 이미 신청자가 많아 마감했다고 했다. 빨리 신청하지 않았다고 아내에게 얼마나 핀잔을 들었는지 모른다. 그래서 다시 병원에 전화를 걸어서 다음 임상실험에는 꼭 포함시켜 달라고 부탁을 했다. 병원 측은 아직 언제 임상실험을 할지 모르나 이름을 적어두겠다고 했다. 아는 사람을 통해 별도로 부탁도 해두었다. 드디어 임상실험 대상자가 되었으니 병원으로 와서 등록을 하라는 연락이 왔다.

2006년 2월 27일 오후 경희대한방병원을 방문하여 파킨슨병 임상실험 대상자 평가를 받았다. 임상실험은 침을 맞는 일이었다. 3월 3일부터 집에서 멀고 주차도 어려운 경희대한방병원에 매주 다니며 침을 맞았지만 아무런 효과도 없이 발에 침 자국 상처만 남았다. 아내는 임상실험 기간을 다 채우지 못하고 7번 실험을 끝으로 스스로 그만두었다. 별 효과를 기대하지 못하겠다고 판단했던 것이다.

그리고도 우리는 용하다는 한의사, 한약방을 여러 곳 찾아다녔다. TV에도 나오고 유명하다는 강남의 오덕수 한의원이라는 곳에도 찾아가서 한동안 침을 맞았다. 한의사는 파킨슨병이 불치병이라는 것을 전제하면서도 좀 좋아진 환자도 있었다는 이야기를 하여 미련을 갖게 했다. 기적을 기다리는 마음으로 침도 오랫동안 맞았다.

수지에 있는 어울림 한의원에 가서는 통증 완화를 위해 침을 맞고 약도 지어 먹었다. 교통체증으로 한 번 왕복에 한나절이 걸리는 수지까지 여러 번을 갔었다. 대기실과 방마다에 환자들이 가득 앉아서 침을 꽂고 앉아 있는 모습이 낯설어 보였다.

파킨슨병과의 싸움을 시작하다

운동과 물리치료—재활의학과의 환자가 되다

2004년 3월 27일부터 아들의 주선으로 물리치료사가 주 1회 집으로 왔다. 보훈병원의 경력이 있는 전문 물리치료사였다. 100분 정도 마사지, 스트레칭 등 여러 가지 물리치료를 했다.

수족의 동작을 쉽게 하고 강직을 완화하는 운동과 연하곤란을 예방하기 위한 호흡기 운동을 열심히 했다. 그 후 물리치료는 2010년 5월까지 6년 동안 계속되었다.

서울대병원 재활의학과에도 정기적으로 다녔다. 한번은 등 찜질 치료 중 패드 과열로 화상을 입고 성형외과에서 피부 치료를 받은 적도 있었다. 재활의학과에서는 주로 연하곤란 문제를 검사하고 음식물 섭취법을 상담하였다. 재활의학과 진찰 후나 내분비내과 당뇨 진찰 후에는 꼭 영양사와 만나 음식물의 종류와 양을 조절했다.

아내는 그전에 경험해 보고 다 소용이 없다고 결론 내렸던 것도 혹시나 해서인지 또 해보자고 성화였다. 재활의학과 초음파 치료는 전에 받아보고 효과가 없었던 것을 알면서도 다시 받아보자고 했다. 이것은 아내의 파킨슨병이 상당히 진행된 후의 일이라 한번 병원에 가는 일도, 병원에 가서 옷을 벗고 입는 일도 무척이나 힘들고 주위

사람에게 큰 고통이었다. 효과도 없는 초음파 치료 5분 받겠다고 여러 사람이 한나절이나 고생하는 것은 너무도 힘든 일이었다. 그래서 나는 아예 좋은 네덜란드제 초음파기를 사서 병원에서 본 대로 집에서 해주었다.

연하곤란

파킨슨병이 진전됨에 따라 점점 어려워진 것은 삼키는 기능의 퇴화다. 사람이 살아가면서 좋은 음식 맛있게 먹고, 좋은 대화 나누고, 좋은 노래 부르는 것이 얼마나 즐거운 특권인가. 파킨슨병은 아내에게서 이러한 삶의 특권을 조금씩 조금씩 앗아갔다. 삼키는 기능이 나빠지자 음식물이나 음료수를 시원하게 먹고 마시지 못했다. 식음료가 자칫 기도로 흘러 들어가면 폐렴의 원인이 되기 때문이었다.

삼키는 기능의 저하가 심해지자 아내는 재활의학과의 치료를 받았다. 식사 도중 자주 사레가 들고 약을 잘 삼키지 못하는 증상이 나타났다. 잘 먹지를 못하니 체중도 감소해 44kg까지 떨어졌다.

그래서 아내는 2006년 6월 첫 '바륨 연하 검사'를 받았다. 검사실에서는 환자에게 바륨이 들어 있는 여러 가지 조직의 음식과 음료를 먹게 하고 그것이 혹시 기도로 넘어가지 않는지 촬영을 했다. 그리고 별도 방으로 나와서 폐 엑스레이도 찍었다. 아내는 이러한 검사를 6개월마다 받았다.

처음 검사에서 찍은 사진을 보니 기도로 까만 줄이 보였다. 음식물이 기도로 넘어간 흔적이었다. 의사는 여러 가지 처방을 일러주었다. 우선 음식을 먹을 때 자세를 곧게 하고, 농도가 없는 맹물 같은

것은 그냥 마시지 말라고 했다. 그래서 우리는 마실 물에 일제 첨가제 도로미업(トロミアップ)을 타서 1리터 페트병에다 미리 만들어 냉장고에 넣어두었다. 국이나 주스에도 이 첨가제를 섞었다. 무슨 맛일까 궁금했다. 이렇게 먹고 마시는 일이 힘들게 이루어졌다.

튜브영양법의 시작

재활의학과에 다닌 지 한참 지났을 때 김일수 교수가 입원해서 더 근본적인 치료를 하자고 했다. 무슨 수술이라도 하는 줄 알고 물었더니 단순히 튜브영양법을 훈련하기 위함이라 했다. 아내는 2006년 9월 25일 재활의학과 병동에 입원해서 27일 퇴원했다.

튜브영양법은 링거 병처럼 생긴 플라스틱 용기에 영양식을 넣어 스탠드에 달아 매놓고 여기에 도관(catheter, 카테터. 음식물이 통과하기 쉽도록 가급적 구멍이 큰 10호)을 연결한 다음 이 도관을 입을 벌리고 목 깊숙이 밀어넣어 식도로 곧장 음식이 들어가게 하는 방법이다. 식사 때마다 도관을 입속으로 넣는 것은 여간 어려운 일이 아니었다. 신속히 집어넣어야 하므로 간병인의 기술이 필요했고, 환자의 저항도 문제였다.

입원하여 3일 동안 보고 배우며 훈련을 했다. 이렇게 튜브영양법을 배워서 시작하니 숟가락으로 조금씩 떠먹이는 긴 시간의 수고를 상당히 덜게 되었다. 그래도 입으로 먹는 경구급식을 상당 기간 병행했다. 그리고 6개월마다 연하 상태를 검사했다. 검사 결과가 좋으면 경구급식량을 늘렸다. 튜브영양법으로 영양 섭취를 충분히 하자 체중도 늘어났다. 44kg이던 체중이 55kg까지 늘어났다.

그러나 입으로 먹는 일은 여러 가지 장애에 부딪혔다. 삼키는 기능이 지속적으로 저하하고 강직으로 씹는 힘도 없어졌다. 그리고 입을 크게 벌리기도 어려워했다. 입으로 음식을 넣어 이로 씹고 목으로 삼키는 과정이 하나도 순탄한 것이 없게 되었다. 그래서 점차 경구급식을 줄이고 튜브영양법 부분을 늘려갔고, 급기야는 전적으로 튜브영양법에 의존하게 되었다.

튜브영양법에 전적으로 의존하자 그간 사용하던 첨가제들도 필요 없게 되었다. 그리고 기도로 음식물이 넘어갈 위험도 사라졌다. 그래서 그 힘든 연하 검사를 2008년 6월을 끝으로 더는 받을 필요가 없게 되었다.

연하 검사를 받으러 가서 가장 힘들었던 것은 강직으로 굳은 아내의 몸에 옷을 벗기고 입혀야 하는 일이었다. 나중에는 폐 엑스레이 촬영도 서서 찍지 못하고 누워서 찍어야 했다.

아내는 이렇게 음식의 맛과는 인연을 끊었다. 간병인도 식도로 도관을 밀어넣는 기술에 있어서는 선수급이 되었다. 가끔 영양사를 방문하여 튜브영양법의 양과 횟수를 자문받기도 했다.

그러다 2010년 5월 7일 아내가 구급차에 실려 응급실 중환자실로 들어가게 되자 그 하루 뒤인 5월 8일에는 입을 통한 튜브영양법도 끝나고, 콧줄(비위관)을 통해 음식을 직접 식도로 넣는 콧줄 튜브영양법에 의지하게 되고 말았다. 아내는 늘 병원에서 콧줄을 하고 있는 환자를 보면 자기는 절대로 저렇게 흉한 모습을 하지는 않을 것이라고 말했었다. 이 콧줄은 한 달에 한 번씩 가정간호사가 집으로 와서 갈아주었다. 그 후 콧줄 급식도 어려워지고 마지막 방법인 복부 급식을 하게 되고 말았다.

파킨슨병이 악화되다

육체적 증상의 악화

아내의 증세는 점차 악화되었다. 몸에 강직이 심하여 팔다리가 점점 더 굳어졌다. 팔, 다리, 목을 잘 움직이지 못하고 누워서 뒤척이지도 못해 밤에 침대에 누워 있으면 전신에 땀이 뱄다.

혼자서는 전혀 걷지 못하게 되었으며, 부축해서 걸어도 발을 잘 떼놓지 못했다. 조금 더 지나서는 부축해도 전혀 걷지 못하고 좌우로 넘어지려 해서 큰일이었다. 부축할 때는 쇳덩이처럼 무겁게 늘어지며 온몸의 체중을 실어 매달리다시피 했기 때문에 나나 간병인 모두 팔목과 어깨가 아파서 못 견딜 지경이었다.

하루에 소변을 3번, 대변을 2번 정도 봤는데, 대소변을 혼자 못 보니 그때마다 부축해서 화장실에 가는 일도 큰일이었다. 처음에는 기저귀를 싫어해서 안 했지만 결국 밤에는 기저귀를 사용하기 시작했다. 매일같이 시트를 대소변으로 적시니 계속 빨아야 하고, 온 집안에 냄새가 진동했다. 그래서 본인도 밤에는 기저귀를 차기로 했던 것이다. 그리고 병원에 갈 때와 오래 마사지 할 때도 기저귀를 했다. 또한 간이 변기를 항상 환자 곁에 두기로 했다.

그 전에는 내가 옆에 자면서 밤에 3번 정도 일어나서 대소변을 보게 했는데, 한밤중에 자다가 일어나면 나 자신도 비틀거리는데 무거운 환자를 부축한다는 것이 여간 조심스럽고 어려운 일이 아니었다. 기저귀를 차면서 그 고통은 다소 경감되었으나, 욕창 예방을 위해서는 여전히 밤에 일어나서 아내의 몸을 이쪽저쪽 옆으로 눕혀야 했다.

아침을 시작하는 일

아침 6시에 기저귀를 벗기고 기저귀에 본 대소변을 처리하는 일 또한 만만치 않았다. 기저귀가 새서 소변이 침대를 적신 경우엔 침대 시트를 닦고 말리고 심한 경우 금방 빨아야 하는 일도 예삿일이 아니었다.

그다음엔 물로 아내의 입을 헹구어주었다. 아내가 물을 마실 때 흘리니까 나는 물컵 밑에 접시를 받쳐 들고 기다려야 했다. 그 시간이 2~3분 걸렸다.

그런 다음 아침에 대소변을 보고 나면 아내를 침대에 눕히고 물리치료 비슷한 안마를 해주었다. 다리와 손을 주로 하며 10분 정도 걸렸다. 안마를 하면서 나는 기도했다. "하나님, 오늘도 이 찬란한 아침을 저희들에게 허락해 주심에 감사드립니다"라고. 정말 아침을 맞이한다는 것은 그날도 생명이 이어지고 있다는 확실한 자각이었다.

그리고 아내의 상의를 벗기고 통증 완화용 저주파 치료를 했다. 주로 목과 어깨에 했는데, 한 번에 15분씩 2회 했다. 2008년부터는 저주파에 이어서 초음파 자극기로도 약 5분 치료해 주었다.

아침에 체온을 재거나 당을 측정하거나 체중을 확인해야 할 경우도 가끔 있었다. 여기까지가 나의 전담이었다. 그다음은 아내를 일으켜 세우고 부축해서 화장실로 옮기면 간병인이 목욕을 시켰다.

목욕

목욕은 매일 하다가, 전신 목욕은 일주일에 3번 하고 세수와 족욕은 4번 하는 것으로 바꾸었다. 목욕할 때는 목욕시키는 사람도 옷을 벗고 들어가 욕실 전체를 이용해야 했다. 욕실에서는 머리를 감기고 몸은 비누칠을 하여 닦았다. 목욕이 끝나면 몸의 물기를 잘 닦아주고, 아내가 원하는 옷을 옷장에서 골라 입혔다. 팬티는 하루에 4~5회 갈아입혔다. 아침저녁으로 옷을 갈아입히고 벗기는 일이 마네킹에 옷 입히는 것같이 여간 힘든 게 아니었다. 옷 입는 일이 끝나면 경대 앞으로 옮겨 화장품을 발라주었다.

간병인이 쉬는 날에는 나 혼자 다 한 적도 많았다.

식사

하루 4회 환자용 종합영양제(1회에 뉴케어 1캔, 제비티 1캔)를 튜브 영양법으로 섭취했다. 대변을 자주 보거나 변비가 있을 때는 식사량을 조절하기 위해 자주 병원 영양사에게 상담했는데, 전화로 상담해도 친절하게 알려주었다.

병원에 가는 것은 하나의 전쟁

병원에 가는 일은 완전히 전쟁이었다. 하루 전에 집 앞에 주차공간을 확보해 두고, 의사에게 보일 최근의 환자 증세 설명서를 미리 작성했다. 당일에는 대소변도 미리 충분히 봐두고, 외출 복장을 하고, 구두를 신고, 손수건·휴지·병원카드 등 준비물을 챙겨 휠체어를 타고 집을 나섰다.

휠체어로 엘리베이터를 타고 오르내리는 것은 문제 없었다. 하지만 계단에서는 휠체어에서 내려 나와 간병인이 양쪽에서 부축해서 내려갔다. 오래된 아파트라 건축 당시엔 장애인에 대한 배려가 없었기 때문이다.

아내를 자동차 앞좌석에 태울 때는 간병인과 둘이서 안간힘을 다 써야 했다. 몸이 굳어지자 차에 오르내리는 일이 더 힘들어졌다. 그렇게 아내를 자동차에 태우고 휠체어는 트렁크에 싣고 나면 출발할 수 있었다.

병원에 도착하면 신분증을 내고 병원 휠체어를 빌린 다음, 환자를 힘겹게 내려 휠체어에 앉혔다. 이때는 병원 사람이 도와주었다.

그런 다음 나는 차를 병원 지하주차장에 주차해 놓고 병원 본관으로 올라가 약속한 장소에서 아내와 간병인을 만났다. 예약된 의사 진찰실 앞으로 가서 우리의 도착을 간호사에게 알리고, 오래 기다린 후 차례가 되어 진찰실에 들어가면 내가 환자 증세를 설명하고 진찰을 받았다.

아내의 몸이 더 굳어져서 부축하기 어려워진 2008년부터는 여자 간병인만으로는 어려워 아들의 힘도 필요했다. 대학 교수인 아들의 강의가 없는 날로 병원에 예약을 해서, 나와 아들 둘이서 아내를 부축했다. 아내를 병원에 한번 데려가는 데 우리 부자와 간병인 세 사람이 동원되었던 것이다.

간단한 진찰, 고통스러운 검사

어렵게 예약하고 힘들게 찾아갔는데, 의사의 진찰은 4~5분이면 끝났다. 의사가 "안녕하세요"라고 인사하고 컴퓨터 모니터를 이리저리 보면서 몇 마디 주고받다가 "그럼" 하고 시선을 딴 곳으로 돌리면, 우리는 애절하게 한 가지라도 더 물어보려고 질문을 하는 것이 통상적인 장면이었다. 그래서 나는 의사가 빨리 볼 수 있도록 환자의 최근 병세에 대한 설명을 A4 용지 한 장에 컴퓨터로 작성해 갔다. 의사들도 시간 절약을 위해 이를 권장하고 있다.

보통 진료는 이 정도였지만, 검사를 해야 할 때면 일은 몇 배 더 어려워진다. 그럴 때는 옷을 벗고 입어야 할 경우가 많았는데, 강직이 심해 판때기같은 환자의 몸에 옷을 입히고 벗기는 일은 쉬운 일이 아니었다. 또 당뇨 검사를 위해서는 아침 일찍 병원으로 가서 공복에 피를 뽑고 식사 후 2시간을 기다려 또 채혈을 해야 하는데, 아내가 식사할 마땅한 곳이 없었다. 그래서 비교적 조용한 식당 층의 화장실에 데리고 가서 입에 튜브를 넣고 식사를 시켜야 했다. 그리고 한적한 곳을 찾아서 불편한 몸으로 휠체어에 탄 채 2시간을 기다리다가 다시 채혈해야 했다. 너무도 고통스러운 작업이었다.

진료나 검사가 끝나면 나는 돈을 내고 약을 타고 다음 예약을 확인했다. 그동안 환자는 화장실에 갔다. 휠체어를 타고 마네킹 같은 몸으로 간병인과 같이 공용 화장실에 가서 대소변을 보는 것을 상상해 보라. 혹여 병원 화장실에서 대소변 실수라도 할까봐 얼마나 가슴 졸였던가.

내가 주차장에서 차를 가지고 오면 간병인이 병원 정문 앞에서

기다렸다가 아내를 차에 태우고 휠체어를 반납하고 신분증을 찾아
오면 우리는 집으로 왔다. 아파트 앞에 도착하면 떠날 때와 마찬가
지로 힘든 과정을 거쳐 집에 들어왔다. 이렇게 병원 한 번 가는 일이
끝나면 우리는 긴 한숨을 내쉬었다.

얼마 동안은 병원에 내가 혼자 가서 환자 증세를 설명하고 의사
말을 듣고 약을 지어 오기도 했다. 그러나 아내는 병원 가는 일이 힘
들지만 유일한 외출이라 직접 가고 싶어 했다. 병원 가는 일이 나는
정말 힘들고 겁났다.

병원에서 해줄 것이 없어지다

서울대병원 신경과에 3~4개월에 한 번 가서 약을 타왔다. 의사는
이제 병원에 올 필요가 없고 집에서 마사지나 받으라는 눈치였다.
약도 전혀 효과가 없었고 의사도 반드시 먹을 필요는 없다고 했지만
아내는 열심히 복용했다.

아내가 통증이 심하다고 고통을 호소할 때는 정형외과와 통증치
료센터에 가서 주사도 맞아보았으나 별 효과가 없었다. 유명하다는
한의사에게 침도 맞았으나 백약이 무효였다.

입으로 식사를 안 하고 이를 잘 못 닦아 가끔 치과에 가서 스케일
링을 받았는데, 2009년부터는 입을 벌리지 못해 치과 치료를 받을
수 없는 상태가 되고 말았다.

의사소통

벙어리 냉가슴 앓는다는 말이 생각난다. 의사소통을 못 하게 된 아내는 얼마나 답답했을까. 아내의 말이 점점 더 어눌해져 전혀 알아들을 수가 없게 되었다. 상대방이 알아듣든 말든 아내는 혼자 자꾸 반복해서 소리를 내고, 얼른 알아듣지 못하면 짜증을 냈다. 말만 알아들어도 요구사항을 금방 해결해 줄 수 있는데 하며 간병인도 안타까워했다.

글씨도 구불구불 느리게 쓰게 되었고, 그렇게 쓴 글씨는 점점 알아보기 힘들어졌다. 2009년 2월 입원을 고비로 이마저도 불가능해졌다. 그래도 연필을 잡고 열심히 선 긋기는 했는데 그것조차도 완전히 불가능해진 것이었다.

첫 번째 응급실(대장허혈증)

1차 응급실 입원

2009년 2월 13일 아침 10시 30분. 아내가 서울대병원 안과에 예약되어 있어 병원에 가기 위해 아들이 집에 오기로 되어 있었다. 그런데 전날 배변 시 항문으로 피가 묻어 나왔다. 아프지는 않다고 하는데 이상했다. 너무 변을 자주 닦아서 헐었나보다 하고 생각했지만 계속 피가 조금씩 나와서 13일 아침 우리는 안과에 안 가고 서울대병원 응급실로 바로 갔다.

응급실에서 피 검사, 소변 검사, 엑스레이와 CT 촬영 등 각종 검사를 했다. 아들과 나는 응급실 복도에서 피난민처럼 밤늦게까지 기다려, 피 검사에 염증 수치가 높게 나오는데 대장경색 또는 대장허혈증으로 의심된다는 진찰 결과를 들었다.

대장허혈증은 대장의 일부분에 혈액공급이 잘 안 되어 그 부위가 헐어서 피가 흘러나오는 병이다. 그런데 병원에서도 이에 대해 수술할 것인가 내과적 치료를 할 것인가를 가지고 오랫동안 결정을 못하고 있었다. 문제가 좀더 심각해짐에 따라 아내는 우선 응급입원실로 옮겨졌다. 4인실이라 좋았다. 시장바닥 같은 응급실 복도보다는 천당이었다.

2월 14일 하루 종일 외과의사도 다녀가고 내과의사도 다녀갔다. 수술할 경우에 대비해 수술실도 알아보고 있다 했다. 하지만 배정받은 입원실은 응급병동이라 72시간 안에 나가야 하는 것이 규칙이어서 큰일이었다. 마침 아들 친구가 서울대병원 순환기내과 의사로 있어 여러 가지 편의를 봐주고 병실도 순환기내과 병동의 1인실로 옮겨주었다. 무척 고마웠다.

결국 2월 16일부터 내과적 치료가 시작되었다. 치료를 위해서는 대장 내시경 검사를 해야 했지만, 파킨슨병 말기 환자로서 장을 세척하기란 거의 불가능했다. 그래서 수액 치료, 즉 내장에 수분을 계속 공급하고 금식으로 장의 부담을 덜어주는 조치만 취해졌다. 언제 회복되고 언제 퇴원할지도 알 수 없었다. 전에 우리 부부의 위 내시경 검사를 해주었던 내과의 정현채 교수가 아내를 담당해서 돌봐주었다.

비관적인 의사의 말

2월 17일 오후 6시 담당의사 정현채 교수가 회진을 마치고 나에게 자기 방으로 가자고 해서 따라갔다.

정 교수는 생명에 대해서 어떻게 생각하느냐, 앞으로 아내의 병세가 어렵게 되면 생명연장을 위해 인공호흡 같은 조치를 취할 것인지 물으며, 자신은 반대라고 말했다. 폐렴이나 대장허혈증이나 다른 병은 아니지만 파킨슨병의 강직으로 아무런 의학적인 조치를 취할 수 없기 때문에 치료가 어려워 안타깝다고 했다. 이번에 퇴원해서 또 재발하면 그때는 어렵다고 생각해야 한다고 하며 죽음에 대한 책『살아 있는 날의 선택』(유호종, 사피엔스21)과 『사후생: 죽음 이후의 삶의 이야기』〔엘리자베스 퀴블러 로스(Elizabeth Kubler Ross), 대화문화아카데미)를 주었다.

나는 머릿속이 하얗게 되는 것 같았다. 의사로부터 죽음에 관한 책을 받는다는 것은 사망 예고를 받는 것과 무엇이 다르랴. 아내에게는 아무 말도 안 했다. 의사와 오래 있다 오니까 모두가 의아스러워했다. 그러나 나에게 무슨 이야기를 했느냐고 선뜻 묻지도 않았다. 딸과 사위, 아들에게 의사의 말을 전했다.

병원에서 금식하며 생명을 유지할 수 있는 것은 수액을 혈관으로 공급하고 있기 때문이며 이를 중단함은 곧 죽음이란 말인가. 수액 공급을 중단하고 평소와 같은 튜브영양법을 시작할 가능성은 희박하단 말인가. 그래도 내가 잘하면 이 어려움을 극복하고 의사의 걱정을 기우로 만들 수 있을 것이라고 스스로 다짐하고 위로했다.

2월 20일. 대장 CT 촬영을 하고 이상이 없으면 튜브영양법으로 소량 급식을 시작해 변이 괜찮으면 2월 25일경 퇴원시킨다는 것이 병원의 계획이었다. 퇴원 후 2~3일 내에 출혈이 있을 수도 있고, 몇 개월까지 무사할 수도 있다 했다. 전전긍긍하는 삶이었다. 이 슬픔, 슬픔이여!

2월 21일. 튜브영양법으로 미음 200g을 하루 세 번 섭취했다. 아침에 오랜만에 대변량이 많았다. 오래된 피가 약간 섞여 나왔는데 장에 남아 있던 피 같았다. 변은 아주 묽었다.

아내는 강했다. 결국 위기를 잘 넘기고 2월 27일 퇴원했다. 입원하고 있는 동안 우리 가족은 아내에게 정성을 다했고, 다음과 같은 우리들의 편지도 읽어주었다. 아내는 울었다.

나 홀로 집에

(2009년 2월 22일 아내를 입원실에 두고 나 홀로 집에 와서 생각했다.)

홀로 집에 들어오니 소파에 앉아 나에게 손을 흔들어주는 사람이 없다. 텅 빈 집에서 당신의 사진을 쳐다보며 생각해 본다. 우린 서로 싸우고 미워하고 그런 사이인 줄 알았는데, 당신을 병원에 두고 돌아오는 마음 그리고 홀로 집에서 이 방 저 방 둘러보며 생각하니 나는 당신을 사랑했나 보다.

하루하루 당신의 병세를 지켜보며 나는 당신을 사랑한다는 것, 나는 너무 슬프고 외롭다는 것을 절감하고 있다.

텅 빈 거실에 실내자전거가 눈에 크게 띈다. 파라핀 욕조기가 2개나 있다. 발 마사지 기계도 있다. 고급 초음파기, 저주파기도 있다. 이번에 장만한 욕창 방지 매트도 보인다. 당신 목에 항상 걸고 있던 호출 벨을 비롯해 여러 가지 의료 소품들이 집 안 여기저기에서 보인다. 이 모든 것들이 다 당신을 위한 것인데, 당신이 빨리 집에 돌아와서 다시 사용할 수 있으면 얼마나 좋을까!

당신과의 행복했던 지난날이, 좋았던 일들만이 생각난다.

가난하게 시작한 우리 둘의 삶이 이젠 남은 인생 견딜 수 있을 만큼 되었는데, 왜 당신은 병마와 싸우고 있나요.

나와 결혼해서 고생만 한 당신의 세월이 47년인데, 아이들 키우느라 밤잠을 설친 세월이 그 얼마인데, 왜 당신은 이렇게 병상에서 일어나지 못하는 거요.

아이들은 다 훌쩍 떠나버리고 이젠 우리 둘만 남았는데, 왜 당신을 병원 침대 위에 남겨두고 나 홀로 집으로 돌아와야 하는가요.

이 방 저 방 옷장에 당신의 옷들이 가지런히 걸려 있는데, 다시 입지 못할 옷들이 이렇게 많이 걸려만 있는데, 당신이 아끼던 장신

구들이 주인을 기다리고 있는데, 당신은 왜 나 홀로 집으로 돌려보
내려 하오. 사랑해요.
                                                            -남편이

엄마 엄마 우리엄마! 맏딸 연수의 편지(2009.2.23)

엄마와 늘 의사소통을 하고 싶었지만 왠지 엄마의 그 기운에 억
눌려 때로는 화도 났고 때로는 움츠러들기도 했습니다. 활달했던
그 기운 어디에 다 뺏기고 마냥 누워 계신 엄마의 모습을 보면 마
음이 아파옵니다. 혹, 우리 세 남매 키우시느라, 인생을 누구보다
도 치열하게 살아오시느라 엄마의 에너지를 다 뺏기지는 않았을
까…삶을 되짚어 봅니다.

오늘 아빠의 간식거리 사다 드리면서 아빠가 좋아하시는 모든
것이 나와 이토록 비슷할까라는 생각도 해봤습니다.

Olive, anchovy, cheese, salami…wine…등.

어느덧 이렇듯 나는 아빠와 그리고 엄마와 매우 흡사한 모습을
담고 있었습니다. 엄마의 적극성과 부지런함, 가정·금전 및 교육
관리, 아빠의 계획성과 정리정돈하는 모습들, 그리고 낭만을 제 안
에서도 발견합니다. 그리고는 저희가 곧 엄마 아빠의 거울이라는
것을 깨닫게 되었습니다.

아직은 많이 부족하고 우리 부모님의 너그러움은 제가 보다 배
워야 될 덕목일 것으로 생각하지만 우리 지인이가 말하길, 엄마의
불편한 모습마저 엄마와 닮아있는 자신을 발견하게 된다고 합니다.
이것이 '레가시'가 아닐까 생각됩니다. 훌륭한 면면을 보여주셨기
에 우리 자식들에게는 많은 유산을 물려주셨다고 생각합니다.

어릴 적 많은 불평불만으로 엄마 아빠에게 반항도 많이 하였지

만, 이제 40을 훌쩍 넘어 되돌이켜보니 우리는 부모로부터 받은 게 많았고 이처럼 우리도 우리의 자식들에게 많은 유산을 남겨 주기 위해 노력해야 한다고 생각합니다.

그 길이 쉽지만은 않았다는 것, 너무나도 잘 알기에 부모님에게 항상 감사한 마음 잃지 않고 살고 있습니다.

엄마와 한 번도 허심탄회한 대화도 못 한 채 기회를 놓쳐 버려서 안타까울 뿐입니다.

이제 벌떡 일어나서서 예전의 [호랑이] ㅋㅋ 엄마가 되긴 힘들겠지만 기운 내시고 저희를 놓지 말아주세요.

－엄마를 무척이나 사랑하는 연수가

슬픈 변화, 슬픈 자유

대장허혈증으로 2주간 입원한 다음 퇴원한 후 아내는 화장실에서 넘어져 갈비뼈 5대가 골절되는 사고가 있었으나 잘 치료되었다.

아내는 말도 못 하고, 글씨도 못 썼다. ○나 ×를 겨우 표시할 수 있을 뿐이었다. 움직이지도 못했다.

집에 돌아오면 나는 거실에 누워 있는 아내를 보았다. 물끄러미 천장을 쳐다보기도 하고 앞을 응시하기도 했다. 아무 말이 없었다. 침대에 꼼짝도 못 하고 누워서 나의 처분만 기다리고 있었다.

아내가 왜 이렇게 되었는지, 왜 벌떡 일어나서 고함이라도 치지 않는지 정말 안타까웠다. 그래도 숨 쉬고 쳐다보고 내 말을 경청하는 아내가 있다는 것에 감사했다.

이렇게 아내는 변해갔다. 달라진 아내가 불쌍했다. 그리고 아내의 부자유는 나에게 슬픈 자유를 가져다주었다.

나는 매주 수요일을 문화의 날로 정하고 박물관, 미술관 등을 방문하고 영화도 보기로 했다. 2009년 6월 16일, 서울대공원 산림욕장에 갔다. 그동안 구입한 배낭과 바지에다 노스페이스 상의를 입고 호두과자와 커피도 준비했다. 자동차로 대공원에 9시 30분에 도착했다. 주차비 4천 원을 내고 제1주차장에 주차한 뒤 등산화로 갈아 신었다.

800원을 내고 코끼리 차를 타고는 동물원 앞에 내려 매표소에서 경로 무료입장권을 받고 대공원 안으로 들어갔다. 삼림욕장 입구로 들어선 것이 9시 45분이었다. 이른 시간이라 사람이 적었다. 가, 나, 다, 라의 코스 순서로 걸었다. 참 좋았다. 등산이 거의 끝날 무렵이 되자 오가는 사람들이 많아졌다. 오가며 스치는 사람마다 "안녕하세요"라고 인사를 나누었다.

삼림욕이 끝나는 자리에 설치된 넓은 평상 위에 큰 대자로 누워 나무 사이로 파란 하늘을 보았다. 그리고 준비한 간식을 먹었다. 집에 돌아오니 2시가 안 되었다. 정말 기분 좋은 하루였다.

두 번째 응급실(기관지 절개수술)

하루 종일 TV 앞에 앉아 있는 아내에게 오래되어 잘 보이지 않는 TV를 새것으로 바꾸어주지 않았던 것이 미안했다. 2010년 3월 말 삼성의 최신형 LED TV를 들여놓았다. 아내는 연예 프로를 보고 웃기도 하고 연속극을 보고 눈물도 흘렸다. 4월 말에는 자동차도 제네시스로 바꾸었다. 5월 8일 어버이날 아들네 식구와 같이 아내에게 시승식을 갖게 하려고 새 차를 매일 닦았다. 그리고 2010년 5월 아들에게 이메일을 보냈다.

아들아, 엄마에게 이 아름다운 봄을 선사하지 않겠니

벚꽃이 하늘을 덮고 연산홍이 붉게 핀 화창하고 따스한 봄날 하루, 너희 식구 모두 와서 집 옆 공원에서 엄마의 휠체어를 손자, 손녀, 아들, 며느리가 교대로 밀며 다시 못 올지도 모를 이 아름다운 봄을 엄마에게 선사하지 않겠니. 그리고 새로 산 자동차에 엄마와 같이 타고 시승식도 하자.

그런데 약속한 5월 8일이 오기도 전에 아내는 119 구급차에 실려 응급실로 갔다.

아내의 오른손이 부었다. 강직으로 손을 오그리고 있어 피가 안 통해 그런가보다 하고 손을 펴주었더니 부기가 약간 빠졌다. 또 목을 그렁거리며 숨 쉬기를 어려워했다. 다음날 동네 병원에 가서 감기약이라도 지어와야겠다 생각했다. 전에도 감기가 들면 늘 그랬으니까.

나는 밤중에 늘 화장실에 갔는데, 그날도 새벽에 화장실에 갔다 와서 아내의 오른손을 만져보았다. 부기가 약간 있어 마사지를 해주었는데 손이 뜨거웠다. 머리에 열도 있었다. 여전히 목을 그렁거리며 시끄러운 소리를 내고 있었다.

나는 걱정을 하면서도 다시 잠이 들었다. 새벽 5시에 아내의 시끄러운 숨소리에 잠이 깨서 다시 손을 만져보니 여전히 뜨거웠다. 열을 재보니 38.4도였다. 목에 가래 끓는 소리가 더 요란해진 것을 보니 숨을 잘 못 쉬는 것 같았다. 입술이 파랬고, 눈도 뜨지 못했다. 아무래도 이상하다고 판단했다.

나는 간단히 세수를 하고 옷을 입었다. 그리고 병원에 입원할 채비를 했다. 병원카드, 현금 등을 준비하고 간병인을 깨웠다. 아내의 기저귀를 갈고, 옷을 갈아입히고, 신발도 신기고, 휠체어에 앉혔다.

드디어 내 평생 처음으로 119 다이얼을 돌렸다. 2010년 5월 7일 아침 6시 40분이었다. "119상황실입니다" 하고 당직자의 목소리가 들려와 아내의 상태를 알리고 구급차를 요청했다. 약 15분 만에 구급차가 왔다. 3명의 건장한 구급대원들이 바퀴 달린 침대처럼 생긴 들것을 가지고 왔다. 거기에 아내를 태우고 엘리베이터를 통해 내려가 구급차에 싣고 내가 아내 옆에 타자 서울대병원 응급실로 출발했다. 가는 도중 산소호흡기로 숨 쉬는 것을 도왔다.

응급실에는 이른 시간이라 다른 환자가 없어 아내는 모든 직원들의 관심과 치료를 받을 수 있었다. 우선 숨을 쉬도록 산소호흡기를 대고, 목의 가래를 빼내는 조치를 취했다. "아아, 빨리 잘 데리고 왔구나." 나는 안도의 숨을 쉬었다.

응급실 의사는 환자가 산소호흡기가 없으면 숨을 쉬기가 힘든 상황이라고 말하며 폐렴 가능성을 염두에 두고 기관지에 삽관을 하겠다고 했다. 나는 일일이 좋다고 답하며 할 수 있는 모든 조치를 다 해달라고 부탁했다. 피 검사, 소변 검사를 하고 폐 엑스레이를 찍었다.

중환자실로 가다

환자의 상태가 위중했던지 오래지 않아 중환자실로 옮기기로 결정됐다. 나는 입원수속을 하고 중환자실로 따라갔으나 중환자실에 보호자는 못 들어갔다. 중환자실 밖에서 아들에게 전화해서 상황을 알렸다. 아들은 롯데호텔에서 조찬회의에 참석 중이었다. 그리고 큰딸에게 전화하고 한참 후에 상하이의 작은 딸에게도 전화했다. 손녀가 오고 며느리가 오고 아들이 왔다. 큰딸도 왔다. 큰 사돈 내외분도 왔다. 둘째 사돈한테서도 전화가 왔다. 베이징의 사위, 상하이의 작은 딸로부터도 거듭 전화가 왔다.

주치의는 환자의 피 검사, 소변 검사, 폐 엑스레이 모두 이상이 없고, 신종 인플루엔자가 아닌지 검사했으나 그것도 아닌데 숨 쉬기가 어렵고 열이 있어 그 원인을 관찰하고 있다고 하며, 파킨슨병 말기 환자에게 오는 현상이 아닌가 생각한다고 했다. 아내는 눈도 뜨고 아이들을 보고 웃기도 했다.

5월 9일, 자력호흡 기능을 높이기 위해 인공호흡기 의존도를 줄였다. 그러나 강직 때문에 입을 깨물고 손을 오그리는 증상은 여전히 심했다. 가래가 지속적으로 축적되어 숨통을 막으니 자주 흡인기로 가래를 빼주어야 했다. 이런 중요한 처치를 집에서 할 수 있을까 싶었다. 식사는 아내가 그렇게도 싫어하던 콧줄로 할 수밖에 없게 되었다.

5월 12일 저녁, 나 혼자 병원에 갔다. 아내는 산소마스크를 떼지 않았다. 담당교수가 좀더 지켜보자고 했다. 아내는 숨을 몰아서 가쁘게 쉬고 아기가 경기하듯이 입을 깨물고 손을 오그려 쥐곤 했다. 파킨슨병에서 오는 강직으로 호흡관을 물거나 가래 흡인관 삽입을 막았다. 이러한 파킨슨병 증세가 환자의 치유를 어렵게 하고 있었다.

5월 13일, 아내는 갑자기 경련을 일으키듯 입술을 깨물면서 호흡 장애를 일으켰다. 하루에 몇 번씩 그랬다. 호흡을 잘 못 하는 것이 진전 현상 때문은 아닌가 해서 뇌파사진을 찍었다. 가래를 뽑는 것도 관을 깨물기 때문에 어려웠다. 자력으로 삼키거나 뱉지 못했기 때문에 가래가 차면 금방 호흡곤란이 왔다. 결국 기관지 절개수술을 해야 할 것 같았다. 꼼짝없이 누워 눈만 뜨고 본인의 의사는 전할 길이 없이 병원과 보호자의 처분만 기다리는 아내가 너무 불쌍했다. 살아 있는 것이 아니었다.

5월 14일 오후, 호흡기를 제거하고 자력호흡을 시도했으나 어려움이 있었다. 가래 뽑는 것도 쉽지 않았다. 중환자실 주치의는 이비인후과 의사와 상의 중인데, 기관지 절개수술을 해야 할 것 같고 내주 중에 날짜를 잡게 될 것 같다 했다.

5월 17일 저녁 7시, 면회 갔을 때 아내는 정신없이 자고 있었다.

숨은 고르게 쉬고 있었다. 그날 아침에는 왼손으로 자꾸 목을 가리
켰다. 우리가 의사하고 하는 말을 다 듣고는 절개수술을 받기 싫다
는 표시 같아서 교황 바오로 2세도 김대중 전 대통령도 기관지 절개
수술을 받았다고 아내의 귀에다 말해주었다. 하루라도 더 살기 위해
서는 수술을 해야 했다.

기관지 절개수술

5월 18일 오전 11~12시에 기관지 절개수술을 했다. 하정훈 교수
가 집도했는데, 수술은 잘되었다고 했다. 저녁에 가보니 아내는 평
온한 모습이었다.

5월 20일, 중환자실에서 응급병동 일반실 38병동 21호실로 옮겼
다. 4인실이었는데, 그중 아내가 제일 중환자였다. 거기선 중환자실
과 달리 간호사의 도움이 많지 않아 우리가 스스로 해결해야 하는
게 많았다. 이제 간병인이 본격적으로 일할 차례였다. 가래 흡인도
거의 2시간마다 직접 하고, 콧줄로 하는 환자의 식사도 직접 챙겨야
했다. 수술한 곳에 네뷸라이저(nebulizer. 연무기)로 약물증기를 불어
넣어 주어야 했다. 다행히 김 간병인은 간호사의 도움이 없이도 곧
잘 했다.

5월 20일, 나는 하루 종일 바빴다. 아침 면회가 끝나자 집으로 돌
아와서 아내를 집으로 데려올 준비를 했다. 인터넷으로 수소문해서
중앙의료기라는 데를 찾아냈다. 거기서 환자용 침대와 가래흡인기
를 빌렸다. 침대는 일본제로 병원용과 같은 기능이 있으면서도 나무
로 된 아주 좋은 것이었고, 월 사용료가 10만 원이었다. 가래흡인기

는 이탈리아제 M20으로 했으며 장기 사용료 10만 원을 선불하고 별도 부담 없이 계속 빌려 사용했다. 그리고 국민건강보험공단에 가서 장기요양 인정 신청도 했다.

5월 21일 아침, 의사가 와서 기관지 삽입관(cannula, 캐뉼러)을 교체했다. 24시간 내에 한 번 더 교체하고, 그다음부터는 일주일에 한 번씩 바꾸어주면 된다고 했다. 5월 22일에는 기계로 하는 산소 공급도 중단하고 완전히 자발호흡을 하게 되었다.

집으로

5월 25일, 아내는 드디어 퇴원했다. 아침 10시 서울대병원 가정간호 팀장을 만났다. 가정간호 계약에 서명하고, 구입·준비해야 할 물품명세를 받고, 설명도 잘 들었다. 복용할 약도 받고, 퇴원비와 가정간호 선납금도 냈다.

아내가 퇴원해서 집으로 올 때는 119가 아니고 129에 연락해서 환자수송서비스를 받았다. 거동이 어려운 환자라고 했더니 운전기사 외에 건장한 사람 한 명이 더 와서 병실에서 일으켜 세우는 것부터 집 침대에 아내를 눕혀주는 것까지 도와주고 갔다. 이런 편리한 제도가 있는지 몰랐다. 바쁜 아들을 불러내어 힘들게 아내를 부축해서 병원에 다니던 일을 생각하면서 왜 진작 이렇게 좋은 편리한 방법이 있는지 몰랐을까 후회했다. 5월 26일 서울대병원 가정간호사가 "가정간호"라고 크게 쓴 흰색 차를 타고 처음 우리 집으로 왔다.

기관지 절개수술 후 |

침대를 떠나지 못하는 아내의 하루

아내는 2010년 5월 25일부터 2013년 1월 19일 세상을 떠날 때까지 침대를 떠나지 못했다.

2010년 5월 26일. 119 구급차에 실려가 20일 동안 입원하고 돌아온 아내는 너무도 쇠약해지고 병세가 악화되어 말없이 누워만 있다. 아내가 너무도 불쌍하다.

아내가 병원에 입원해 있던 며칠 동안 나 홀로 이 큰 집에서 얼마나 쓸쓸하고 서글펐는지. 자꾸만 나의 인생도 이제 마무리되는 것 같아 잠이 안 온다. 자는 시간만큼 내 인생이 짧아진다는 생각에 이제 밤 11시는 초저녁이다.

5월 31일. 나 혼자 전범석 교수를 만나 콧줄 급식을 위루관을 통한 복부 급식으로 바꾸는 것에 대해 의논해 보았다. 복부 급식을 하려면 내시경을 입을 통해 넣고 수술하는 경피적 내시경 위루술(Percutaneous Endoscopic Gastrostomy, PEG)을 받아야 하는데 강직 때문에 입을 벌리지 못하면 수술이 어렵다는 대답이었다.

환자의 전반적인 상태를 감안해 이 어려운 수술을 반드시 해야 할 것인지 그냥 그대로 콧줄을 달고 지나면서 보자는 것 같았다. 나도 아내가 퇴원한 지 얼마 되지 않았으니 3개월은 기다려보고 그때 판단하기로 했다. 하지만 아내가 3~4개월 후에 과연 이러한 수술을 받을 수 있을지 모르겠다.

전 교수에게 "선생님을 만나 확진을 받은 지도 7년이 되었습니다"라고 하니까 "오래된 겁니다"라고 답했다. 오래 살았다는 의미로 들었다.

6월 어느 날. 아내가 하루하루 살아가는 것이 하나의 기적이다. 과학의 힘으로 버티고 있는 것이다. 꼼짝 못 하고 누워서 숨 쉬는 것부터 먹고 배설하는 것까지 지극한 간호가 없으면 살기 어려운 상태다. 그리고 자기를 살려줄 것이라는 믿음, 바로 남편에 대한 신뢰로 생명의 줄을 꽉 잡고 있는 것 같다.

7월 4일. 아내의 건강은 입원 전보다 확연히 많이 나빠졌다. 이대로라면 과연 금년을 견딜 수 있을까 하는 걱정이 떠나지 않는다. 강직 때문에 붓는 오른손에 붕대를 원통형으로 만들어 쥐어주어 펴게 했다. 그리고 팔에는 쿠션을 괴어 편하게 해주고 부기를 가라앉게 했다. 아내는 몸 전체를 전혀 움직이지 못해 하루 24시간 침대에 누워 있다. 가끔 TV를 보고, 잠은 잘 잔다.

주변 정리

사진 앨범을 정리하기 시작했다. 그림이나 장식품도 아이들에게 넘겨주었는데, 아이들은 별 감흥도 없고 짐스러워하는 것 같았다.

오래된 그 많은 사진들을 정리했다. 뽐내고 영광스러워하며 하루 24시간 매달리던 공직생활의 이모저모가 담긴 추억의 사진들이 이제 나에게 무슨 소용이 있겠는가? 자식들은 더욱 관심 없을 것들이었다.

그래도 눈이 가는 것은 우리 가족들의 사진이었다. 아내와 나 그리고 삼남매의 사진들이었다. 모든 앨범에서 아이들의 사진 그리고 아이들과 같이 찍은 우리들의 사진을 골라 뜯어내었다. 오래된 앨범에 밀착된 사진은 잘 떼지지 않았다. 애를 먹으며 늦은 시간까지 옛 추억을 더듬으며 작업을 해야만 했다. 이 사진들을 각 아이들 앞으로 나누어 담아두었다.

사진에 담긴 아이들의 어린 시절을 다시 보면서 '아내와 같이 이 아이들을 키우면서 정말 즐거웠구나' 하는 생각을 했다. 아이들이 자라는 것이 부모에게 기쁨이었다. 그것이 효도였나 보다.

이렇게 주변을 정리하며 인생은 이룩하는 것도 힘들지만 아름답게 정리하는 것도 힘들구나 하고 한숨지었다. 오르막길을 달려가며 숨차하던 어제가 바로 오늘 같은데, 이제 급경사의 내리막길을 내려가야 한다. 조심해서 내려가기가 여간 힘들지 않다.

이제 더 사용할 수 없는 각종 의료기기

아내에게 좋다면 무조건 구입해서 사용하던 각종 운동 의료기기들 이제는 창고에 들어가고 말았다. 아내가 이 기기들을 다시 사용할 수 있기를 기대하듯 깨끗이 닦아서 찾기 쉬운 곳에 보관했다.

아내는 2007년 8월부터 휠체어를 타기 시작했다. 처음에는 병원에 갈 때만 탔는데 어느새 집안에서도 휠체어의 신세를 지기 시작했다. 나중엔 휠체어를 타고 공원에도 가고 가까이 있는 현대 백화점에도 갔다. 백화점에 가서 아내가 물건을 골라놓으면 내가 뒤따라다니면서 계산했다. 아파트에서 엘리베이터를 타고 오르내리는 것은 문제없으나 계단을 오르고 내려갈 때는 휠체어에서 내려 두 사람의 부축을 받아야 했다.

요긴하게 쓰던 이 휠체어도 2010년 5월 중환자실을 다녀온 후로는 아내가 침대에서 일어나지 못하니 쓸모가 없게 되었다. 아파트 베란다 한쪽에 밀쳐놓은 지 오래되었다. 가끔 오는 손자의 장난감이 되었다.

위루관을 달다

콧줄은 한 달에 한 번씩 교체해야 하고 코 부위를 늘 청결하게 소독해야 했다. 그런데 콧줄이 교환할 때 잘 들어가지도 않게 되었고, 코에 염증이 생겨 더 큰 문제를 야기할 수도 있었다. 가정간호사나 목욕시켜 주는 사람들도 복부 급식을 위해 PEG 수술을 해야 하지 않겠느냐고 했다.

아내를 얼마 더 살리겠다고 수술의 고통을 준단 말인가, 게다가 지난 5월에 전범석 교수는 환자가 입을 벌리지 못해 내시경을 입을 통해 위로 넣기 힘들면 이 수술을 할 수 없다고 했는데 아내는 과연 입을 벌릴 수 있을까 하는 걱정이 앞섰다. 가정간호사는 그 정도는 입을 벌릴 수 있을 거라고 나에게 용기를 주었다.

나는 소화기내과의 김상균 교수의 특진을 예약했다. 그리고 2010년 9월 6일 전범석 교수를 찾아가 김상균 교수가 수술을 해주도록 부탁해 달라고 간청했다. 전 교수는 김 교수에게 입원 수술을 부탁하는 메일을 보내주었다.

2010년 9월 11일 김상균 교수를 외래로 찾아가서 환자의 상태를 설명하고 PEG 수술을 부탁했다. 전 교수의 연락이 있어서인지 김 교수는 흔쾌히 응락해 주어서 나는 수속을 밟았다. 내시경센터에 가서 추석연휴가 끝나는 9월 24일로 수술 날짜를 잡고, 입원수속실에 가서 9월 23일에 입원하는 입원의뢰서를 제출하고 집으로 왔다. 소원이 이루어진 것같이 좋았다. 아내를 위해 해줄 수 있는 마지막 수술이 될 수도 있을 터였다.

추석날 오후 나는 129에 연락하여 9월 23일 오후 2시에 집으로 와달라고 예약했다. 9월 23일 아침 11시경 나는 서울대병원 원무과에 가서 미리 입원수속을 하고, 115병동 10호실을 배정받았다. 2인실이었는데, 다른 환자가 없어 혼자 쓰게 되어 좋았다. 병실 담당간호사에게 아내를 위한 가래흡인기 설치도 부탁해 두고 나는 다시 집으로 돌아왔다. 간병인은 아내를 깨끗하게 닦이고, 옷도 깨끗한 것으로 입히고, 입원에 필요한 모든 용품들을 준비해 놓고 기다리고 있었다.

129 구급차는 예정된 시간보다 빨리 왔다. 추석 다음날 휴일이라 시내 교통이 한산했다. 우리는 금방 병원에 도착했고 다음날을 위해 휴식을 취했다.

9월 24일 일찍 할 것 같던 수술이 오후로 미루어졌다. 오후 2시경 우리는 호출을 받고 내시경센터로 내려갔다. 차례가 되어 아내가 수술실로 들어갔다. 한참 있다가 간호사가 나와서 보호자를 들어오라고 해서 들어가보니 김상균 교수가 굳은 얼굴로 환자가 입을 벌리지 못해 내시경을 넣을 수 없어 수술을 못 하겠다는 것이다.

나와 간병인은 간호사들과 같이 아내의 입을 벌려보려고 한참 애썼다. 집에서는 곧잘 입을 벌렸고 밤에 잘 때는 아예 입을 벌리고 자기도 했는데 가장 필요한 순간에 입을 벌리지 못하다니 정말 기가 막혔다. 이 수술을 받기 위해 내가 얼마나 애썼는데, 전신에 맥이 풀렸다.

할 수 없이 입원실로 돌아왔다. 병실에 돌아와서도 입을 벌려보려고 애썼지만 허사였다. 이제 입을 벌린다 해도 의사가 기다리고 있지도 않았다. 나는 정말 화가 나 말도 못 하는 아내에게 화를 냈다.

나는 간호사실에 가서 이제 우리는 어떻게 되는 것인지, 퇴원해서 집으로 돌아가야 하는지 물어보았다. 간호사는 영상의학과에서 내시경을 입을 통해 넣지 않고도 내시경센터에서와 똑같은 위루관 시술을 할 수 있는 방법이 있다며, 아내는 이미 금식도 했고 수술 받을 모든 준비가 된 상태인 만큼 영상의학과에서 수술을 할 수 있도록 수배 중이라고 알려주었다. 너무도 기쁘고 고마웠다.

영상의학과의 위루관 시술

영상의학과에서 하는 위루관 시술은 코로 들어가 있는 비위관을 통해 공기를 주입하여 위를 크게 부풀린 후 위가 있는 부위의 피부를 약 6mm 정도 절개하여 위루관을 삽입하는 것이었다.

우리는 콧줄을 하고 1층의 영상의학과로 내려갔고 순서가 되어 아내는 2호 수술실로 들어갔다. 그리고 30분도 안 되어 수술이 완료되어 회복실로 갔다고 모니터에 나타났다. 시간은 오후 6시였다. 대개 수술은 1시간 정도 걸린다고 했는데 빨리 끝났다. 한준구 교수가 집도했다.

우리는 병실로 돌아왔다. 너무도 기분이 좋았다. 이제는 위루관 관리를 열심히 공부해야겠다고 생각했다. 24시간이 지난 이튿날 첫 급식을 위루관을 통해 시도했다. 성공적이었다.

2010년 9월 27일 퇴원해 집으로 돌아가는 걸음은 훨씬 가벼웠다.

응급환자 수송차량 129에 연락하여 닷새 만에 집으로 돌아왔다. 적진에 포로로 잡혔던 우리 병사를 구출해 오는 것처럼 기분이 좋았다. 나는 그동안 아내가 돌아올 것에 대비해 집안의 그림도 바꿔 달았다. 아내를 새롭게 맞이하는 정성을 보이고 싶었다.

집으로 돌아온 아내는 편안해 보였다. 우선 코에 줄이 없으니 보기가 좋았다. 그리고 숨 쉬는 것도 장애물이 없어 훨씬 쉬워진 듯했다. 그러나 힘든 수술을 한 뒤라 전보다 더 늙어 보였다. 목에도 배에도 관이 달려 있어 마치 로봇과 같은 아내를 쳐다보며 나는 아내가 이대로라도 오래 오래 살아달라고 기도했다.

위루관 관리

2010년 10월 1일 저녁 간병인은 나에게 약물이 위루관으로 내려가지 않고 주사기로 흡입도 안 되는데 막힌 것 같다고 했다. 가정간호사에게 전화를 해서 상담했더니 따스한 물을 주사기에 넣어 밀어넣어보라고 했다. 그대로 해보았지만 금방 효과는 없었다. 흡입을 너무 강하게 하니까 위벽의 붉은 살점까지 빨려 올라오는 듯했다.

한참 후에 물을 밀어 넣는 것은 되는 것 같았다. 얼마를 기다려서 저녁식사를 반만 주입시켰더니 천천히 들어가긴 했으나 전과 같지는 않았다. 변비가 3일째 계속되고 좌약도 효과가 없었다. 변비로 복부가 팽만하여 위가 음식의 주입에 저항하는 것 같기도 하고, 내부로 위루관이 좀 막힌 것 같기도 해서 계속 하루 정도 관찰해 보았다.

다행히 그다음 날 아침 위루관이 좀 뚫렸다. 전과 같이 시원하게 뚫린 것 같지는 않아도 그런 대로 식사는 할 수 있게 되었다. 가정간

호사가 동료 간호사들과 상의한 결과라고 하면서 콜라를 좀 주입해
보라고 전화로 알려주었다. 콜라는 탄산수로 트림을 유발할 수도 있
고 막힌 튜브를 뚫을 수도 있다고 한번 시도해 보라는 것이었다. 나
는 부리나케 동네 편의점에 가서 콜라를 사왔다. 시험해 본 결과는
신통했다. 아, 다행이다 하며 긴 한숨을 내쉬었다. 그다음에도 튜브
가 막히는 듯할 때 콜라를 써보았으나 효과가 처음 같지는 않았다.

7년간 병세의 변화

아내는 불평도 없이 호소도 없이 눈을 껌벅이는 유일한 동작을
반복할 뿐이었다. 내가 아내의 발이 되고 손이 되고 입이 되고 머리
가 되어 살아온 지도 이때쯤 어언 7년이 되었다.
이때까지 아내의 병세와 그 변화를 요약해 보면 다음과 같다.

걷는 것

2004년 4월 걷기가 불편해졌다.
2005년 초 밤에 화장실 가기가 어려워졌다.
2005년 8월 지팡이를 쓰기 시작했다.
2005년 10월 이동식 좌변기를 사용하기 시작했다.
2006년 6월 첫발을 내디디지 못하게 되었다.
2007년 8월 휠체어를 타기 시작했다.
2008년 6원 10일 여러 사람의 부축을 받으며 미장원에 가서 마지막
파마를 했다.

말하는 것

2004년 6월 말이 어눌해지고 발음이 불명확해 알아듣기 힘들어진 후 계속 악화되었다.

2006월 6월 말을 전혀 못 하게 되었다.

글씨 쓰는 것

2008년 8월 글씨도 완전히 못 쓰게 되었다. 그 전까지는 지우개가 달린 긴 연필을 가지고 무엇이든 쓰도록 했는데, 오래지 않아 아내를 위해 연필을 깎아주는 일이 없어졌다.

먹고 마시는 것

2006년 9월 튜브영양법을 시작하고 경구급식도 병행했다.

2008년 6월 완전히 튜브영양법에 의존하게 되었다.

2010년 5월 콧줄 급식을 시작했다.

기관지 절개수술

2010년 5월 호흡장애로 중환자실에 실려갔다.

2010년 5월 18일 기관지 절개수술을 받고 가래 흡인을 시작했다. 이때부터 완전히 침대에 누워서 살게 되었다.

위루관 시술

2010년 9월 24일 콧줄로도 견디지 못하고 위루관 시술을 받아 배에 구멍을 내고 관을 넣어 급식을 하게 되었다.

기타 조치사항

2004년 6월 23일 3급장애자 등록 2007년 6월 1급 장애자 등록

2007년 7월 휠체어 구입시 80% 건보단 보조

2010년 5월부터 서울대병원 가정간호사가 집으로 오다

2010년 6월 국민건강보험공단 장기요양 1등급 인정(전문 요양사 이용)

신정특례등록제도(난치병 환자 외래입원 시 본인부담 경감제도) 활용

신차구입 시 채권매입 면제, 전기료 가스료 할인, 환자용 영양제 보험 혜택

이렇게 아내는 변해갔다.

몸이 멀쩡할 때는 파킨슨병에 걸렸다는 사실 하나만으로도 죽어야겠다느니 소동을 피웠던 아내였다. 지팡이를 짚고 걸어가는 환자를 보고 "지팡이는 안 쓸 거야"라고 하던 아내였다. 그런데 어느새 지팡이 신세를 지게 되었다. 그다음에는 "절대로 휠체어는 안 탈 거야"라고 하면서 휠체어를 집에 두고도 오랫동안 타지 않더니 휠체어를 타고 공원에도 가고 백화점에도 갔다.

병원에 다니면서 코에 관을 꽂고 있는 환자들을 보면 "저렇게까지 해야 하나" 하더니 입에 관을 넣는 단계를 지나 콧줄을 달게 되었다. 뿐만 아니라 목에 기관지 절개수술까지 했고 배에는 위루관 시술까지 했으니 완전히 로봇이 된 셈이었다.

그토록 외모에 신경 쓰면서 보통사람들과 같아보려고 애썼는데 그렇게 되었으니 그 자존심 어땠을까? 침상에서 한 치도 움직이지 못하고 무슨 생각을 했을까? "나 살아야 한다, 살 거야"라고 하지 않았을까.

세 번째 응급실

2011년 5월 9일 나는 외교협회가 주관하는 바둑모임에 나가 있었는데, 1시 55분쯤 집에서 전화가 왔다. 외출 중에 집에서 나에게 휴대폰으로 전화하는 일은 극히 드물었는데, 예감이 좋지 않았다. 전화한 사람은 화요일마다 집으로 오는 가정간호사였다. 아내의 산소포화도가 많이 떨어지고(65-70) 열도 있으니 아무래도 병원 응급실에 가야 한다고 했다. 나는 아내는 늘 그랬는데 하는 생각에 내일 가면 안 되겠느냐고 했더니 가정간호사는 아무래도 지금 당장 가는 것이 좋겠다고 했다.

급히 집으로 오니 2시 30분이었다. 바로 119에 전화를 했다. 구급차가 금방 수배가 되어 3명의 대원이 2시 40분경에 집으로 왔다. 서울대병원 응급실로 향하는 길은 많이 막혔다. 나는 간병인과 같이 아내 옆에 타고 있었는데, 이리저리 빠져나가며 운전하는 차 속이라 멀미가 났다.

응급실에 도착해 늘 그러했듯이 예의 여러 가지 검사가 시작되었다. 시장바닥 같은 응급실, 종종걸음 하는 간호사들, 무엇을 물어도 외면하는 사람들 속에 우리는 또다시 내던져졌다. 나는 "검사 결과가 나오면 종합해서 설명 드릴 테니 가만히 기다리세요"라는 말을 몇 번이고 듣고 물러앉아 한숨을 내쉴 뿐이었다.

위루관을 교체하다

나는 이왕 응급실에 온 김에 위루관을 교체해야겠다고 생각했다. 위루관 시술을 할 때 위루관은 6개월에 한 번 갈아주는 것이 좋다고 했다. 그런데 위루관 시술을 하면서 위루관을 단 지 이미 8개월이나 되었고 음식물이 위루관으로 역류해 나오는 경우도 있어 걱정하고 있었다. 영상의학과에 말했더니 응급실을 통해서 요청하라고 했다.

나는 즉시 응급실 의사에게 간청을 했다. 응급실에 온 이유 중의 하나가 위루관 파손으로 식사를 못 하기 때문이라고 말하고 영상의학과 안내서에 이런 경우는 바로 응급실로 오라고 되어 있다고 안내서를 보여주었다. 응급실 의사는 영상의학과에 요청을 해주었다. 그리고 밤 10시가 넘어 그날 중에 위루관을 교체해 주겠다는 통보를 받았다.

그래서 우리는 11시경 영상의학과로 갔다. 다른 중증환자가 많아 오래 기다렸으나 교체는 간단했다. 교체를 마치고 응급실로 돌아오니 중환자실로 가게 되었다는 소식도 기다리고 있었다. 간호사가 조금 있으면 밤 12시가 넘어 하루가 지나니 그때 입원수속을 하면 하루치 입원비가 절약된다고 안내해 주었다. 고마웠다. 아들과 며느리도 왔다.

중환자실로

중환자실로 가는 것은 병세가 나쁘다는 의미였는데, 우리는 오히려 어려운 시험에 합격한 사람처럼 좋아했다. 피난민 수용소 같은 응급실 복도에서 호텔로 이사 가는 기분이었다. 아내를 중환자실로 옮기고 5월 10일 새벽 1시에 집으로 왔다.

그날 아침 나는 코피를 흘렸다. 밤새 너무 신경을 써 피곤했던 것이다. 아들과 나는 아침 10시 중환자실로 다시 아내를 찾아갔다. 아내의 얼굴은 평화로웠다. 얼마나 오래 중환자실의 신세를 지게 될지, 언제 집으로 돌아갈지 몰랐다. 그날은 비오는 석가탄신 휴일이었다.

5월 10일 오후 7시, 저녁 면회에서 본 아내는 여전히 산소호흡기를 입에 달고 있었다. 다른 것은 별로 나빠진 것이 없었다. 폐렴기도 약간 있었으나 심하지는 않았다. 식사도 잘하고 열도 없었다. 다만 산소를 들이마시는 것은 되었는데, 이산화탄소를 내뱉는 힘이 없어 문제라고 했다.

5월 11일, 호흡기내과 의사가 다녀갔는데 아무래도 당분간은 인공호흡기를 달고 있어야 할 것 같다고 했다. 산소를 흡입하고도 이산화탄소를 내뱉지 못하니 이산화탄소를 내뱉도록 산소의 압력을 높여 불어넣는 인공호흡이 필요했던 것이다.

병원 중환자실보다는 교수의 회진이 있는 내과 병동으로 가야 하나 방이 없어 기다리고 있었다. 결국 나중에는 가정용 인공호흡기를 빌려서 사용법을 배워서 집으로 가야 할 것 같았다. 응급 중환자실 담당의사는 최장 10일 정도는 병원에 있어야 할 것 같고 경과를 보아 모든 것을 결정해야 한다고 말했다. 아내의 입술은 갈라지고 아랫니는 모두 안쪽으로 내려앉고 발톱은 뿔처럼 자라 있었다. 시들어가는 아내의 모습이 안타까웠다.

아내를 중환자실에 남겨두고 나 홀로 집에 와서 밤을 보내니 1년 전의 일이 생각났다. 그때보다 더 어렵고 외로웠다, 혼자라는 것이.

5월 14일, 아내는 변함이 없었다. 인공호흡기를 달고 말없이 어딘가를 응시하고 있었다. 발톱을 깎아주며 내려다본 아내의 다리가 뼈만 남은 듯 앙상했다. 움직이지 않고 누워만 있으니 다리에 근육이 있을 리 없었다. 안쓰러웠다.

그다음 주 초부터 산소 공급과 압력을 줄여가고 병원 호흡기 대신에 가정용 인공호흡기로 대체해 시험해 가며 퇴원을 결정하겠다는 것이 의사의 계획이었다. 처음에는 폐렴 방지를 위한 항생제만 썼는데, 전날부터 요로 감염 세균도 감지되어 폐와 요로에 다 적용되는 항생제를 사용하게 됐다. 요로 감염은 곧 치료되었다.

오후 면회 때 간호사는 아내가 숨을 가쁘게 몰아쉬는 경우가 있어 수면휴식을 취하도록 안정시켰다고 하면서 어젯밤에도 그런 경우가 있었다고 했다. 이렇게 되면 기계호흡 강도를 줄이고 자발호흡 비중을 늘려간다는 계획에 차질이 생기는 것 아닌지 걱정이 되었다.

5월 15일 아침, 아내의 상태는 양호했다. 저녁 면회시간에 큰딸이 왔다. 사위도 베이징에서 오고 큰 외손녀도 왔다. 아내는 틀림없이 반가운 듯한 얼굴로 눈을 깜박였으나 말이 없었다.

5월 16일 아침, 담당의사가 앞으로 상태가 현상 유지되면 퇴원하여 인공호흡기를 임대하여 집에서 사용해야 한다고 하며, 의료기 임대업체와 연결시켜 주었다. 의료기 업체에서는 파킨슨병은 국가 지원이 가능한 질병 목록에 없기 때문에 인공호흡기를 빌리는 데 월 70만 원의 임대료를 지불해야 한다고 했다.

병원 중환자실에 마냥 있을 수도 없으니 어쩔 수 없는 일이었다. 인공호흡기를 빌려서 중환자실에서 하루 정도 적응을 해야 했다. 아내의 상태는 변함이 없었다. 더 나빠지지도 않았다. 아내는 나의 힘든 일들을 모르는 채 말없이 허공만 응시하고 있었다. 앞으로 어떤 날들이 우리 앞에 닥쳐올지 모르지만 하루 속히 아내를 집으로 데려가고 싶었다. 다시 용기를 내야 했다.

5월 19일, 아내는 드디어 병원의 인공호흡기를 떼고 임대할 가정용 인공호흡기를 달았다. 잘 적응하고 있었다.

5월 20일, 퇴원하는 날인데 보슬비가 왔다. 아침 일찍 병원에 가서 우선 가정간호팀에 들러 인공호흡기를 사용하는 새로운 계약서에 서명했다. 월요일에 새 간호사가 집으로 오기로 했다. 보험처리가 완료된 입원진료비를 지불하고 약을 타서 중환자실에서 주선해준 구급차를 타고 집으로 왔다. 인공호흡기를 싣고 구조사 한 명이 아내의 목에 앰부주머니로 인공호흡을 시키면서 왔다. 서울대병원 소속의 구급차는 친절했고 돈을 한 푼도 받지 않았다. 전에 민간 환자수송차량 때보다 더 좋았다.

집에 와서 인공호흡기를 연결하고 아내를 제자리에 눕히고 안정시키기까지 상당한 시간이 걸렸다. 오후 2시경에 인공호흡기 대여회사(Vital Aire)에서 와서 사용법을 설명해 주고 월 70만 원의 임대료를 지불하는 계약도 체결했다. 설명은 들었지만 잘 알 수가 없어서 중요한 한두 가지만 머리에 넣었다. 이것저것 정리하고 나니 피로가 한꺼번에 찾아왔다.

매일같이 중환자실을 찾아가는 일이 끝나고 드디어 일상으로 돌아왔다.

우리가 임대한 인공호흡기는 필립스 제품(Trilogy 100)으로 정전이 되어도 8시간 동안 작동하는 최신형이었다. 월 1회 호흡기 회사

간호사가 집으로 방문해 호흡기를 점검해 주었다. 우리는 이 인공호흡기를 아내가 사망할 때까지 20개월 임대 사용했으니 아주 좋은 고객이었던 셈이다.

5월 21일, 아들네 식구가 왔다. 손주들이 와서 할머니의 퇴원을 축하했고 점심을 같이했다. 아들네가 엄마의 인공호흡기 임대료의 상당기간 분을 내놓고 갔다.

마지막 1년

인공호흡기 생활

5월 23일 인공호흡기를 달고 집으로 온 지 4일째, 오랜만에 요양사가 와서 목욕을 시키고 머리도 감겨주었다. 그리고 서울대병원 가정간호사도 새로운 분이 오셨다. 인공호흡기를 단 환자를 간병하는 데 필요한 사항과 인공호흡기 관리상 주요사항을 친절하고 자세히 알려주었다. 기관지 절개 부위에 넣는 삽입관은 종전과 달리 T 자형으로 바뀌었고 이를 관리하는 방법도 알려주었다. 산소포화도가 98 정도까지 올랐다. 응급실에 가기 전에는 항상 아내의 산소포화도가 80대에 머물렀던 것으로 기억하는데, 당시 얼마나 호흡이 순조롭지 못했는지 알 것 같았다.

호흡기 대여회사의 간호사가 한 달에 한 번 집으로 와서 호흡기 상태를 점검하고 연결 부위 일체를 교체해 주었다. 나는 사용하던 연결관들을 잘 세척하여 두었다가 서울대병원 가정간호사가 오면 병원에 가지고 가서 가스소독을 해주도록 부탁했다. 그 후 인공호흡기를 사용한 지 1년이 넘으니까 회사에서 임대료를 깎아줄 수는 없고, 새 연결관을 무상으로 공급해 주겠다고 해서 번거롭게 세척할 필요가 없게 되었다.

연명치료

인공호흡기를 사용하는 2011년 5월부터 아내에 대한 연명치료가 시작되었다고 볼 수 있다. 아내는 전적으로 다른 사람의 도움으로 연명하고 있었을 뿐, 의식은 있어도 의사표현은 없었다. 아내는 서류상으로만 살아 있는 것이나 다름없었다. 우리가 할 수 있는 것도 수분이나 영양을 공급하는 것이 최선이고 전부였다. 하루하루 아내가 살아 있다는 것을 확인하는 것이 일상이 되었다.

아내의 연명치료가 길어짐에 따라 나는 지쳐갔다. 몸에 열이 나면 폐렴을 걱정하고, 욕창이 걱정되어 하루에도 여러 차례 체위를 변경시켜 주고, 체온이 혹시 식지나 않았는지 밤중에 잠을 깨기 일쑤인 세월이 8년째였다. 너무 힘들었다. 아내와 같이 못 할 인생이라면 나 혼자라도 아내의 꿈을 담아 해보고 싶은 일이 많았는데, 아내가 연명하는 하루하루가 내 인생을 단축시키고 있다는 이기적인 생각이 나를 못살게 했다.

아내의 육체적 고통과 악화에 우리는 모두 무덤덤해져 갔다. 아내는 아무리 아파도 아프다고 말도 못 했다. 몸속이 썩어 들어가도 아프다는 표정을 지을 수도 없었다. 본인은 얼마나 아플까. 얼마나 소리치고 싶을까. 얼마나 울고 싶을까. 그런데 우리는 아내가 되도록 주위 사람들에게 고통을 덜 주고 부담을 덜 주기만을 바라고 있었다. 이 얼마나 잔인한가. 내가 왜 이리 되었는지, 정말 한심한 내 자신을 보며 나는 괴로워했다.

아내는 시체처럼 누워 있어도 분명 살아 있었다. 체온이 있고 숨을 쉬고 있었다. 내 손에 아내의 체온이 느껴지는 그 순간이 행복했다. 혹시 폐렴, 특히 욕창이라도 걸려 본인도 고생하고 주위 사람도 힘들게 하는 일은 없었으면 하고 바랐다.

살아 있는 것은 덤인가

아내의 병은 통증이 없었다. 암이나 다른 병들처럼 지독한 육체적 아픔이 없었다. 사실 통증이 없는 것이 아니라 느끼지 못하거나 아픔을 호소하지 못하는 것이었는지도 모른다. 평화롭고 조용한 아내를 쳐다볼 수 있어 다행이었다.

아내에게 새로운 변화란 숨 쉬기가 어려워지고 있다든가, 고열이 지속되어 폐렴이 드디어 찾아왔다든가 하는 것뿐이었다. 그러한 경우에 대비하는 준비가 당시 우리가 할 일이었다. 아내가 언제 숨을 거둔다 해도 마치 기다리고 있던 일처럼 놀라지 않을 터였다. 여기까지 오지 않아야 했는데 하는 슬픔이 밀려왔다. 내가 이렇게 아내의 병상을 지키는 것도 사랑이라기보다는 체면, 의무, 도리, 연민 그리고 정이라는 생각이 들었다. 아내가 아무 말 없이 나의 지난날의 허물을 용서하고 있는 것처럼, 나도 지난날의 아내의 허물을 지워버렸다.

아내는 덤으로 숨 쉬고 있었다. 살아 있다는 것과 죽은 것과의 중간쯤이었을까. 그러한 과정을 지켜보는 나는 다음 정거장이 죽음의 역이란 열차를 타고 있는 승객처럼 매일매일 어두워지는 차창을 눈을 비비며 내다보고 있는 것 같았다.

엘리자베스 퀴블러 로스의 책『인생수업』을 보면 죽음이란 필요 없어진 옷을 벗는 것처럼 육체를 떠나는 것에 불과하다는데, 인간의 몸은 나비가 날아오르기 위해 벗어던지는 번데기처럼 영혼을 감싸고 있는 허물에 불과한 것일까. 우리는 죽은 후에 한 마리 나비 되어 날아갈 것이다. 아내도 나도 예쁜 색깔의 나비가 되면 좋겠다.

마지막 외출

2012년 12월 31일 아침 9시 간병인이 나를 찾아 여러 곳으로 여러 번 전화를 했는데, 11시에나 연락이 되었다. 연말이라 처리할 일이 많아 바쁘게 다녔는데 하필 휴대전화 배터리가 약해져서 연락이 안 되었던 것이다.

위루관 속 풍선이 터져 빠져나왔다. 6개월이면 갈아주어야 하는데 응급실에 가기 싫어 그동안 미루어왔더니 드디어 탈이 났던 것이다. 119에 연락해서 또 구급차를 타고 서울대병원 응급실로 갔다. 미리 가정간호사가 예약해 준 영상의학과에서 오후 2시에 위루관을 교체했다. 집에 돌아올 때는 129를 이용했다.

새것으로 교체했으니 한동안 안심이었다.

소변 줄을 달다

2013년 1월 14일 소변 줄을 달았다. 그 얼마 전부터 엉덩이 부분이 무좀처럼 검게 원형으로 헐어서 가정간호사와 상의해서 무좀약을 발라주고 기저귀를 더 자주 갈아주곤 했다. 그러나 별 효과가 없어 가정간호사가 주치의와 상의하여 소변 줄을 달기로 했다.

2주에 한 번 간호사가 오면 소변 줄을 교환해 주고 그동안 주머니에 찬 소변은 자주 비워주면 되었다. 아랫부분이 좀 건조해지면 욕창 가능성이 있는 환부도 좋아지지 않을까 기대했다.

이제 아내는 인공호흡기로 호흡하고, 위루관으로 음식을 섭취하는 데 더해 소변도 줄을 달아 배설하게 된 것이다. 완전히 기계의 힘으로 연명하게 되었다. 간병인은 아내가 오래 못 갈 것 같다고 걱정을 했다.

아내를 보내다　　　　　　　　　　　　|

2013년 1월 18일, 아내의 체온이 높아졌다. 38도를 넘었다. 타이레놀을 주고 그래도 계속 열이 오르면 다음날 동네 병원에 가서 약을 지어오려고 마음먹었다. 어제까지도 차 있어 비워주었던 소변 주머니도 비어 있었다. 중국에 있는 아이들에게 연락해서 엄마가 오래 못 갈 것 같으니 서울에 올 준비를 하라고 예고했다. 아들, 며느리는 즉시 우리 집으로 왔다가 일단 자기 집으로 돌아갔다.

2013년 1월 19일 아침, 아내의 열이 내렸다. 우리는 그나마 다행이라고 생각했다. 그런데 아무래도 아내가 이상하다고 느꼈다. 기력이 확연히 쇠약해진 듯 눈도 줄곧 감고 있고, 붕대 뭉치를 쥐고 있는 손에도 힘이 없었다. 전에는 파킨슨병 특유의 강직으로 붕대를 손에서 빼기도 힘들었는데 말이다. 인공호흡기가 돌아가고 체온이 감지될 뿐 살아 있다는 증좌를 찾기가 힘들었다. 이렇게 가면 안 되는데, 나는 겁이 났다.

사실 소변 주머니에 소변이 없을 때부터 아내는 죽어가고 있었다. 장기가 작동을 서서히 멈추면서 신진대사가 멈췄고 그 때문에 배설을 안 했던 것이다. 그것도 모르고 우리는 오줌을 적게 눌 때도 있겠지 하고 그냥 지켜보고만 있었다.

몸도 식어갔고, 벌어진 입도 닫혀지지 않았다. 보통 때는 살짝 도와주면 입을 다물기도 했는데, 일부러 힘주어 닫으려 해야 조금 움직일 뿐이었다. 얼굴색도 확연히 달라졌다. 삶이 닫혀가는 모습이었다.

19일 아침 일찍 아들네 식구가 왔다. 아들은 "어머니의 얼굴이 너무나도 하얗고, 손끝이 모두 검은색으로 변했던 것이 가장 충격적이었다"고 그때를 기억했다. 며느리는 아직 체온이 있는데 우리가 가만히 있을 수 없다고 했다. 손녀도 체온이 느껴진다고 자기 손으로 할머니의 여기저기를 만졌다. 체온은 34도로 식어가고 있었다.

나는 가정간호사에게 연락해서 사망을 확인하는 방법을 물었더니 눈동자를 보라고 했다. 눈동자를 보고 눈동자가 움직이면 살아 있는 것이고, 움직이지 않으면 죽은 것이라는 이야기다. 눈동자가 전혀 움직이지 않았지만 아내가 전에도 늘 그랬다는 생각이 들어 죽음을 단정치 못했다. 아들도 가정간호사의 말대로 눈동자를 보았으나 사망을 확신하지 못하고 바로 119를 부르자고 했다. 119가 와서 사망을 확인해 주면 장례식장으로 가고, 아직 사망하지 않았으면 응급실로 가자고….

인공호흡기를 달고 있으니 체온이 완전히 식을 때까지는 살아 있는 것으로 알았다. 사람의 체온은 금방 식지 않는다고 한다. 아내의 몸은 하체에서부터 차례로 식어서 머리 부분에는 마지막까지 체온이 남아 있었다. 자발호흡이 없는데도 인공호흡기가 작동하니 소리를 들으면 마치 숨을 쉬는 것 같았다. 아내의 죽음을 쉽게 단정하지 못했던 것은 아직도 살아 있으리라는 바람과 아내를 한시라도 빨리 보내고 싶지 않았던 우리의 소망 때문이었을 것이다.

많이 생각한 끝에 아들의 말대로 나는 아내를 한 번 더 응급실로 데려가려고 119를 불렀다. 섣부른 오판으로 산 사람, 살릴 수 있는 사람을 죽일 수도 있을 것이라는 생각이 들었기 때문이다. 우리는 언제나처럼 응급실 갈 준비를 갖추었고, 구급차가 올 때까지 아들네 식구들과 같이 기도를 하고 찬송가도 불렀다.

구급차는 오후 2시가 좀 안 되어 도착하여 대원 한 분이 우리 집으로 올라왔다. 그 대원은 우리의 설명을 듣고 아내를 보더니 이미 돌아가신 것 같다고 했다. 이런 경험이 많은 듯 그는 아내의 사망을 확신했다. 우리가 수긍하지 않는 기색을 보이자 그는 구급차로 가서 호흡측정기를 가지고 왔다. 인공호흡기 전원을 끄고 관을 아내의 목에서 떼니 조용했다. 자발호흡은 전혀 없었다. 호흡측정기를 아내의 목에 연결하니 그래프가 수평으로 일직선을 긋고 있었다. 영화나 연속극에서 사람이 죽었다는 신호로 보여주는 그러한 직선이었다. 119 대원은 이제 경찰에 사망사실을 신고하라고 말해주었다.

아내가 죽었다. 슬픔이 온몸에 밀려왔다. 가족들은 눈물을 보이기 시작했다. 옛날 같으면 곡을 했을 순간이다. 사랑하는 아내, 어머니, 할머니가 세상을 떠난 것이다.

아들은 112에 신고했다. 금방 경찰 두 명이 왔고 연이어 형사들이 왔다. 이들에게 우리는 그간의 경위를 설명했다. 그리고 마지막으로 서울법의학연구소의 한길로 의사가 왔다. 이분은 우리의 설명을 경청하고 아내의 사망시간을 2013년 1월 19일 토요일 오전 7시 30분으로 추정했다. 이로써 아내는 법적으로도 사망한 것이 되었다. 그후 법의학연구소는 10부의 시체검안서를 만들어주었다.

아내가 그렇게 쉽게 가버릴 줄은 몰랐다. 그렇게도 살려고 이를 악물었는데 한마디 말도 없이 가버렸다. 얼마나 할 말이 많았을까. 얼마나 그 말들을 하고 싶었을까. 오랜 시간 삶과 죽음의 불분명한 경계선에서 말할 능력을 상실한 채 쌓이고 쌓인 말들이 얼마나 많았을까. 그러나 아내는 말없이 조용히 우리를 떠나갔다. 아마도 속으로는 "사랑한다, 사랑해요"라고 말하며 떠나갔을 것이다.

이렇게 아내는 한마디 유언도 하지 못하고 74년의 삶을 마감했다. 우리는 온몸에 기계 줄을 달고 살아 있는 듯 식어가는 아내를 지켜봤다.

장례식장으로 그리고 모란공원 묘지로

나는 삼성장례식장에 전화해 20호실을 예약했다. 오후 3시 아내는 삼성의료원이 보내온 운구차에 시신으로 실려 정든 집, 살던 동네를 떠났다. 미리 준비해 둔 영정사진을 들고 나와 아들이 같이 타고 갔다. 우리가 떠날 때 눈치 빠른 아파트 경비원이 멀리서 정중히 절을 하고 있었다.

장례식장 20호실에 빈소가 차려지고, 중국에 있는 딸들과 사위들도 그날 밤으로 다 왔다. 발인 날짜는 1월 22일 화요일로 정했다. 21일 월요일에 발인하는 것은 너무 빠른 것 같아서였다. 1월 20일 아내를 입관할 때 우리 모두 '아내의, 엄마의, 할머니의' 마지막 모습을 보았다. 나는 아내의 찬송가와 아내가 평생 갖고 다녔던 손때 묻은 요리책과 가족사진을 관에 넣어주었다. 큰딸은 3남매의 고별인사를 적은 카드를 엄마 곁에 놓아드렸다.

21일은 눈이 많이 왔다. 찾아주신 친척, 친지, 친구 들과 조의를 표해 주신 모든 분들께 깊이 감사한다. 아내가 다니던 소망교회 경조부와 신충식 목사가 빈소에서부터 묘지까지 너무도 잘해주었다.

아들 식구가 다니는 충신교회에서도 목사님과 성도들이 함께 와서 추도예배를 드려주었다.

아내를 모란공원 묘지에 묻기로 했다. 이 묘지는 내가 우리 부부 합장을 위해 미리 마련해 두었던 곳이다. 모란공원은 서울에서 가깝고 경관도 좋아 그곳에 아내와 같이 묻힐 묘소 하나를 얻고자 관리소장에게 몇 년간 부탁해 왔다. 다행히 2005년 1월 17일 모란공원묘지 양지바른 남향 특남 4지구 337호를 분양받게 되었다.

발인하는 날 날씨는 좋았다. 그러나 전날의 눈을 치우지 못해 모란공원묘지 관리사무소까지는 버스가 갈 수 있었지만, 묘지까지는 눈길이 미끄러워 갈 수가 없었다. 그래서 관리사무실의 강당을 빌려 우리는 소망교회 신 목사의 안내로 한 번 더 마지막 영결 예배를 보았다. 우리 버스와 교회 버스에 가득 타고 온 조문객들이 모두 경건하게 아내의 마지막 길을 영송해 주었다.

그리고 묘지 관리실의 작업용 소형 트럭에 관을 옮겨 싣고 상주와 가족 몇 사람이 타고 묘지로 갔다. 이 소형 트럭은 몇 번을 오가며 가까운 가족들을 모두 묘지까지 실어다주었다. 다행히 우리 묘지는 길옆에 있어 그리 힘들지 않았다.

묘지에는 인부들이 이미 모든 준비를 하고 기다리고 있었다. 순서에 따라 하관을 하고 꽃을 뿌리고 흙을 덮었다. 아내 송혜옥은 땅속에 묻혔다. 시간이 흐르면 한 줌 흙으로 돌아갈 것이다.

아내를 보내다

이렇게 아내는 떠났다. 아내는 투병 10년의 고통 속에 삶을 마감했고 나는 간병 10년의 고뇌 속에 아내를 보냈다. 아내는 마치 필요 없어진 옷을 벗어 던지듯 병든 육체를 떠나가 버렸다. 아내는 나뿐 아니라 사랑하는 모든 것들에게 작별인사를 했다. 아이들에게도 아끼던 모든 물건들과 힘들게 이룬 이 집에게도 말이다. 그리고 그 찬란한 아침 햇살에게도 계절마다 다른 자태를 뽐내는 초목들에게도 안녕이라고 했다. 새싹이 돋아나는데도 매달려 있는 낙엽이 되기 싫어서 이제 떠난다고 하면서. 우리는 아내를 그리고 엄마를 보내주었다. 모란공원묘지에 아내를 묻었고, 우리의 행복을 묻었고, 우리의 사랑을 묻었다.

그 후 4월 초에 아내의 묘 주위에 석재를 완공하고 묘비를 세웠다. 앞에는 "송혜옥의 묘", 뒤에는 "여보, 어머니, 할머니 사랑해요"라고 새겼다.

사망신고

2013년 2월 5일 아내가 죽은 지 17일 만에 강남구 신사동 주민센터에 가서 아내의 사망신고를 했다. 너무 간단했다. 수수료도 없었다. 주민등록부, 가족관계증명서 등은 10일 후에나 정리된다고 했다. 아내는 공식적으로 대한민국 국민에서 제적되는 것이다.

2월 14일 나는 주민센터에 가서 가족관계증명서 1통을 떼어보았다. 송혜옥 이름 뒤에는 네모 칸에 사망이라고 되어 있었다. 그리고 나는 아내의 복지카드(뇌병변 장애1급)와 장애인 차량 표식을 복지과에 반납했다.

꿈엔들 잊힐 리야 |

    살아 있는 사람들은 아내를 잊어버리고 아무 일도 없었던 듯 살아간다. 추억도 하나씩 지워간다. 지워도 지워지지 않는 추억을 지워본다.

    아내의 모든 유품을 정리했다. 하지만 즐겨 입던 옷 몇 가지는 잘 보이는 곳에 언제나 걸어두고 가끔 쳐다보곤 한다. 내가 잘해주지 못해 미안해라고 하면서.

    아내는 나를 만나 결혼하고 아이 낳고 아내로서 엄마로서 살다가 갔다. 한 여자의 일생이 내 감은 눈 속에 길게 남아 눈시울을 적신다.

    "꿈엔들, 꿈엔들 잊힐 리야."

제4장

마무리(내 삶의 역주행)

제 4 장

마무리(내 삶의 역주행)

나 홀로 배낭을 메고

가고픈 스페인

1970년 4월 10일 내가 마드리드 바라하스 공항에 도착해서 유학생 조갑동(후일 주 콜럼비아 대사) 씨와 조용훈 씨의 마중을 받던 것이 어제 같다. 아직 상주대사관이 없던 이곳에 새로 공관을 세우기 위해 대사대리로 부임한 것이다. 당시 스페인은 아직도 프랑코 총통이 살아 집권하고 있을 때였다.

혼자 있는 신설공관이라 일도 많았지만 한국에서 손님이 오면 그 유명한 프라도 미술관, 투우 플라멩고 춤 방은 얼마나 많이 갔던가. 그리고 톨레도 세고비아 등 가까운 관광지를 안내하며 항상 바빴다. 그런 가운데서도 우리는 아이들의 손을 잡고 주말이면 교외로 나갔고 시내의 공원에도 자주 갔다. 그때의 아내와 같이 있던 우리 모습이 하나하나 떠오른다.

1970년에 스페인에는 우리 교민이 유학생과 가족 합쳐도 20명 정도였다. 병아리 감별사 태권도 사범 플라멩고 연수생 그리고 유학생들이다. 이들은 대사관이 생기고 영사님이 왔다고 우리 집에 자주 왔고 아내는 이들을 잘 대접했다. 아내는 음식 솜씨가 좋았다. 그리고 아이 둘의 옷도 가끔 같은 천으로 직접 만들어 입혔다. 지중해의

아이들과 같이 마드리드에 있던 아내

마르베야 해변으로 그리고 세고비아, 그라나다, 코르도바 등 안달루
시아 지방의 곳곳으로 자동차 휴가를 갔던 그때의 아내는 항상 우리
곁에 있었다. 당시 아내 나이 겨우 32살이었는데 그 후 아내는 1974
년 2월 14일 서울에서 막내딸을 낳았고 어디를 가든 아내는 항상 우
리 다섯 식구의 중심에 있었다.

　이제 나에게 슬픈 자유가 주어진다면 먼저 가고 싶은 외국은 스
페인이다. 마드리드에 가서 혹시나 있을지도 모를 옛 친구들과 술도
한 잔 기울이고 내가 처음 묵으며 대사관을 차렸던 호텔 "Sideral"에
서 그때 축배로 마신 세리(Herez Tio Pepe)도 한잔 해야지. 그리고 아
내와 같이 살던 집과 거리도 둘러보고 걸어 봐야지. 그리고 속삭이
리라 "여보 이곳이 우리가 살던 곳이야."라고.(2012년 겨울에 씀)

다시 찾은 마드리드

이렇게 추억이 서린 마드리드를 2013월 5월 12일 나 홀로 다시 찾아갔다. 43년 만에 찾아간 마드리드는 공항에서부터 옛정이 온 전신에 스며들었다. 귀에 익은 스페인어는 내 머리의 자물쇠를 열어버렸다. 아름다운 도시 마드리드 정든 도시 마드리드 추억이 서린 도시 마드리드에 내가 왔다.

4박 5일 머무는 동안 나는 옛날 살던 곳들을 찾아보았다. 가족과 함께 살던 Paseo de Habana 6번지를 제외하고는 분명한 위치를 찾지를 못했다. 주위환경이 변하고 길 이름도 번지수도 바뀌었다. 내가 처음 들었던 호텔 "Sideral"은 아무리 찾아도 없었다. 근처 호텔에 가서 물어 보았더니 한 직원이 컴퓨터를 몇 번 찍어보더니 그런 호텔은 없는 것 같다고 한다. 그 직원이 태어나기도 전에 내가 있던 곳인데.

저녁에는 플라멩고 춤이 있는 식당(Corral de La moreria)을 찾아가 그 정열적인 율동과 애절한 노래에 젖어볼 수 있었다. 그리고 나무 밑 길가 카페에서 추억의 술 "Tio Pepe" 한잔을 기울일 수 있었던 마드리드의 멋있는 밤은 또 새로운 추억이 되었다. Sol 광장과 Mayor 광장에도 갔다. Plaza de Espana 돈키호테 동상 앞에서 나는 두 손을 번쩍 들고 "아아, 내가 지금 마드리드에 있다."고 작게 소리쳤다. 길거리 카페에서 하몬 이베리꼬(Jamon Iberico)를 안주삼아 맥주도 한잔했다. 그리고 "Paella"의 점심도 잊지 않았다. 저녁에 양고기집, 해산물집도 찾아갔다.

전에 자주 가본 곳이긴 했지만 톨레도를 다시 찾아 따호 강에 둘러싸인 고도(古都)의 아름다움에 한 번 더 젖어보았다. 소피아 왕비 미술관도 가보았다. 피카소의 〈게르니카〉를 감상할 수 있어 좋았다. 마침 달리의 특별전이 있어 더 좋았다. 프라도 미술관에도 갔다. 나는 65세 이상 경로 할인혜택을 받고 7유로에 입장권을 샀다. 43년이란 세월이 나에게 가져다 준 혜택인가보다. 나는 이 여행이 너무도 행복했다. 추억을 한순간도 퇴색시키지 않고 옛날로 돌아가 내 나이를 역주행시킬 수 있어 나는 행복했다.

추억의 땅 멕시코

멕시코에 다녀오면 쓰자고 했던 이 기행문은 아주 오래전부터 내마음 속에서 이미 시작된 여행의 기록이다. 워낙 먼 곳이라 엄두를 내지 못하고 있다가 드디어 결심을 했다. 가자, 가보자 한 살이라도 적을 때 가보자고 마음먹고 멕시코로 떠나기로 했다.

나의 첫 해외 근무지, 내 첫 딸과 아들을 낳은 곳, 대한민국 외교관 여권 2773 호[1964.8.17 서울발급- 주 LA 멕시코 총영사관 입국사증 (8.24) 멕시코시 입국 8.25]를 갖고 아내와 같이 찾아간 땅 멕시코에 내가 간다. 50년의 세월이 지나 잊지 못할 추억의 땅 멕시코에 내가 다시 간다.

드디어 멕시코를 향한 추억의 여정을 시작했다. 2014년 11월 25일 아침 날씨는 좋았다. 대한항공 KE-029편 내 자리를 찾아 이 멋진 여행에 내 몸과 마음을 맡겼다.

인천공항을 떠나 멕시코의 칸쿤에 도착하기까지 15시간 비행기 속에서 내내 생각했다. 50년 전 나의 멕시코 생활이 어제같이 떠오른다. 내 젊은 날의 흔적들을 찾아가자. 중간 기착지 휴스턴 공항에 내려 짐도 잘 찾아 부치고 칸쿤으로 가는 UA 항공편 출구도 미리 파악해 놓았다. 시간 여유가 있어 커피와 빵으로 아침식사도 했다.

탑승 후 2시간여 만에 멕시코 땅 유카탄 반도 카리브 해 연안의 관광도시 칸쿤에 도착했다. 소문으로만 듣던 아름다운 칸쿤에 내가 첫발을 디뎠다. 호텔에 도착하니 현관에 샴페인 잔을 들고 Welcome Mr. Kim이라고 하면서 환영해 주었다. Secret the Vine 호텔은 5성급으로 바다에 면해 있는 멋진 호텔이었다.

날씨가 너무 좋아 짐을 대충 정리하고 수영복 차림으로 슬리퍼를 신고 곧장 해변으로 나갔다. 코발트 색 바닷물이 너무 아름다웠다. 바닷물에 발을 담그고 사진도 찍었다. 호텔 수영장에서 수영도 했다. 바닷물에 들어가는 사람은 별로 없었다. 그냥 아름다운 바다와 조화를 이룬 푸른 하늘 흰 뭉게구름을 쳐다보며 휴식을 즐기고 있는 듯했다.

칸쿤의 이튿날 무엇을 할 것인지 전날 밤 호텔 관광안내에 가서 상의를 했다. 파도가 크게 일 것 같다며 바다로 나가는 Activities는 다 취소되어 셀하로 가는 것이 좋겠다는 말에 따라 나는 129달러를 선납하고 셀하 투어를 예약했다. 26일 아침은 흐렸고 바람도 많았다. 셀하로 가는 버스를 기다리며 많은 한국 신혼부부들을 만났다.

셀하는 정말 아름다운 곳이었다. 날씨도 좋아지고 햇살도 따스했다. 생전 처음으로 Snorkeling도 했다. 물속의 고기 떼들이 나를 반겨 주었다. 평생 잊지 못할 하루를 보냈다. 셀하의 저물어가는 수평선을 바라보며 생각했다. '내가 지금 어이 여기 있어. 이 행복한 꿈을 꾸고 있는지.' 저녁은 호텔 그릴에서 두툼한 스테이크를 시켰다. 내 추억의 술 Jeres Tio Pepe를 주문했으나 유감스럽게도 없었다.

오늘 12월 27일은 칸쿤을 떠나는 날이다. 아침 일찍 해변으로 나갔다. 백사장을 한참 걸었다. 사람들도 없었다. 발자국이 움푹 파인다. 밀려오는 바닷물이 이내 내 발자국을 삼키고 흔적도 없이 지운다. 아무도 지나간 적 없는 백사장으로 다시 새 모습을 보인다. 그것이 우리네 인생이다. 한번 잠깐 지나가는 흔적일 뿐이다.

Check out 시간을 오후 1시로 늦춰 놓고 점심을 했다. 호텔의 All Inclusive 방침 덕으로 이날 점심은 물론 호텔 내 어디서나 음료와 커피를 무료로 맘껏 들 수 있었다. 나는 풀장 가의 긴 침대의자에 누워 음료수 한잔을 손에 들고 바다를 바라본다. 그 옥색 바다 저 푸른 하늘과 흰 구름. 아무리 오래 쳐다보고 있어도 싫증 나지 않는 이곳의 이 순간이 내 평생 다시 오지 않겠지.

칸쿤을 떠나 멕시코시 Benito Juarez 국제공항에 도착했다. 칸쿤과 달리 상당히 쌀쌀했다. 대사관의 정 영사가 마중 나와 호텔까지 데려다 주었다. 예약한 시내 Hilton 호텔에 도착했다. 예약이 안 되어 있다는 것이다. 서울서 발행해 준 예약확인서(Voucher)까지 보여주었으나 예약 받은 바가 없으니 우선 하룻밤 자고 내일 알아보자고 한다. 나는 카드로 3,400페소를 예차하고 방을 얻었다. 멕시코시티의 첫날밤이 이렇게 삐걱거렸다.

12월 28일 아침이 밝았다. 호텔에서 아침식사를 하고 예약문제가 찜찜하지만 귀중한 시간을 허비할 수는 없었다. 우선 호텔 앞의 Alameda 공원으로 나가 한참을 걸었다. 그리고 이어진 Bellas Artes 국립극장 건물도 보고 그 길로 Xocalo 광장으로 갔다. 넓은 광장이다. 내가 자동차 운전면허증을 받기 위해 드나들던 정부 청사, 구두

닭이가 일터로 삼는 대통령 집무실 그리고 대성당이 웅장하게 자리 잡은 소칼로 광장에 내가 섰다. V자를 그리며 사진도 찍었다. 성당 안에도 들어가 경건한 기도도 올렸다. 나의 멕시코 여행이 무사하기를 빌었다.

호텔로 돌아와서 배낭을 메고 본격적으로 내 옛 추억을 찾아 나서기로 했다. 마침 택시기사 Homero를 만나 한 시간에 150페소를 주기로 했다.

우리는 우선 멕시코시 중심거리 Reforma를 달렸다. 이 거리는 요지마다 이름난 기념탑이나 동상이 있다. 우선 먼저 보이는 독립 기념탑 일명 천사의 탑 앞에 잠깐 차를 세우고 기념사진을 찍었다. 멕시코에 왔다는 가장 확실한 증거가 되는 곳이다. 매년 우리나라 국경일에 대사와 직원들이 참석하여 헌화하던 곳이기도 하다.

이어서 Eujenio Sue 300번지, 임신한 아내가 다니던 산부인과 병원이 있던 곳을 찾았다. 근처 도로공사 작업이 한창이라 몇 바퀴를 돌아서 거리를 찾았으나 300번지에 그런 병원은 없었다. 그런데 355번지에 커다랗게 증축되어 옮긴 것을 발견하고 반가웠다. 들어가서 내가 찾아온 이유를 설명하니 그때 우리를 돌보던 고 Dr. Alfonso Alvarez Brabo 원장의 기념 동판이 현관 벽에 크게 걸려있음을 알려주었다. 그는 이 클리닉의 설립자 및 원장으로 35년 동안 일한 것으로 새겨져 있다. 그 앞에서 사진도 찍었다. 부모같이 다정했던 Alvarez 박사의 옛 모습이 떠오른다. 산모가 아기를 출산할 때는 인근의 스페인 병원 Sanatorio Espanol의 산부인과 병동에 입원하고 담당의사가 와서 아기를 받아 주고 산모는 며칠 그곳 입원실에서 조리를 한다.

아내가 맏딸의 손을 잡고 있는 모습

우리 아들딸이 태어난 그 산부인과 병동을 찾아갔다. 현대식 큰 건물이 들어서고 옛날의 신부인과 입원실은 한쪽 구석에 밀려 자리하고 있었다. 화살표를 따라 찾아갔다. 옛날의 모습을 읽을 수 있었다. Maternidad (산부인과 병원)라는 표식과 옛 벽돌집을 겹쳐 사진에 담고 내 맏딸과 아들이 태어난 이곳 이 땅에 감사했다. 이 병원 현관에도 Alvarez 박사의 동판이 있었다.

우리는 곧장 내가 살던 집과 근무하던 옛 대사관 건물이 있는 Lomas de Chapultepec 지역으로 갔다. 내가 주소를 알려주니 기사는 잘 알겠다는 듯 서슴지 않고 달려갔다. Reforma 거리를 한참 올라가니 눈에 익은 주유소가 나왔다. 우리가 단골로 기름을 넣던 곳이다. 우리가 가면 가득 채운다는 일본어로 "만당꾸" 하고 묻던 그때 그 사람들은 어디 갔을까.

그 옆에 Loma Linda 식당도 보였다. 주유소와 식당 사이 내리막 길로 내려갔다. 그 길 제일 낮은 지점에 위치한 3층 아파트 Alpes 1000 번지 2층은 내가 멕시코에 와서 처음 살았던 집이다. 1층은 차고다. 운전을 처음 배우던 내가 그 차고에 주차하면서 새 차를 차고 벽에 얼마나 많이 긁었던가.

근처 멀지 않는 곳에 내가 27세의 청년 외교관으로 근무하던 주 멕시코 한국대사관의 옛 건물이 나온다. Sierra Taraumara Oriente 110 번지, 코너 2층집이다. 옛 모습 그대로다. 담장이 높아 속을 들여다볼 수는 없지만 2층에 내가 일하던 방 유리창이 보였다. 그 때 모시던 분들, 같이 일하던 직원들, 비서들, 정원사, 운전기사들의 얼굴이 떠오른다.

한참 옛 생각에 잠겼다가 우리는 Las Palmas 큰 길을 가로 질러 50 년 전 우리가 살던 집으로 갔다. Sierra Amatepec 315 번지다. 아내와 내 딸과 아들이 같이 살던 집으로 갔다. 오래지 않아 아이도 출산하는데 Alpes 1000 집이 너무 우중충하다고 해서 옮겨간 우리들의 새 보금자리였다. 2층 건물의 1층에 방은 하나뿐이었지만 바로 앞에 드 넓은 정원이 있어 너무 좋았다. 갓 태어난 내 첫딸과 아들을 맞이했던 집이다. 50년 만에 다시 온 이 집은 번지도 317번지로 바뀌었고 담장도 새로 생겨 속을 들여다볼 수 없었다. 경비원도 있어 낯선 사람의 출입을 통제하고 있었다. 나는 사정을 설명하고 집안 정원으로 잠깐 들어가 보려고 간청하였으나 허락되지 않았다. 1972년 내가 유엔 대표부 1등서기관으로 남미 출장길에 잠시 이곳을 찾았을 때는 이웃들도 다 나와서 "Sr. Kim" 이라고 하면서 반갑게 맞이해 주었는데.

추억의 거리를 헤매다가 허기가 차서 조금 이른 점심을 하기 위해 Loma Linda 식당으로 갔다. 옛날과 같은 위치에 변함없이 자리하고 있었다. 창가의 작은 테이블을 차지하고 메뉴를 들여다보았다. Parillada Loma linda와 맥주를 주문했다. 낮 시간이지만 잘 차려입은 남녀 손님들이 들어오기 시작하고 이내 식당을 가득 채운다. 고기 맛이 역시 최고였다. 나는 한 입 한 모금 추억을 씹고 마셨다. 식사가 끝날 2시쯤 오라고 한 Homero 기사가 한참 시간이 지나도 오지 않았다. 의리 있게 기다리고 있는 내가 바보스러웠다. 호텔로 돌아갔다.

호텔 프론트에 가서 호텔 예약문제가 어떻게 되었는지 물어 봤다. 서울 여행사에서 잘못하여 힐튼 호텔을 예약한 것이 아니고 멕시코시 인근의 Santa Fe라는 지역의 Sheraton 호텔을 예약하였음을 발견했다 한다. 그곳 호텔 직원을 연결해 주었다. 그 호텔에서는 27일 밤부터 내가 오기를 기다렸다고 하며 내 사정을 이해하고 멕시코시의 쉐라톤 호텔을 소개해 주었다. 나는 Sheraton Maria Isabel Hotel 에 29일부터 3일간 예약했다. 정말 다행이다. 최고의 호텔이 예약되어 너무 좋았다.

호텔 일을 마무리하고 시간이 있어 Casa Azul 구경을 하려고 택시를 잡아 멕시코시티 시외 "Coyoacan" 쪽으로 달렸다. 그런데 금요일이라 교통체증이 심하여 거의 한 시간쯤 가다가 포기하고 Garibaldi 거리로 방향을 돌렸다.

Garibaldi는 마리아치들이 모여 노래 부르고 Tenampa 주점도 있는 곳이다. 길가에 차를 세우고 택시기사와 같이 내려 마리아치들 쪽으로 걸어갔다.

오후 4시경인데 30-40명 정도의 악사들이 저마다의 악기를 들
고 여기저기 넓은 광장에 흩어져 손님 오기를 기다리고 있었다.
Tequila 박물관도 그곳에 있었다. 큰 모자와 장식달린 옷을 잘 차려
입은 마리아치 한 사람이 다가왔다. 마리아치들은 기타 바이올린 트
럼펫 트롬본 등 4-5명의 악사들과 노래를 주로 하는 대표가수가 한
조를 이루어 노래한다. 한 곡에 200페소 달라는 것을 300페소에 두
곡을 부르기로 했다.

가격 흥정이 끝나자 그 사람은 악사들 이름을 부르며 몇 명 모아
한 조를 만들고 나의 신청곡을 노래하기 시작했다. 처음에는
Guantanamera를 불러주었고 이어서 La Golondrina를 불렀다.
Tenampa 주점은 2층으로 지어진 긴 건물 아래층을 여러 주점으로

나도 마리아치가 되어 옛 추억의 노래를 같이 불렀다.

나누어 영업하고 있었다. 가게마다 손님들이 술을 마시고 있었다. 소문과 달리 평화롭게 보였다. 나도 그 곳에 앉아 떼낄라 한잔을 기울이고 싶었지만 날도 저물어 오래 머물지 못하고 아쉽게 호텔로 돌아왔다.

11월 29일 아침 택시를 타고 꼬요아깐 지역의 Casa Azul을 찾아갔다. 토요일이라 교통이 한산해 예상보다 일찍 도착했다.

10시에 100페소의 입장권과 60페소의 사진촬영 허가증을 사서 들어갔다. 비운의 천재 멕시코 여류화가 Frida Kalho의 생애를 보았다. 그녀의 그림뿐 아니라 장애와 불구의 몸을 지탱하고 감싼 의류와 기구들도 많이 보았다. 그녀 Frida와 공산주의자며 바람둥이 남편인 멕시코 대표 화가 Diego Rivera가 1929년부터 1954년까지 같이 살던 집이다. 온통 담장과 내부가 푸른색으로 칠해져 있다. 그래서 푸른 집(Casa Azul)이다. 호텔로 돌아와서 가까이 있는 Bellas Artes 극장에 가서 민속무용 30일 일요일 공연입장권을 예매했다.

오후에는 숙소를 "쉐라톤 마리아 이사벨"(Sheraton Maria Isabel Hotel & Tower)호텔로 옮겼다. 이 호텔은 그 옛날 서울서 귀한 손님이 오면 대사관에서 모시고 가던 최고급 호텔이다. 앞에 다이아나 여신상 분수광장이 있고 근처에 옛날 아내와 가끔 가던 Cine Diana 영화관이 있고 미국대사관도 근처에 있다. 힐튼 호텔과 값은 비슷하지만 더 깨끗하고 좋아 보였다.

짐을 대충 정리하고 나는 가까이 있는 인류박물관(Museo del Antropologia)으로 갔다. 멕시코의 문명이 잘 정리된 박물관의 모습에 다시 한 번 감탄했다. 과연 멕시코가 자랑하는 세계적인 박물관이다. 길 건너 차풀떼빽 공원으로 발을 옮겼다. 입구의 길 양쪽은 빽곡히 들어선 포장마차식 가게들로 가득하다. 기념품이나 장난감, 간단한 먹거리와 솜사탕 같은 것을 팔고 있다. 옛날의 조용한 공원이 아니다.

오늘 너무 걸었나보다. 호텔에 돌아와 그대로 쓰러져 잤다. 잠을 깨니 저녁 8시 반 정도였다. 저녁도 안 먹고 계속 자려고 하는데 홍대사의 전화가 왔다. 내가 어디 있는지 몰라 걱정하며 몇 호텔에 내 이름을 대며 찾았다 한다. 다행히 두 번 만에 찾게 되었다 하며 안도했다.

11월 30일 일요일 날씨가 좋다. Bellas Artes 국립극장까지 09시 30분 시간 늦지 않게 가야 하기 때문에 비싼 호텔 택시를 탔다. 일요일에는 오전 오후 2회 공연이 있는데, 이날은 오전밖에 없다고 하여 전날 880페소에 좋은 자리표를 예매해 두었다. 너무 일찍 도착하여 한참을 기다려서 극장 안으로 들어갔다. 극장 내부는 화려하고 웅장했다. 50년 전 내가 손님들을 안내하며 미처 보지 못했던 아름다움을 다시 보았다.

사람들의 복장은 전혀 제한이 없이 평상복이고 휴대품 검사도 없고 사진도 맘대로 찍을 수 있었다. 공연 도중 아이를 대리고 화장실을 들락거리는 관객도 더러 보였다. 정각에 시작한 공연은 역시 기대한 대로 화려하고 박력이 넘치는 멕시코적이었다. 노래하는 사람이나 춤추는 사람 모두가 내가 이곳에 있을 때는 생겨나지도 않았을 것 같다. 저 무대 위에 그때 내가 보았던 그 사람들은 지금 다 어디 갔을꼬. 잊지 못할 공연에 도취된 머리를 식히며 극장을 나섰다.

일요일 오전은 Bellas Artes 국립극장이 있고 알라메다 공원이 있는 구시가지 즉 소위 역사지역(Zona Historico) 일부를 자동차 없는 날로 지정하여 큰 길에는 자동차는 없고 자전거 타는 사람들의 행렬로 가득했다. 택시를 잡으려면 한참을 걸어 나가야 했다. 한참을 가는데 택시를 원하느냐는 말에 멈춰 섰다. 택시 한 대가 서있다. 어디를 가느냐는 등 흥정이 시작되었다. 소치밀코 등 여러 곳을 간다고 했더니 기사는 좋은 고객을 만났다는 듯 좋아하며 한 시간에 150페소를 달라고 한다. 내 경험으로 보아 아주 적절한 가격이다. 운전기사는 호객한 사람에게 얼마를 주고 곧장 나를 태우고 출발했다.

이름이 "Rangel Edgar"라는 사람 좋게 보이는 기사였다. 시간제로 택시를 탔기 때문에 출발시간을 잘 보아 두어야 했다. 오전 11시 20분이었다.

우리는 한 시간이 좀 더 걸려 Xochimilco 선착장에 도착하였다. 생각했던 것보다 훨씬 화려하고 북적거렸다. 잘 장식된 배 한 척을 한 시간에 700페소에 빌려 에드가 기사와 같이 승선했다. 물길 위에는 울긋불긋 화려하게 꾸며진 수많은 배들이 가고 오고 부딪치곤 했다.

여인 혼자 노 저으며 꽃 파는 쪽배. 음료수를 파는 소년들의 배, 흥겨운 마리아치 악사들의 배, 이들 속에 관광객의 배들이 조화롭게 섞여 흘러가고 있다.

다른 사람이 신청하여 부르는 마리아치의 노래를 같이 들었다. 나도 공짜로 들을 수만은 없다. 갈 때는 Guantanamera 귀로에는 〈La Cucaracha〉를 시켰다. 커다란 마리아치 모자가 잘 어울리는 수염 난 전형적인 멕시코 가수와 어깨동무를 하며 나도 흥겹게 같이 노래 불렀다. 지나가는 사람들이 올라(Ola!)를 외쳤다. 어디서 왔느냐고 소리쳤다. 꼬레아(Corea)라고 나도 소리쳐 화답했다. 서로 손을 흔들고 배는 지나간다. 소년들의 음료수 배가 왔다. 우리는 맥주를 시켜 뱃

소치밀코 배 위에서 나도 같이 노래하며

사공 운전기사 그리고 내가 같이 건배를 했다. 뱃놀이를 마치고 선착장으로 올라왔다. 그리고 선착장에 즐비한 포장마차식 노천식당 의자에 걸터앉아 지지고 볶는 소리를 들으며 에드가 기사가 사는 점심을 잘 얻어먹었다. 우리는 다시 못 올 소치밀코를 아쉬워하며 멕시코 국립대학으로 떠났다.

멕시코 국립자치대학(UNAM)은 기네스북에 오를 정도의 그 방대한 규모와 특히 중앙도서관 벽화가 유명하다. 천연색 돌로 모자이크 한 이 벽화를 배경으로 사진도 찍고 잠시 근처를 산책도 했다. 이어서 우리는 과달루뻬 성당으로 향했다

과달루뻬 성당에 도착하니 옛날의 모습이 아니다. 웅장한 새 건물과 거대한 조형물도 세워졌고 입구에 즐비한 상가들도 성시를 이루고 있다. 더욱이 일요일이라 인파가 대단했다. 사람들 틈을 헤치며 이곳저곳 돌아보았다. 전에 가보지 못했던 박물관을 관람했다. 규모도 상당하고 소장품도 대단했다. 호텔에 돌아오니 5시가 훌쩍

넘었다. 하루 종일 친구처럼 안내하고 수고한 에드가 기사에게 약속한 액수보다 많은 요금을 주었다. 그는 자기 전화번호를 적어주며 또 불러 달라고 했다. 좋은 멕시코 사람이다. 이렇게 알차고 유익한 하루가 지나갔다. 멕시코 식당에서 저녁을 하고 근처를 산책하며 멕시코의 저녁 공기를 마셨다.

12월 1일 나의 멕시코 마지막 날 아침이 밝았다. 아침은 호텔 근처의 멕시코 식당에서 했다. 값도 싸고 멕시코를 느낄 수 있어 좋았다. 아침 10시에 우리 대사관으로 갔다. 옛날 내가 근무하던 셋집 대사관이 아니고 우리 재산으로 매입한 주멕시코 한국대사관 건물을 찾아갔다.

홍성화 대사를 예방했다. 내 책 2권을 증정했다. 대사관을 둘러보고 홍 대사와 사진도 찍었다. 50년 전 27세의 청년 외교관으로 나도 이곳 멕시코에서 근무하였구나 하고 잠깐 옛 생각에 젖었다. 대사관에서 자동차 편의를 제공해 주어 몇 군데 못 가 본 곳을 찾아갔다. 우선 우리가 살던 옛집 Sierra Amatepec 317번지로 다시 찾아갔다. 집 안 정원 쪽으로 들어가 보려고 경비원에게 사정을 했지만 역시 실패했다. 집 겉모양과 동네 이모저모를 사진에 담았다. 돌아가서 애들에게 여기가 너희들이 태어나 처음으로 살던 곳이라고 말해 줄 것이다.

나는 차풀떼빽 공원으로 방향을 돌렸다. 내가 근무할 당시 교섭이 시작되어 세워진 한국정(Pabellon Coreano)을 찾아갔다. 외교관 차량을 타고 간 덕으로 경비초소와 관리 사무실을 쉽게 통과했다. 이 한국정은 공원 가장 자리에 위치하여 멕시코시의 주요거리 Reforma를 달리는 차들이 밤이면 조명 속에 더 아름다운 자태를 뽐내는 한국정의 모습을 볼 수 있다. 한국정은 4각정으로 서울 탑골 공원의 정자 모양을 본 떠 세워졌다. 4방 돌계단은 구 조선호텔을 허물 때 나온 대리석이라 한다. 50년이 지나도 잘 관리되고 있는 아름다운 이 한국정은 우리 정부가 1968년 멕시코 시에 기증한 것이다.

마침 근처에 있는 Loma Linda 식당에 다시 가서 마지막 추억의 점심을 할까 하다가 저녁에 대사관저에서 잘 먹을 것이므로 호텔로 돌아와서 아침에 갔던 멕시코 식당으로 갔다. 멕시코 의상의 여종업원 사진도 찍을 수 있어 좋았다.

오후에는 옛날 내가 드나들던 외무성 뒤에 있는 Tres Culturas 유적지와 옛 외무성 건물을 찾아가 보았다. 지금은 외무성이 다른 곳으로 옮겼지만 옛 생각이 났다. 돌아오는 길에 혁명 기념탑 광장에 갔다. 기념탑을 이렇게 가까이 구경하기는 처음이다. 멀리서 보기보다 웅장하고 높았다. 시간이 늦었지만 Calle Hamburgos 거리 쪽으로 방향을 돌렸다. 내가 아침마다 서반아어 배우러 다니던 학원이 있던 거리다. 당시는 조용한 거리였는데 이젠 Zona Rosa라 칭하는 식당과 카페가 즐비한 저녁이 활발한 거리가 되어 있었다. Hamburgos라는 거리 간판을 사진에 담고 돌아섰다.

저녁에는 홍성화 대사 내외의 관저 만찬에 초대되어 잘 대접 받았다. 몇몇 직원들도 자리를 같이 했다. 대사관저 건물이 좋다. 정원도 크고 국경일 리셉션을 하고 손님 대접하는데 손색이 없어 보였다. 방명록에 홍 대사에게 감사의 뜻을 담아 서명을 하고 21시 30분에 관저를 떠나 공항으로 갔다. 나의 멕시코 방문은 이렇게 마무리되었다.

공항까지 대사관 직원이 영송해 주었다. 출국수속을 마치고 입국장에 들어갔다. 이제 그토록 오고 싶어 다시 찾은 멕시코 땅을 떠나는구나." 하고 긴 숨을 내쉬었다. 비행기는 12월 1일 새벽 1시 제 시간에 떠났다.

12월 2일 시카고 공항에 도착하니 아침 5시다. 입국수속을 끝내고 짐을 찾아 나와도 아침 6시가 채 안 되었다. 서울행 대한항공 출발까지 거의 6시간을 기다려야 한다. 최소 3시간은 기다려야 대한항공 카운터에 사람이 나올 것이다. 그 때까지 나는 공항의 한적한 구석을 찾아 옷도 서울 기온에 맞게 갈아입고 짐도 다시 정리하면서 시간을 보냈다. 8시 반경에 대한항공 카운터에 직원들이 나왔다. 짐을 부치고 탑승권을 받고 출국수속과 엄격한 안전검사를 거처 대한항공 라운지로 갔다. 빵 커피 등으로 아침을 먹고 핸드폰을 충전했다.

한국 신문을 보니 국내에 별일이 없는 것 같아 다행이다. 어느새 잠이 들었는지 라운지 직원이 탑승해야 한다고 나를 깨운다. 한 시간은 잔 것 같다. 마지막 탑승객이 되어 서둘러 서울행 대한항공 KE-38편을 탔다. 내 자리를 찾아 앉으니 친절한 여 승무원의 환영에 아 이제 내 세상에 온 것 같았다. 14시간의 긴 비행 후에 나는 내 나라 내 집 내 자식들에게 돌아간다.

나는 이 기행문을 쓰면서 다시 한 번 멕시코에 다녀오는 듯했다. 내가 50년의 추억을 찾아 흔적을 더듬어 다닌 거리 곳곳과 사람들을 그려 보았다. 또 새로운 추억이 되어 떠오른다. (2014년 12월 27일에 씀)

내 삶의 역주행

외갓집 영주

늘 잊지 못해 가고 싶던 추억의 고장을 이제 나 홀로 찾아간다. 먼저 영주를 찾아갔다. 1957년 대학생으로 왔었던 이곳 영주는 내가 태어난 곳 외갓집이 있었고, 부모님이 결혼한 곳 그리고 내가 8·15 해방을 맞이했고 나의 국민학교 시절을 보낸 곳이다. 60년 세월이 지나 외갓집 사람들도 어린 시절의 옛 친구들도 하나 없는 그곳을 2006년에 아들 사위와 다시 찾아갔던 때를 생각한다. 아내가 병석이라 몇 시간만 훌쩍 다녀왔다.

2006년 5월 27일 아들 사위와 같이 아침 일찍 서울을 출발했다. 영주로 가는 중앙고속도로에는 교통량도 적어 소백산의 경관과 더불어 즐거운 자동차 여행이었다. 옛날 하루 종일 걸린 어려운 기차 여행을 생각하며 세월의 흐름을 다시 실감했다. 중앙 고속도로의 끝자락 터널을 지나자 영주시라는 표시판이 크게 다가왔다. 교외에는 아파트가 즐비하고 시내에는 건물도 많고 차도 많은 새로운 도시 영주에서 옛 흔적은 찾을 길이 없었다. 지나가는 학생들에게 서부 국민학교가 어디냐, 동부 국민학교가 어디냐고 물어 보았고 억센 억양의 영주사투리로 알려주는 곳을 찾아가기란 쉬운 일이 아니었다. 역전으로 가서 택시를 타고 돌아보자고 생각해 역으로 찾아갔다. 내리는 빗줄기는 더 굵어졌다. 그 옛날 내가 자주 가던 그 역전은 간 곳 없고 새로 신축한 역사가 아담하게 서있었다.

택시를 잡아 기사에게 옛날의 기억을 더듬어 아는 곳을 이리저리 물어보았더니 토박이는 아니지만 오래 이곳에 살았다고 하며 잘 알고 있었다. 우선 제일 교회가 있는 "숫골" 내가 살던 곳으로 갔다.

교회의 옛날 본관은 6·25때 소실되고 현재의 멋진 석조건물은 1958년에 지었다 한다. 교회 바로 뒤의 외갓집은 흔적도 없고 큰 포플러 나무가 있던 작은 개울도 포장되어 보이지 않았다. 그래도 골목길은 옛날의 곡선을 그리고 있어 옛 모습을 더듬을 수 있었다. 가까이에 참꽃을 따먹던 철탄산도 옛 아름다움은 없어도 모양은 그대로 있었다. 이 산등성이를 타고 가면 일본 신사가 있는 "신사골"이 나오고 그 앞에 영주 국민학교가 있다. 영주 국민학교 앞의 큰 느티나무도 베어져 밑둥걸만 기념으로 남겨져 있다가 최근에 그것마저 없어졌다 한다.

느티나무 앞의 빙과점에서 막대 아이스케키를 사서 느티나무 그늘에서 먹던 옛 시절이 떠오른다. 택시 기사가 안내해 준 동부 국민학교는 이제 시내 중심의 주택가에 있다. 그토록 먼 교외의 논 한가운데 서있던 학교가 정말 이곳인가 의심했다. 동부 국민학교로 가는 길에 신한은행이 있었다. 옛날 조흥은행이 최근까지 있던 곳이다. 우리는 일본 천황의 항복 방송을 듣던 동네 약방을 지나 그리고 이곳 조흥은행을 지나 늘 학교에 가곤 했었다. 다시 숫골로 돌아와 기준을 삼고 어머니와 우리 삼남매가 아버지의 귀국을 맞이했던 집이 있었던 길거리로 갔다. 바로 그 옛집을 찾을 길은 없지만 짐작이 가는 곳의 여러 집들은 새로운 영주의 발전과는 거리가 먼 초라한 모습이었다.

그 길을 따라 우리는 서천교로 갔다. 옛날처럼 칡넝쿨 우거진 고개 길을 구비 돌아 찾아간 서천교 새로운 다리 밑엔 상당히 큰 거렁(강)에 물이 많이 흐르고 있었다. 그 옛날 흘러간 물은 다시 돌아오지 않겠지. 그리고 그 옛날 이곳에서 같이 미역 감던 옛 친구들도 찾을 길이 없겠지. 여기서 귀내(외조부의 여동생 집이 있던 곳으로 어머니의 고종사촌이고 서울에서 우리를 도와줬던 찬금이와 찬순이의 집 동네)로 갔다. 옛날의 솔밭이 아직도 남아있었다. 그 옛날의 솔이 그대로 있었다면 고송이 되었을 텐데 새로 심은 것 같았다. 외조부의 큰댁이 있던 "배 고개"를 찾아갔다. 아파트가 새로이 많이 들어섰다. 옛날의 기와집이나 그네를 매달았던 큰 나무들을 분별하기 어려웠다.

옛날 멀게만 느껴졌던 곳들을 택시로 단숨에 돌아보니 어쩐지 허전하고 아쉬웠다. 아름답게만 간직되어 온 옛 생각과 눈앞의 낯선 현상이 교차되는 시간이 한참 지나고 허기가 찾아와 우리는 역 앞의 식당 "소백산"으로 갔다. 소백산의 산나물과 영주의 명물 소고기 갈빗살 구이와 백세주로 배를 채우고 우리는 서울로 왔다. 아! 잘 다녀왔구나. 그렇게 가보고 싶던 영주에 사위와 아들 앞세우고 다녀올 수 있어 너무도 좋았다. 정말 보람 있는 하루였다. (2006년에 씀)

다시 찾은 그곳

아내가 죽고 나는 2013년 6월 6일 다시 영주를 찾았다. 반소매 배낭차림이었다. 고속터미널 센트널시티에서 버스를 타고 3시간이 채

못 되어 영주에 도착했다. 하루 숙박 예정이었으므로 시간이 넉넉하여 우선 택시로 소수서원과 선비촌을 찾아가 보았다. 택시기사에게 부탁하여 동부 국민학교와 가까운 곳에 숙소를 정해 여장을 풀었다.

6월의 해는 아직 많이 남아 있었다. 그래서 도보로 동부 국민학교를 찾아가 보았다. 현충일이라 축구하는 아이들만 운동장에서 놀고 있었다. 학교 입구에 개교 70주년을 기념하는 석제 축비가 있었다. 나는 학교의 이모저모를 사진에 많이 담았다. 다음날 나는 또 동부 국민학교를 찾아갔으나 휴교 중이었다. 현충일에 이은 연휴기간이고 학교도 수리중이라 임시 휴교키로 했다는 교감의 설명이다. 나는 교감 선생님을 만나 차도 대접받고 사진도 같이 찍고 내가 갖고 간 옛날 1944년과 1945년의 나의 통지표(가정통신 성적표)와 우등상장을 자랑스럽게 보여주었다.

어릴 때 내가 다니던 길을 다시 걷기로 하고 우선 영주 국민학교 앞까지 택시로 갔다. 옛날 큰 느티나무 아래 장이 서던 그 자리는 이제 반듯한 길로 정리되어 옛 모습을 짐작할 수도 없었다. 근처에 쉬고 있는 노인 한 분을 만나 옛날 이곳의 모습을 물었다. 그 노인은 신나게 나의 옛 추억의 허기를 채워주었다. "숫골"의 제일교회에 가서는 사진도 많이 찍고 마침 예배중이라 나도 잠깐 자리를 같이했다. 교회 뒤 검정 함석지붕의 우뚝했던 외갓집 모습은 간데없다. 철탄산으로 이어지는 오르막길을 한참 올라가 보았다. 초라한 집들이 무질서하게 지어져 나의 분홍색 옛 추억에 낙서가 되었다. 서천교 방향으로 걸었다. 우리가 살던 집이 있었을 것 같은 위치에서 한참 옛 생각에 잠기기도 했다. 서천교 앞에서 나는 잠시 힘든 다리를 쉬었다. 큰 숙제를 마친 듯 긴 숨을 내쉬었다.

대구 성주 내 어린 시절을 찾아

그렇게도 가고 싶고 기다리던 대구 성주 추억의 여행을 다녀왔다. KTX 특실을 예약하고 배낭을 메고 2015년 6월 22일 아침 집을 나섰다. 서울역에 도착하여 기차 출발 시간을 기다리는 것도 설레고 좋았다. 기차 속에 앉은 내 모습도 옆 승객에 부탁해 사진에 담았다.

대구에 도착해서 택시로 우선 내가 피난시절 한 학기를 다닌 영남 중학교에 갔다. 멋진 학교 건물이다. 옛날에는 변두리 외딴 곳에 학교 건물만 덩그러니 있었는데 이제 도시 한복판에 멋진 건물로 우뚝 서있다. 정문 앞에서 사진도 찍었다. 당숙의 이발관이 있던 덕산 목욕탕 반월당 거리를 찾아가 보았다. 그때 대구에 계셨던 5촌 당숙들과 6촌 형제들의 모습도 떠오른다.

내가 어릴 때 다녔던 천주교 유치원이 있었으리라 생각되는 대구 성당의 이곳저곳도 둘러보았다. 피난 시절 자주 지나가던 길 약정골목도 걸어보았다. 저녁에는 예약한 수성관광 호텔에 여장을 풀고 옛 친구 박종욱이를 만났다. 반가웠다. 호텔 경내에 있는 소고기 집으로 가서 저녁식사를 했고 몇 명의 동기들도 합석했다. 옛날 이야기며 살아가는 이야기들을 늦은 시간까지 나누었다.

이튿날 아침 나는 대구 서부 버스 터미널에서 성주행 버스를 탔다. 고령을 거치고 성주군의 수륜면을 비롯해 여러 곳을 거쳐 성주

읍에 도착했다. 내가 드디어 성주에 왔다. 먼저 월항면의 한 개 마을로 갔다. 아내와 같이 젊은 시절 거닐던 곳이다. 지금은 보존 문화재로 지정되어 마을 입구에 안내소까지 설치되어 해설사들이 관광객들에게 이 마을에 대해 설명해 주고 있었다. 나도 한 해설사의 안내로 진사댁 교리댁 대감댁 하회댁 월곡댁 등 고택들을 골고루 잘 둘러보았다. 월곡댁은 장모님의 언니 되는 처이모님이 시집온 집이다.

연산의 과수원이 있던 곳을 찾아갔다. 지금은 과수원이 없어진 그곳이지만 나는 이곳에서 어린 시절 산 넘어 성주중학교 피난 청강생으로 다녔고 인분이 순덕이 등 예산동 아가씨들이 일하러 오면 내가 감독처럼 같이 일하던 과수원이 이곳에 있었다. 일꾼들과 초당방에서 기거하며 어린 한 몸을 의탁했던 과수원이다.

그 길로 상당골로 나의 모교 성주고등학교를 찾아갔다. 제6회 졸업생으로 이 고등학교를 졸업했다. 학교 건물은 서울의 어느 고등학교보다도 훌륭한 새 모습이었다. 이 학교를 수석으로 졸업하고 서울대학교 문리대 정치학과에 합격하던 그 시절이 얼마나 감격적이었던가.

오후에 도재영 아저씨를 찾아뵙기 위해 셋터골로 갔다. 아저씨는 병석에 누워 계셨다가 나를 보고 "아버지와 만생이다"라고 하며 아버지에 대한 이야기도 많이 했다. 대구농림을 다녔던 아버지는 수재였고 인물도 좋았다고 회상하시며 내가 아버지를 꼭 닮았다는 것이다.

숙소로 돌아와 더위를 식히고 우선 성주군청이 있는 곳으로 갔다. 군청은 크고 새로운 건물로 조경도 잘된 모습으로 그 옛 자리에 있었다. 작은 우체국도 그 자리에 새 모습이었다. 군청 뒤로 갔다. 독일 신부에게 독일어를 배우던 성당에서 사진도 찍었다.

내가 일하며 기거했던 성주 양조장이 있던 곳으로 갔다. 그곳은 상가 거리로 바뀌어 양조장이 어디쯤이었는지 짐작이 가지 않았다. 길거리에 쉬고 있는 노인에게 물어 보았다. 그 노인이 말해주는 곳을 한참 쳐다보았다. 당시 니는 이 양조장에서 일하며 성광고등학교에 들어갔고 성주농업고등학교에 진학했다. 그리고 이 양조장 김세훈 사장의 은덕으로 대학에 진학하고 졸업할 수 있었다. 그분이 아니었으면 오늘의 내가 여기 있을까. "감사합니다." 라고 그 양조장 방향으로 고개를 숙였다.

다음날은 내가 다니던 성광고등학교가 있던 곳, 내가 일하던 정미소 자리도 찾아가 보았다. 머릿속에만 옛 모습을 그려 보았다. 이렇게 추억이 묻어나는 성주의 곳곳을 찾아보고 오후에 버스를 타고 김천에 와서 KTX에 몸을 실었다. 아, 그렇게도 하고 싶던 대구 성주 여행을 했다. 이렇게 내가 살아서 하고 싶던 일 하나를 줄였다.

추억의 고장을 찾아간다든가 하는 일은 기대와 마음속에 그리워할 때가 더 좋았던 것 같다. 막상 가보고 흔적도 없이 변해버린 길거리 낯선 건물들은 내가 꿈에 그리워하던 그런 곳이 아니었다.

추억은 마음속에 간직할 때 추억이지 가보고 만나보면 추억이란 연못에 돌을 던지듯 다 구겨지고 흐려지는 것인가 보다. 내 아름다운 추억들에 덧칠을 하고 낙서를 해버렸구나 하고 생각하면서도 성주 대구를 찾아간 것은 정말 잘 했다 생각한다. 이제 퇴색해 버린 내 추억의 조각들을 다시 맞추면서 새로운 추억을 만들어 보자.

청도를 가다

청도는 아버지의 고향이고 나의 본적지다. 그리고 한국전쟁이 일어난 1950년 겨울을 내가 보낸 곳이다. 그래서 늘 한번 다시 가보고 싶은 곳이 경북 청도다. 그렇게 오랫동안 벼르던 청도 여행을 떠났다. 2016년 11월 7일 월요일 아침 7시 50분 배낭 하나를 메고 집을 나섰다. 전철로 서울역에 도착하니 시간 여유가 많았다. 9시 10분 서울역을 출발한 KTX는 정시에 출발하여 잘도 달린다. 내 인생을 역주행하며 동 대구역에 무궁화호로 환승하여 11시 50분. 드디어 청도역에 도착했다. 항상 생각되는 것이지만 멀다고 생각했던 곳이 이렇게 마음 한번 먹고 오니 한나절에 당도한다.

아. 이곳이 청도구나. 하늘과 땅과 집들과 사람들을 쳐다보며 마음의 인사를 했다. 역전 거리에는 추어탕 식당들이 즐비하다. 청도에 추어탕이 이렇게 유명한 줄은 처음 알았다. 한 그릇에 7천 원 하는 추어탕으로 점심을 하고 택시로 화양읍으로 직행했다. 우선 화양읍 사무소를 찾아갔다. 이곳이 나의 본적지 청도군 화양읍 사무소다. 화양읍 사무소라고 새긴 바위 앞에서 사진을 찍고 제적등본 1통을 떼었다. 나와 이곳의 인연을 증명하고 싶었다.

옛날 내가 삼촌과 같이 세 들어 살던 집 김종환 씨 댁을 찾아보았으나 어딘지 알 수도 없고 짐작도 가지 않는다. 문 앞을 조금 나가면 개울이 있고 개울 따라 오른쪽으로 꺾어져 올라가면 면사무소가 있었던 기억을 더듬어 찾아보았다. 개울도 있고 면사무소도 있으나 내가 살던 집은 전혀 옛 모습을 찾을 수 없었다.

이리저리 두리번거리고 다니니까 근처에서 일 하던 사람이 수상하게 여기고 "왜 자꾸 이곳저곳 다니세요?"라고 물었다. 내가 66년 전에 살던 집을 찾는다고 하니까 한 곳을 가리키며 저 집일지 모르겠다고 하는데 문패에 최 씨로 되어 있고 그때는 문간채 안채가 있었는데 지금 이곳에는 그리 큰 집의 흔적이 보이지 않는다. 늘 그렇지만 옛날에 그렇게도 커 보이던 집이나 길들이 왜 이리도 작고 초라한지 그래도 비슷이 짐작되는 곳에서 사진을 찍고 택시를 불러 청도읍으로 돌아왔다. 청도읍으로 돌아오는 중간쯤 국민학교가 있었다. 옛날 저곳에 미군부대가 있었고 내가 미군부대 하우스보이가 되고 싶어 얼쩡거리던 곳이구나 생각하니 감회가 새롭다.

숙소에 배낭을 내려놓고 잠시 휴식 후 청도를 지키고 있는 정규 형(6촌)에게 전화를 했다. 청도읍 고수동 1번지는 옛날 내가 피난 와서 얼마 동안 신세를 진 5촌 당숙의 집 주소다. 지금은 도로명도 바뀌고 집 앞에 큰길이 나고 초가집터에 양옥이 새로 지어진 그곳에 6촌 형 한 사람이 살고 있다.

나보다 한 살 위인 형은 몇 년 전에 상처를 하고 홀로 살고 있었다. 몸도 몹시 쇠약해 보였다. 근처 식당에서 저녁을 같이하며 친척들의 근황을 이야기하고 늙어가는 서로의 모습 속에 옛날의 젊음을 살피기는 힘들었다. 숙소와 멀지 않은 곳에 청도천이 있었다. 청도천의 모래사장에서 근처 철교 위로 지나가는 기차를 쳐다보면서 부모님을 그리워하고 서울을 생각하던 그때 그 옛날이 어제 같다.

다음 날 나는 일찍이 무궁화 호를 타고 대구로 왔다. 약속한 시간이 많이 남아 약속장소 근처에 가서 이곳저곳을 걸었다. 대구도 많이 커지고 변했구나 생각하며 약속한 식당으로 갔다. 대구에 사는 6촌 형제들이 많이 모였다. 옛날 이야기와 서로의 인연들을 되새기며 시간 가는 줄 몰랐다. 전철로 동대구역으로 와서 예약한 KTX를 타고 강행군에 지친 몸을 조는 듯 쉬는 사이 서울에 돌아왔다.

서울의 거리 거리

어느 하루 작정을 하고 내가 어릴 때 살던 서울의 거리들을 찾아 보기로 했다. 아버지 어머니 그리고 동생들과 같이 살던 곳이야말로 나의 집이고 그곳에 추억의 거리가 있다. 을지로 3가 2층 집. 가난 했지만 부모님과 우리 삼남매가 같이 살던 곳이다. 내가 국민학교 를 다니며 3년을 살던 곳이며 사랑하는 어머니를 저세상으로 떠나 보낸 곳이 바로 여기다. 이곳은 서울 시내 중심에 있어 오가며 자주 보아왔다. 한약제 상점이 많던 곳인데 철물점 동네로 변모해 갔다.

그 다음 이사 간 곳이 성북구 돈암동 산48의 95번지다. 언덕바지 한옥 문간방에 세 들어 살면서 아버지마저 저세상으로 가신 곳이다. 우리 3남매가 마지막으로 같이 살던 곳이다. 내가 경기중학교에 합 격한 곳이기도 하다.

나는 2015년 10월 6일 오후 이곳을 찾아 나섰다. 전철을 타고 삼 선교-한성대입구역에서 내렸다. 65년의 세월이 흘렀지만 내 발길 은 마치 사는 집을 찾아가듯 서성거림이 없었다. 삼선교에서 성북경 찰서쪽으로 넘어가는 길을 어제같이 익숙하게 걸어갔다. 건물은 바 뀌어도 도로와 지형은 큰 변화가 없었다. 내가 살던 집을 찾아봤으 나 그대로 있을 리도 없고 도로명도 다 바뀌었다. 짐작으로 오래되 고 낡은 한옥 집 앞에 오래 머물면서 사진도 찍었다. 아침마다 개들 의 훈련터였던 집 앞의 언덕 밭은 사라지고 큰 교회건물이 서있다.

발길을 돌려 동도극장이 있던 큰길로 나섰다. 이 길은 전쟁 중 내가 신문을 팔고 담배팔이 목상자를 목에 걸고 다니던 익숙한 길이다.

나는 눈을 감고 생각했다. 아들을 간병하던 할아버지 앞에 집도 재산 한푼도 남기지 않고 가버린 아버지다. 할아버지 앞에 남겨진 것은 의지할 곳 없는 우리 삼남매뿐이었다. 14살 12살 9살의 손자손녀를 어찌해야 할 것인지 얼마나 막막하고 기가 찼을까. 불쌍한 우리 할아버지가 떠오른다.

내친 김에 내가 1년간 중학교에 다니며 의탁했던 고모할머니 댁이 있던 한성여중 앞을 찾아봤다. 지금은 대학교가 되어 숱한 건물이 빼곡히 들어서 어디가 어딘지 짐작도 안 간다. 나는 이곳에서 한국전쟁 고난의 90일을 보냈었다. 한성여중 뒷산으로 넘어가면 창신동이다. 창신동을 거쳐 청량리 전농동 외갓집까지 걸어가던 내 모습이 떠오른다. 어느새 10월의 햇살도 서쪽으로 기울고 내 추억의 거리거리에도 그림자가 길게 드리운다. 집으로 가야겠다.

성주 그곳, 오늘이 있어 내일이 있다 |

2015년도에 두 번이나 찾아간 성주 땅은 나에게 견딜 수 없는 향수와 책임감으로 조여 왔다. 내 어린 시절이 고스란히 담겨있는 고장 나를 키워준 땅 은혜의 성주를 위해 내가 무엇인가 해야 한다고 다짐했다.

성세 장학금과 나의 특강

어제 밤부터 내리던 비가 아침에도 쉴새없이 내리고 있다. 2016년 5월 3일이다. 나는 새벽 같이 일어나 짐을 챙기고 간단한 아침 요기를 했다. 그렇게 오래 준비한 성주여행을 시작하는 날이다.

콜택시를 불렀다. 근처에 차가 없어 못 보낸다는 택시회사의 대답이다. 몇 번을 걸어 보았지만 출근시간이고 비 오는 아침이라 그런가 보다. 기차시간은 임박한데 마음이 조급하다. 아파트 앞의 큰길까지 나가서 한참을 기다려 빈 택시를 잡아 집까지 타고 와서 짐을 실었다. "서울역으로 갑시다."라고 말하고 젖은 옷의 빗물을 털었다. 가까스로 9시 10분 출발 KTX 407호 열차에 몸을 실었다. 아 이제 떠나는구나 하고 나는 눈을 감았다.

성세 장학금의 시작과 준비

2016년은 내가 만 80세가 되는 해다. 3월 7일 나는 한 장의 편지
를 보냈다.

친애하는 도일회 성주 문화원장께

(인사 생략)

작년 두 번 성주 방문길에 나는 나와 인연이 있는 성주의 길거
리 골목마다 찾아 걸었고 무엇보다도, 나의 모교 성주 고등학교를
찾아가 보았네. 내가 "이 학교에서 공부하고 이 교정에서 친구들과
뛰어 놀았구나." 하고 한참 명상에 잠겼었지.

나는 생각하고 다짐했지. "여기 공부하는 나의 후배들을 위해
나의 옛 이야기를 들려주고 싶다. 나만이 할 수 있는 나의 이야기
를 이 이야기가 이루어진 성주의 후배들 앞에서 한다는 것이 얼마
나 멋지고 뜻있는 것인지 설레기까지 했어.

나의 어려웠던 중 고등학교 시절 그 어려움을 지금도 우리 후배
중에 누군가는 견디고 있겠지. 그러한 후배에게 작은 도움이나마
주고 싶네. 그래서 1억의 장학금을 성주고등학교에 드리고 싶어.
성주의 그날이 있어 나의 오늘이 있다고 생각하며 장학금의 이름
도 星世장학금으로 하고 싶네 (내가 고등학교 대학시절 큰 은혜를 입
은 金世勳 성주 양조장 사장의 함자 世자를 따서 그리 하고 싶어)

무엇보다도 특강과 장학금 전달 날짜를 정하는 일이 중요한데
내 형편으로는 금년 5월중 학교 사정이 좋은 날로 정해주면 내가
준비하지. 특강은 전교생과 교직원 모두가 있는 자리에서 하고 싶
고 기념식수도 하고 싶어. 그리고 특강하는 날 저녁 교장 선생님을

위시한 여러분들을 저녁에 모시고 싶어. 이것이 나의 생각이고 꼭 하고 싶은 일이라네.

　도원장이 우선 성주고등학교 교장에게 이러한 나의 뜻을 전해 주고 꼭 성사되도록 도와주시게. 그 다음에는 내가 교장에게 인사 전화도 하고 학교에서 담당선생을 지정해 주면 그 선생과 내가 직접 연락하면서 일을 추진할 수 있을 거야. 성주고등학교 측의 반응 등 도원장의 소식 기다리겠네.

2016년 3월 7일 김석규

　나는 이 편지를 2016년 3월 7일 등기 속달로 성주의 도일회 문화 원장에게 보냈다(도일회 성주 문화원장의 부친과 나의 아버지는 이종 4 촌간이다). 도 원장은 3월 15일 오전 성주고등학교 이현재 교장을 찾아 면담하고 나의 뜻을 전달했고 같은 날 오후 3시경 이현재 교장선생의 전화를 받았다. 감사하다는 말과 자세한 것은 교감선생과 연락하면서 추진해 달라고 말했다.

　드디어 4월 5일 김정대 교감선생과 통화가 되었다. 자세한 사항은 이메일로 보내겠다고 하면서 날짜는 5월 4일로 확정했다. 김 교감과 몇 번의 메일 교환 후 나의 장학금 기증 및 특강계획이 다음과 같이 결정되었다.

시간	주요 내용	비고
13:20~13:40	• 동문 및 학교관계자 상호인사	장소 : 교장실 참석자 : 내빈 및 학교관계자
13:40~14:00	• 성주고 역사관 및 학교시설 둘러보기	장소 : 성주고 역사관 및 학내 시설 안내 : 교장

시간	주요 내용	비고
14:10~14:40	• 기념식수	장소 : 본관 앞 참석자 : 내빈 및 학교장
14:40~15:00	• 장학금 기증식	장소 : 대강당 참석자 : 학생 및 내빈
15:00~16:30	• 특별 강연	장소 : 대강당 참석자 : 학생 및 교직원, 희망내빈
16:30~17:00	• 휴식 및 저녁식사장소로 이동	장소 : 교장실 안내 : 교감
17:30~18:30	• 저녁식사	장소 : 왕가 한정식 가든 참석자 : 교직원

◈ "성세(星世)장학금" 지급 운용계획

　　○ 성세(星世) 장학금 : 8,000만원

　　○ 지급대상자 : 가정형편 곤란자 및 성적우수자

　　○ 지급금액 : 연간 1,000만원 지급

　　- 1학기 : 500만원, 2학기 : 500만원

　　- 향후 8년 동안(2016~2023) "성세(星世)장학금" 명목으로 지급 예정

◈ "성세(星世) 학습실" 조성

　　○ 학습실 조성

　　　- 개인별 학습 독서대 약 30조 ~ 40조 구비

　　　- 성세(星世)학습실 조성 경비 : 약 2,000만원

　　나는 이제 특강 원고를 만드는 일, 성주 방문 세부 일정을 마련하는 일에 착수했다. 원고는 나와 성주의 인연을 첫 파트로 하고 외교관 40년의 일화들을 두 번째 파트로 나누어 1시간 30분가량의 분량으로 만들어 나갔다. 쓰고 고치기를 반복하며 4월 말에 완성했다. 성주 방문 일정은 5월 3일날 성주로 내려가서 오후에 성주신문을 방문

하고 저녁은 도일회 문화원장 형제들과 같이 하기로 했다. 5월 4일 날 오전에 성주군수를 예방하고 오후의 장학금 기탁식과 특강일정은 학교에서 마련한 일정대로 따르기로 했다. 5월 5일 어린이날 휴일에는 성주농고 동기들과 점심을 하기로 했다.

나는 이 이야기가 언론에 일단 기사로라도 보도되는 게 좋겠다고 생각했다. 내 책 〈파킨슨병 아내 곁에서〉를 출간했을 때 인터뷰 기사를 써준 기자 분들을 생각했다. 벌써 3년 전의 일이었지만 다행히 그분들의 전화번호를 잘 간직하고 있었다.

우선 연합통신의 하채림 기자에게 연락했다. 이스탄불 특파원으로 나가는 준비에 바쁜 데도 잘 도와주었다. 그리고 3년 전 우리 집까지 와서 인터뷰했던 조선 PUB의 유슬기 기자와 동아일보의 노지현 기자에게 연락하고 나의 장학금 기탁과 특강 계획을 이야기했다. 모두가 찬사와 더불어 적극적인 관심을 표했다.

성주에서의 행사 일정이 거의 정해지자 나는 특강원고와 성주에서의 옛날 사진들 그리고 행사 개요를 기자 분들에게 이메일과 휴대폰 문자로 알려 주었다. 이어 성주신문에도 보냈다. 그리고 4월 20일까지 세 차례에 걸쳐 1억의 돈을 성주고등학교 농협계좌로 송금 완료했다. 기념식수할 나무와 표지석 제작도 확인했다. 서울을 떠나기 전에 모든 준비를 끝냈다.

성주에서의 행사

나를 실은 기차는 KTX 김천 구미 역에 10시 33분 정시에 도착했다. 바로 택시를 타고 성주로 향했다. 성주까지는 30분 정도밖에 걸리지 않았다. 오후 3시에는 성주신문을 찾아 최성고 사장을 면담하고 인터뷰를 했다.

드디어 5월 4일 행사 날이 밝았다. 나는 아침 9시반 성주 문화원으로 가서 도 원장을 만나 같이 성주군청으로 갔다. 김항곤 성주군수를 예방했는데, 김항곤 군수는 나의 은사이신 김용대 선생의 아들이다. 모습이 돌아가신 은사님을 보는 듯했다.

오후 3시 나는 도일회 문화원장, 도원회 재경 문화사업 후원회장과 같이 성주고등학교로 향했다. 성주농고 정문에는 '김석규 대사(6회 동문) 모교방문을 진심으로 환영합니다. 성주고등학교 학생 및 교직원 일동'이라는 현수막이 크게 걸려 있었다. 나는 그 앞에서 사진을 찍었다. 얼마나 감격적인 순간인지.

학교건물 현관에 도착하자 교장 선생 이하 여러분이 마중을 나왔다. "어서 오십시오 환영합니다."라는 교장의 인사를 받으며 나는 교장실로 안내되었다. 김 군수를 비롯해 여러분들이 이미 와서 기다리

모교 성주고등 학교 정문에서

고 있었다. 성주고등 동창회장, 성주중학교 교장 및 학교운영위원들이 와 있었다.

차 한 잔과 간단한 담소를 나누고, 우리는 성주고등학교 역사관을 둘러보았다. 역사관에는 모교를 빛낸 선배들 사진 속에 나도 있었다.

그리고 우리는 기념식수할 자리로 갔다. 새 삽이 여러 자루 준비되어 있고 20년가량 된 주목이 이미 심어져 있었다. 나무 주위에 흙이 쌓여있고 우리는 그 흙을 부토했다. 나는 "오늘 이 나무를 심는 것은 학생들의 꿈과 미래를 심는 것"이라고 간단한 인사말을 했다. 나무 앞 표지석에는 "성세(星世) 장학금 기탁 기념식수 2016.5.4. 제6회 동문 대사 김석규"라고 새겼다.

고 김세훈 사장의 가족을 만나다

기념식수를 마치고 건물 안으로 들어오자 교장이 세 사람의 여자 분을 소개했다. 고 김세훈 사장의 세 따님이라는 것이다. 신문에 난 사진(내가 고등고시를 합격하고 고 김세훈 사장가족과 찍은 사진)을 보고 김천 대구 등지에서 모여서 나를 만나러 같이 왔다는 것이다. 예기치 않은 만남이라 어리둥절했지만 너무도 반가웠다. 나의 양조장 시절에는 아주 어린아이들이었는데, 이렇게 나이든 부인이 되어 만나게 되니 한 세월을 훌쩍 뛰어 넘는 것 같았다. 아버지 은혜를 기리며 보은의 장학금을 기탁한 나에게 감사하다고 인사를 했다.

장학금 기탁

시간이 되어 우리는 모두 강당으로 들어갔다. 200여 명의 학생과 교직원 학부모와 내빈들이 입장해 있었다. 나와 이현재 교장은 단상으로 올라갔다. 강당 전면 양쪽에는 나의 동기 동창들이 보낸 화환이 세워져 있다. 전면에는 "김석규 대사(6회 동문) 특강 -오늘이 있어 내일이 있다"라는 현수막이 크게 걸려 있었다. 나와 이 교장은 장학금 기탁서와 영수증에 서명을 하고 서로 증서를 교환했다. 그리고 나는 나의 저서 두 권 〈코리아게이트의 현장에서(2005)〉와 〈파킨슨병 아내 곁에서(2013)〉를 학교에 증정했다. 그리고 학교장의 감사패를 받았다. 감사패에는 이렇게 적혀 있었다

"모교를 사랑하는 마음과 후배양성을 위해서 동문께서 기탁하신 성세(星世) 장학금은 꿈과 희망의 씨앗이 되어 세계로 나가는 인재양성의 밑거름이 될 것입니다."

이 순서가 끝나자 나는 연단으로 가서 마이크 앞에 섰다. 나의 특강 시간이다.

나의 특강 : 오늘이 있어 내일이 있다
• "친애하는 동문 후배 여러분"으로 시작된 나의 강연은 다음과 같이 1시간 반이나 계속되었다.(나의 특강은 CD로 제작되어 You Tube (김석규 대사 특강)로 볼 수도 있고 카카오 톡에도 실려 여러 사람이 보게 되었다.)

성주를 찾아오다

1951년 지금으로부터 65년 전 열다섯 살(15세)의 한 소년이 성주를 찾아왔다. 부모도 없고 의지할 곳도 없는 나이 어린 한 소년이 이 고을을 찾아왔다. 한때의 끼니와 비바람을 피할 잠자리를 얻고자 피로에 지친 몸으로 이 땅 성주를 찾아왔다. "그 소년의 이름은 김석규, 바로 이 자리에서 여러분에게 특강을 하는 이 사람입니다."로 시작한 나의 특강은 약 한 시간 30분 계속되었다. 그 내용의 대부분이 내 책의 구겨진 이력서와 외교관 40년 항목에 수록된 내용이라 여기서는 생략한다. 끝으로 나는 학생들에게 이렇게 말했다.

성주는 나를 키워준 내 마음의 고향입니다. 나의 평생을 좌우할 '오늘'이 바로 성주에서 시작됐고 이 '오늘'이라는 성주의 토대가 없었다면 그 후 내 인생의 '내일'은 없었을 것입니다.

오늘이라는 현실은 우리 모두에게 다 있습니다. 여러분 모두에게 있습니다. 내일은 오늘의 결과물이고 열매입니다. 그래서 나는 항상 '오늘에 충실하자'는 것을 좌우명으로 삼고 지내왔습니다. 우리가 오늘 하는 일이 비록 보잘것없는 것일지라도 성실하게 최선을 다해야 합니다. 오늘 내가 처한 형편이 지극히 어려울지라도 좌절하거나 비관하지만 말고 그 어려움을 현실로 받아들이고 그 현실에 충실해야 합니다. 어려움은 사방이 꽉 막힌 감옥이 아닙니다. 어딘가 출구가 있게 마련입니다.

성주의 6년 세월이 어렵고 힘들었지만 나에게는 더없이 아름답고 값진 추억의 세월이었습니다. 나는 성주의 어려움을 원망하거나 슬퍼하지 않았습니다. 그때가 나의 값진 보람이었고 고마운 추억입니다."

특강 사진

교직원과의 저녁

이날 저녁 나는 교장 선생님을 비롯한 교직원 전원과 학부형 대표들을 한식점 '왕가 한식가든'에 초대했다. 50명 정도가 참석해서 성황을 이루었다. 모두가 큰 행사가 끝나고 다음날이 어린이날 연휴라 홀가분한 마음으로 저녁 자리에 모였다. 나는 건배사에서 "'성주에서'라고 내가 선창하면 여러분들은 '세계로'라고 소리쳐 주십시오. 성세(星世)라는 뜻은 제가 성주에서 자라서 세계로 나아가는 외교관이 되었다는 의미도 있습니다."라고 설명했다. 내가 큰소리로 "성주에서"라고 선창하자 참석자 모두가 "세계로"라고 화답해 주었다.

동기동창들과의 만남

큰일을 끝낸 홀가분한 마음으로 5월 5일을 맞이했다. 동기들의 점심 모임에는 성주에 있는 친구뿐 아니라 대구에서도 많이 왔다. 고등학교 시절과 지나온 세월 이야기로 시간 가는 줄 몰랐다. 모두의 모습에서 나이를 숨길 수 없었다. 옛 친구들과의 만남 그리고 옛 이야기에 나는 정말 행복했다.

자료들을 챙기며

나는 이번 행사에 협조해 주시고 참석해 주신 모든 분들에게 감사 전화를 했다. 이번 행사에 특히 언론들이 잘 보도해 주었다. 연합통신, 동아일보, 조선PUB, 파이낸셜뉴스, 한국경제, 매일경제, 경향신문, 서울신문, 영남일보, 대구일보, 경상일보, 중도일보, 성주신문, 성주지자체신문에 보도되었다. 성주신문(방송)에는 특강이 한 시간 가량 동영상으로 보도되었다. 이는 또한 You Tube에도 나오게 되었다.

나는 신문기사들을 복사하고 사진과 동영상 CD를 내 컴퓨터에 올렸다. 그리고 준비하는 과정부터의 모든 관계 자료들을 모아 한 묶음 파일로 만들어 내 책상 앞에 놓고 나는 말했다. "아- 이제 내가 평생 하고 싶고 해야만 할 일 버킷 리스트 최상위의 큰일 하나를 했다."고 긴 숨을 내쉬었다

3월 7일에 시작하여 이 일을 준비하고 추진하는 2개월 동안 나는 행복했다. 마무리 자료들을 챙기고 나니 긴장이 풀리고 왠지 허전하다.

이현재 교장 선생에게 보낸 편지

2016년 5월은 저에게 너무도 값지고 행복한 달이었습니다. 이제 모든 언론보도도 끝나고 사진들도 다 받아 보았습니다. 지금은 사진 한 장 신문 한 장을 살펴보며 그때 그 시간들을 되새겨 보고 있습니다. 정말 꿈같은 시간이 지나갔습니다. 제가 교장선생님과 첫 통화를 시작으로 교감선생님과의 여러 차례 교신과 의논을 거쳐 드디어 지난 5월 4일 저의 모교방문이 이루어지고 내 평생 가장 중요하고 보람된 일을 하였습니다. 꼭 하고 싶고 해야만 하는 일을 기쁘게 할 수 있게 해주신 교장선생님과 교감선생님에게 다시 한 번 감사드립니다. 그리고 수고해 주신 모든 분들에게도 감사드립니다.

저에게 이러한 일이 가능했던 것은 성주고등학교와 같은 모교가 있었기에 가능했고 내 어린 시절의 어려움을 극복할 수 있게 도와준 성주가 있었기에 가능했고 그리고 나에게 기회를 주신 교장선생님의 도움이 있었기에 가능했다고 생각합니다.

앞으로 성세 장학생이 계속 선발되고 대학으로 진학도 하겠지요. 저는 그들이 더 잘 되기를 바라면서 지속적인 관심을 갖고 돕고 싶습니다. 교장선생님, 건강하고 행복하십시오. 그리고 모교 성주고등학교의 무궁한 발전을 기원합니다.

2016. 5. 25

성주고등학교를 다시 찾아

나는 1년 후에 한 번 더 성주를 방문하여 장학금 탈 때마다 감사 편지를 보내오는 성세 장학생들도 만나보고 성주고등학교 신입생

성세 학습실 앞에서

들을 위한 특강도 한 번 더 하겠다는 약속을 지키기 위해 2017년 5월 22일 모교를 다시 찾았다.

성주에 사드 설치하는 문제로 한참 시끄러운 때였다. 나는 "동북아 정세와 한반도라"는 제목으로 약 한 시간에 걸쳐 안보관계 특강을 했다. 교장 교감선생님도 참석하여 경청해 주셨다. 성세 장학생들도 만나 사진도 같이 찍고 잘 꾸며진 성세 학습실도 둘러봤다. 성세 학습실 앞에는 성세관 내력이라고 해서 장학금 명칭의 배경 등에 관한 설명과 사진을 넣은 안내판이 부착되어 있었다.

성세장학금은 이렇게 만들어졌고 매년 20명의 학생에게 장학금이 지급되고 있다. 나는 이들이 손 글씨로 정성껏 써 보내오는 감사 편지를 읽으며 그들의 앞날에 밝은 날들이 이어지기를 빈다.

성주는 내 추억의 고향이다. 내가 이곳에서 중학교 고등학교를 나오고 아직 그곳에 친구들이 살고 있고, 옛 생각을 떠올릴 수 있는 길거리와 골목들 그리고 들판이 있다. 고향이라는 것이 이런 것이다. 옛날엔 무심코 보았던 성밖 숲, 이제는 천연기념물로 지정되어 300년에서 500년이 된 나무들 55그루가 잘 보존되어 있는 그곳에 가 보았다. 그 오랜 세월 가까이 살았으면서도 이 멋진 성밖 숲을 왜 몰랐을까. 고향이라는 것이 이런 것이다. 항상 무심코 공기처럼 내 것으로 생각했었던 것인데 뒤늦게 그 아름다움과 고마움과 가치를 깨닫게 되는 것이 고향이다. 추억이 서린 고장 성주가 바로 나의 그런 곳이다.

못다 한 일, 하고 싶은 일, 소홀했던 일 |

막내딸이 사는 두바이 여행

지금 나는 혼자가 되었지만, 부모 노릇 한다고 막내딸 연경이가 사는 두바이를 찾아가 보기로 했다. 더운 지역이라 비교적 시원한 겨울철 2016년 12월 15일부터 22일까지 일주일 방문 계획을 세웠다. 작은 외손자의 선물로 국산 장난감을 준비하고 큰 손자에게는 현지에서 휴대폰을 사주기로 했다. 11시간이 걸려 두바이 공항에 도착하니 딸 내외와 아이들이 나와 반갑게 맞아 주었다. 수영장이 있는 2층 집에 유기견도 한 마리 데려다 키우고 일하는 사람도 있고 아주 잘 살고 있는 모습을 보았다.

두바이의 첫 밤을 잘 자고 첫날 오전에 해변에서 아침을 하고 산책도 했다. 수영은 추워서 못 했다. 오후에는 세계에서 제일 높은 버즈 칼리파 124층 전망대에 올라가보고 세계에서 제일 큰 두바이몰에서 점심도 먹었다. 저녁은 집 수영장가에서 바비큐를 해 먹었다. 즐거운 하루였다.

12월 17일에는 사막 사파리투어를 했다. 사막 가는 길에 낙타 경마장에서 낙타들이 달리는 것도 봤다. 사막에 도착 모두 원주민처럼 머리 터번을 쓰고 끝없는 사막을 자동차로 달렸다. 사막에서 안테로

낙타를 타고…

프(뿔이 긴 산양)도 보았다. 사막 달리기가 끝나고 Falcon(수리)의 먹이 사냥 쇼도 관람했다. 그리고 우리 식구들 다같이 낙타를 타고 만세 부르는 모습으로 사진도 찍었다.

사막의 밤은 추웠다. 우리 모두 준비해 간 옷들을 꺼내 입었다. 하늘의 별들은 유난히도 총총했다. 그리고 각종 전통 음식이 준비된 저녁을 즐겼다. 나는 양고기를 많이 먹었다. 우리가 식사하는 동안 간단한 전통 무용이 있었다. 사람들은 물 담배를 피우거나 차를 마셨다. 캠프 파이어의 불기운이 사막의 찬 공기속에 더 따스해 좋았다. 차로 돌아오니 시트가 밤이슬에 흠뻑 젖어 있었다. 터번을 벗어 닦아 내고 우리는 출발 지점으로 돌아왔다. 9시가 지나 있었다. 우리는 승용차로 바꾸어 타고 고속도로를 달렸다. 옆으로 보이는 두바이 시의 야경이 휘황찬란했다. 집에 돌아오니 밤 10시가 넘었다. 샤워를 하고 누우니 피곤이 한꺼번에 몰려왔다. 아아 특별한 경험, 정말 즐거운 하루였다.

12월 18일 시티투어 버스로 두바이시를 둘러보았다. 건물 하나하나가 예술품이었다. 구시가 재래시장에도 가보았다. 세계에서 제일 크다는 두바이몰에서 점심을 하고 세계에서 손꼽힌다는 아쿠아리움도 보았다.

12월 19일. 배의 돛같이 지어진 유명한 알아랍 타워의 7성 쥬메이라 호텔 전망층에서 야자수 모양의 인공섬 팜 쥬메이라와 아라비아해를 내려다보며 점심을 했다. 해변에 사람들은 많이 보였으나 바다에 들어가기는 물이 너무 차다. 호텔 내부가 너무 호화로워 눈이 부셨다. 호텔 경내의 놀이터와 쇼핑거리를 둘러보고 귀가했다. 저녁은 오랜만에 집에서 딸이 준비한 한식을 맛보았다.

12월 20일. 아침 9시 두바이를 출발 이 나라의 수도 아부다비로 향했다. 1시간 20분 만에 도착한 그랜드 모스크는 정말 장관이었다. 세계적으로 이름난 이 건축물은 인도의 타지마할을 연상케 한다. 관광객이 넘쳐나는 이곳저곳을 사진에 담았다.

그 다음 우리는 대사관저로 향했다. 나와 이태리에 같이 근무하던 박강호 서기관이 이곳에 대사로 와 있었다. 박 대사의 초대로 아이들까지 우리 5명은 대사관을 찾아갔다. 이 나라가 외국대사관에 제공한 넓은 땅 위에 한국의 "함"을 본떠 잘 지은 대사관과 관저의 위용은 자랑스러웠다.

문 앞까지 나와서 우리를 맞이해 준 박 대사 내외의 대우는 정성스러웠다. 크리스마스 때라 칠면조 고기를 주식으로 무말이 전채 비빔밥 후식 케이크까지 완벽했다. 박 대사 내외의 안내로 대사관을 둘러보고 우리는 두바이 집으로 돌아왔다.

저녁에는 버즈 칼리파에 위치한 아르마니 호텔 일식집에서 한국인 주방장이 추천해준 고급메뉴와 정종을 곁들인 멋진 저녁을 먹었다. 바로 눈앞 지척에는 그 유명한 분수 쇼가 펼쳐지고, 우리 건물 전체도 조명으로 색동옷을 갈아입으며 장관을 연출했다. 즐거운 저녁 시간을 보내고 집에 오니 밤 11시다.

12월 21일. 좋은 날씨다. 오늘은 배를 대절해서 바다로 나간다. 유명한 두바이 선착장에 도착하니 고급 요트들이 빼곡히 들어서 있다. 우리는 Pier 7 선착장의 한 이태리 식당에서 점심을 했다. 간결하고 깔끔하고 음식도 좋았다.

점심 후 우리는 3시경 빌린 요트로 갔다. 선장과 선원 한 명이 우리를 맞이해 주었다. 배는 서서히 출발했다. 야자수 나뭇잎새처럼 펼쳐진 인공 섬 팜 주메이라를 한 바퀴 도는 크루즈다. 배에서 식수가 제공되고 우리는 준비해 간 맥주와 안주로 바다를 바라보며 낭만에 젖었다. 하늘에서는 스카이 다이빙하는 사람들이 새처럼 날고 있고, 바다 위에는 수상스키나 수상 카트를 타는 사람들이 쏜살같이 지나간다. 관광객을 태운 큰 배가 지나가면서 승객들이 우리를 향해 손을 흔들었다. 우리도 답례했다.

어느 지점에 선가 배가 잠시 멈춘다. 전면에 아틀란티스 호텔이 바로 보이는 위치다. 바다 수영을 하는 시간이다. 사위와 손자들은 기다렸다는 듯이 바다로 뛰어들었다. 여섯 살짜리 정현이는 구명조끼를 입고 배와 줄로 연결된 고무 튜브를 타고 바다로 들어갔다. 신이 났다. 내가 딸네 가족과 같이 이 아라비아 해 바다에서 멋진 항해를 하다니 정말 표현하기 어려운 행복감을 맛보았다.

두바이 주메이라 호텔을 배경으로 막내 딸네 가족과 아라비아 바다에서

　우리 배는 귀로에 올랐다. 마침 멀리서 해가 지고 있었다. 지는 해의 속도는 무척 빠른 것 같았다. 우리가 보고 있는 사이 해는 바다 속으로 가라앉고 있었다. 내일 다시 못 볼지도 모를 그 해가 완전히 사라졌다. 우리는 마천루 건물들 사이로 들어섰다. 저마다 다른 조명으로 자태를 뽐내는 이 도시의 야경은 정말 아름다웠다. 멋진 하루였다. 호사스러운 추억이다.

　12월 22일. 오늘 점심은 호텔 아틀란티스의 이태리 식당 아라비아 해가 보이는 자리에서 최고의 피자와 이태리 식사를 했다. 이 호텔 또한 관광객이 붐비는 손꼽히는 곳, 아~ 다시 못 올 이곳에서 딸네 식구들과 추억을 심고 간다. 저녁은 딸네 집에서 하고 8시40분쯤 공항으로 출발한다. 정말 즐겁고 행복했다. 아내가 있었다면 더 좋았을 것을.

이 두바이 딸네 식구가 매년 여름 서울에 와서 한 달 가량 우리 집에 머물다 간다. 딸과 애 둘은 미리 오고 사위는 나중에 합류한다. 올해는 7월 9일부터 8월 6일까지 있었다. 외손자 동현이와 정현이는 그동안에도 서울학원에 다닌다. 노란색의 학원차가 작은 애를 태워 가고 태워 온다. 그때 나는 집 앞에 나가 기다렸다가 애를 데려온다. 나의 중요한 일이고 즐거움이다.

이런 딸네 식구가 떠나고 나면 썰물이 빠져 나간 해변처럼 적막하고 쓸쓸하다. 두 애들이 다 미국에서 출생하여 미국 국적이다. 사위가 한국에 근무하던 2년 동안(2013년 11월 −2016년 7월) 애들은 한국말을 잘도 했다. 특히 작은 애는 3살에서 6살까지 있었으니까 아주 잘했었다. 지금은 그 잘하던 한국말이 다 어디 갔는지 아쉽기 그지없다. 큰 애는 기숙사가 있는 미국 고등학교로 진학한다고 한다. 이렇게 한국을 떠나고 부모를 떠나고 이민을 가고 미국시민이 되나 보다. 어디를 가나 건강하고 훌륭하게 자라 주기만 기도한다.

딸에게 나는 친정아버지다. 친정이란 말이 어쩌면 딸에겐 든든한 버팀목 같다. 친정 아빠 친정집 이 얼마나 든든한 말인가. 한국에 오면 있을 수 있는 친정집이 있고 무엇을 부탁해도 잘도 처리해 주는 친정아버지다. 그 친정아버지가 오래 건강하게 살아야지 친정이 없는 내 딸들은 얼마나 외로울까. 친정아빠라는 호칭과 책무는 나에게 더없이 뿌듯한 감투 같다.

양구 여동생을 찾아

2016년 9월 19일. 추석 성묘 겸 아내의 묘소를 찾았다. 아내의 묘소를 둘러보고 그길로 경춘가도를 달려 양구로 향했다. 양구에는 막내 여동생 영주(榮珠)가 사는 곳이다. 벌써 일흔이 넘은 여동생이다. 멀지 않은 곳에 있으면서도 이렇게 일부러 찾아가지 않으면 볼 수가 없다. 매부는 강원도에서 고랭지 채소 이스라엘 잉어 양어 그리고 가시오가피를 재배하여 상당한 성공을 거두었다. 막내아들 민수와 같이 가시오가피를 재배하고 상품화하여 '팔각정 가시오가피'라고 하면 가시오가피의 원조라고 할만치 유명하다.

요즘은 휴전선 근처 펀치 볼 6만 평의 땅에 인삼을 재배하고 있다. 내가 갔을 때도 1만 평에서 6년 된 인삼을 수확하느라고 조카는 일에 매달렸다. 우리는 밤새 옛이야기를 나누며 하룻밤을 보냈다. 10살이 안 되어 부모를 잃은 내 동생의 70평생 이야기를 들었다. 다음날 아침 서울로 돌아오는 발길은 가벼웠다. 꼭 해야 할 일을 한 것 같은 개운한 기분이다. 오빠가 되어서 동생 사는 모습을 한번 찾아본다는 것이 당연하고 얼마나 좋은 일인가.

손자와의 제주도 여행

2017년 10월 1일 긴 연휴가 시작되는 첫 날 나는 아들 손자 며느리랑 제주도 여행을 갔다. 아들네 식구와의 여행은 처음이다. 더구나 손자와 같이 가는 것이 너무 좋았다. 꼭 해보고 싶었던 일이다. 비행기 시간이 오후 6시 20분인데 아침부터 설레고 이것저것 준비하며 집에서 떠날 시간만 기다렸다. 카카오 택시를 불렀다. 목적지를 김포공항이라고 하니 차가 금방 왔다. 도중에 손자 전화가 왔다. 제주도 강풍폭우 때문에 비행기가 한 시간 연발한다는 것이다. 우리는 공항에서 더 많은 시간을 갖게 되었다.

기다리는 시간이 넉넉해서 우리는 공항에서 저녁도 먹고 라운지에서 커피도 같이 마시는 게 너무 좋았다. 늦은 시간 제주공항에 도착했다. 예약한 렌터카를 찾아 아들이 운전하고 해비치 호텔로 향했다. 깜깜한 밤길 비바람이 부는 길을 한 시간이나 달려 호텔에 도착하니 밤 11시가 되었다.

이튿날 손자 민준이와 식구들과 수영도 하고 테이블 축구도 하고 탁구도 했다. 점심은 해녀의 집을 찾아 은갈치 조림을 먹었다. 저녁에는 호텔 근처에서 흑돼지 오겹살도 했다. 손자와 같이 자면서 나의 옛 이야기를 들려주었다. 언젠가는 할아버지가 직접 해주던 이야기들을 기억하겠지.

3일 날은 아침 일찍 서둘러 성산포로 가서 배를 타고 우도에 갔다. 며느리가 운전하는 ATV 스쿠터를 타고 섬을 둘러봤다. 바다에 손을 적시기도 하고 우도 명물 땅콩 아이스크림도 맛보았다. 우리 모두 우도봉 정상까지 올라갔다. 손자는 거의 뛰다시피 쉽게 올라가는 길을 나는 헐떡거리며 뒤따라갔다. 정상에서 내려다보는 경치는 절경이었다.

손자와 우도봉에 오르며 생각했다. 내 나이 80이 되던 2016년 6월 1일 한라산의 성판악 길로 해발 1,500미터의 진달래 대피소까지 올라갔었다. 그곳 계단에 앉아 먹던 컵라면의 맛은 잊을 수 없다. 하산길에 사라오름도 찾아갔다. 화산의 분화구가 호수가 되어 경치가

한라산 윗세오름에서

좋았다. 사라오름에 도착할 때 좋던 날씨가 30분이 안 되어 안개로
자욱하게 덮여 갔다.

다음해 2017년 5월 31일에 나는 영실 길로 해발 1,740미터의 한
라산 윗세오름까지 올라갔다. 만산이 붉은 철쭉으로 덮인 한라산은
그 아름다운 장관이 내 나이 내 피곤함도 다 잊게 해 주었다. 등산로
를 따라 연결된 등산객의 화려한 옷 색깔은 한라산을 휘감는 또 하
나의 꽃길이었다.

10월 4일은 우리가 서울로 떠나는 날이고 추석이다. 아침 7시 반
내 방에 모여 추석명절 예배를 올렸다. 아침 식사에 송편이 나왔
다. 서울 집에 오니 피로가 밀려온다. 참 즐거운 여행이었다. 내 핏줄

아들 손자와 우도봉 정상에서

손자 민준이와 한 방에서 3일을 같이 자며 추억을 심었다.

지금은 50이 된 아들이 꼭 손자만 할 때 생각이 난다. 내가 스웨덴 공사로 발령을 받고 워싱턴을 떠날 때 아들은 한국교육을 시켜야 한다고 가족이 헤어지고 아들 혼자 서울로 보냈다. 아들 우찬이가 한국에 와서 아버지께 띄운 편지다(1978년 10월 당시 11세, 아직 한글을 잘 못 할 때다). 이 편지는 내가 보배처럼 항상 가지고 있다. 오래지 않아 아들에게 돌려주어야지.

Dear Dad,

I received your letter last week, it was a sad letter. It almost made me cry.

Dad, I will study hard and will be careful about my health. But I will mostly try to be a great man like you always told me. (중략)

Everyday I will think about you. Even when I'm sleeping. I will not let any day pass by without thinking about you. I love you, my wonderful dad.

your son who miss you.

Woo Chan

2018년 4월. 이 편지를 손자에게 보여주었다. 손자는 다음과 같이 회답해 주었다.

"할아버지~ 감동적인 편지예요. 나도 아빠에게 기쁨을 주는 아들 이 되고 싶어요. 민준"

마무리 　　　　　　　　　　　　　　|

생각의 이삭줍기(마무리를 향한 내 모습)

- 특별한 재주가 없는 내가 지금도 할 수 있고 누구의 지시나 도움도 받지 않고 내 맘대로 나 홀로 할 수 있는 일 그것은 내 생각을 글로 쓰는 것이다. 매일같이 이삭 줍듯 생각나는 것들을 짤막하게 적어둔다. 진솔한 나의 생각이다. 세월이 지나니 수북이 쌓인 생각을 정리해 본다. 불쑥불쑥 나는 생각들이기에 서로 연결되지도 않고 일관성도 없다. 그러나 한 토막으로는 시가 되고 전체로는 무엇인가 같은 흐름 속에 있는 것 같다.

- 시계도 동물이다. 움직이니까 동물이다. 방마다 시계가 있다. 내 손목에도, 들고 다니는 핸드폰에도 있다. 내가 살아 숨 쉬는 것처럼 이 시계들도 째각째각 움직인다. 행여나 이 시계들이 하나라도 멈춰설까 빨리 갈까 늦게 갈까 매일같이 쳐다본다. 시계가 서 버리면 그때 내게 떠날 시간을 알려주는 것 같다. 다이소 가게에 가서 5천 원짜리 예쁜 색의 탁상시계를 사서 화장실에도 놓았다. 째각째각 숨소리가 들린다. 내가 어디를 가나 내 숨소리를 확인하고 싶다.

• 나는 살아오면서 늘 현실에 충실하다고 스스로를 위로했다. 그러나 어쩌면 그것은 그냥 흘러가는 대로 따라가 보자는 것이고 현실 안주였다. 꿈을 잊고 꿈은 망상이라고 하면서 도전을 포기하고 닥쳐올 일들을 두려워했다. 특히 불우했던 어린 시절 내가 가졌던 꿈은 낡지 않는 튼튼한 옷은 없을까, 밥 한번 실컷 먹어 봤으면 하는 것이었다. 현실의 어려움을 조금이라도 덜었으면 하는 것이 바람이었을 뿐이다. 내게 꿈은 사치였다.

• 머리에서 사라진 기억이 내 가슴속에 깊이 남아있다. 눈 감으면 입가에 번지는 미소, 마음속의 추억을 반추한다. 그때 괴롭고 슬펐던 것도 지금은 이렇게 멋진 추억인 것을.

• 한국전쟁이 아니었다면 나는 서울에서 계속 중학교에 다녔겠지. 그때 내 학교생활은 어떠했을까, 체육시간에 수영복이나 스케이트를 준비하기는커녕 교복도 제대로 마련 못 했을 나는 상처받은 어린 마음을 갖고 어찌 되었을까. 한국전쟁으로 모두가 다같이 가난해진 것이 이 불우한 어린 학생에게는 위안이 되었을까.

• 눈 감으면 먼 옛날 불쌍한 한 소년이 보인다. 무의무탁 천애의 고아 천덕꾸러기 불쌍한 것 이런 단어들이 이 소년의 대명사다. 그래도 이 소년에게는 큰 유산이 있었다. 단정한 용모와 명석한 머리다. 시골 농업고등학교에서 서울대학교에 진학할 수 있었고 대학 3학년 재학 중에 고등고시에 합격하는 행운을 주었다. 이 어찌 태산 같은 은혜가 아니겠는가. 오늘 밤도 부모님께 감사한다.

- 어느 날 거울에 비친 나를 본다. 내가 아닌 늙은 영감을 본다. 내 마음속의 나는 아직 괜찮은 줄 알았는데 거울에 비친 나는 왜 저렇게 늙고 흉할까. 거울을 보지 말자. 마음은 오래오래 건강하게 이대로라도 살고 싶은데 세월은 이렇게 내 모습부터 빼앗아가는 구나. 지하철의 노약자석 앞에 서 있노라면 나에게 자리를 양보해 주는 사람이 있다. 그분도 나만치 늙어 보이던데.

- 여행을 떠나자. 나는 여행을 좋아한다. 20여 년 외국에 근무하면서 세계 여러 곳을 가 보았지만 개인적으로 여행하는 것은 또 다르다. 아내가 병석에 누워있던 10년 동안 못 했던 여행을 다시 시작했다. 처음에는 이집트, 스페인, 멕시코, 호주, 뉴질랜드 등 먼 나라도 찾아갔고, 중국의 장가계, 캄보디아의 앙코르와트, 베트남의 하롱베이에도 그룹투어를 따라갔다. 겨울에는 태국 치앙마이에, 여름에는 일본 북해도에 골프여행을 간다. 제주도에도 1년에 두 번 정도 간다. 외교협회가 주선하는 국내 여행에도 적극 참여한다. 이제 나이가 드니 여행도 힘들다. 80이 넘으면 해외여행자 보험도 안 되고, 그룹투어에 따라가고 싶어도 일행들이 80넘은 고령자의 동행을 반기지 않는다.

- 한해가 다르고 하루가 다르다. 항상 건강해서 달리고 뛸 줄 알았는데 어느새 허리도 굽고 다리에 힘이 빠져 비틀거린다. 그래도 지금 이대로만이라도 유지된다면 얼마든지 혼자서 잘 살아갈 수 있을 것 같은데, 더 이상 내 몸이 나를 지켜주지 못하나 보다. 오랜 세월 나를 보살펴준 내 몸이 나를 버리기 시작했다.

- 가을 단풍이 얼마나 아름다운가, 봄꽃 못지않게 더 성숙하고 장엄한 아름다움이 아닌가, 붉은색 노란색의 아름다움. 나는 이대로 단풍으로 있고 싶다. 조금 있으면 낙엽이 되어 떨어질 운명이 어쩌면 이리도 나와 같을꼬. 나는 단풍으로 좀 더 오래 있고 싶다. 아름다운 단풍으로, 붉게 노랗게 물든 단풍 잎새 하나하나 떨어져 가네.

- 한겨울 잎 다 떨어진 앙상한 나무라도 분명 살아 있는 거다. 몇 달 뒤 봄이 오면 파란 싹을 틔울 건장한 모습을 뽐내고 있는 거겠지. 그런데 나는 지난날의 파란 잎새 붉은 단풍 다 떨어지고 마지막 마른 잎새마저 낙엽되어 가버렸다. 봄이 와도 새 쌌은커녕 내 몸 등걸마저 묻혀 버릴 건데 저 겨울 나무가 나인 것처럼 빨리 봄이 와서 푸른 녹음이 다시 우거지기를 기다린다.

- 그동안 나를 괴롭히던 오른발 뒤꿈치의 족저근막염이 나은 것 같다. 아침에 일어나 첫 발을 디딜 때 소스라치게 놀라곤 했는데, 이제 아프지 않다. 아~ 다행이다. 오랫동안 불편하던 오른쪽 어깨와 손목도 좋아졌다. 죽음은 모든 병을 다 앗아 간다는데 죽음이 가까이 온 것인가.

- 재래시장이 열리는 날 한 노인이 과일 한두 개를 검정 비닐봉지에 사들고 걸어온다. 옛날 앞집에 살다 돌아가신 할아버지도 그랬다. 혼자 드실 몇 개의 과일이나 채소를 사들고 힘겹게 걸어오던 그 모습을 오늘 내가 재연하고 있다.

• 헬스클럽의 낮 시간엔 대부분이 노인들로 북적인다. 열심히들 운동을 하고 있다. 근육이라곤 없는 늘어진 몸으로 운동을 한다. 작년까지 멀쩡하던 사람이 잘 걷지도 못한다. 큰 수술을 했는지 흉터가 새로 생긴 사람도 있다. 뼈만 앙상하게 남은 사람도 있고 배만 볼록한 사람도 있다. 갑자기 공손해진 듯 허리가 굽은 사람도 있다. 이 사람들이 어디에 살며 뭘 하는지 모르지만 운동복을 입은 똑같은 늙은이들이다. 돈보다도 건강한 사람이 부자다.

• 누구에게나 어느 집이나 힘든 속사정이 있다. 겉으로는 더 없이 행복하고 아무 걱정도 없는 것 같은 집도 들여다보면 어려운 일들이 있다. 견디고 감수하고 잊고 사는 것이다. 나만 괴롭고 힘들고 불행하다고 생각하지 마라. 세상은 그리 불공평하지 않다.

• 사람은 누구나 남의 신세를 지거나 도움을 받을 수 있다. 특히 불우했던 어린 시절의 나는 크고 작은 은혜를 입고 자랐다. 은혜란 주고받는 거래가 아니다. 대가를 바라는 것은 더더욱 아니다. 베푸는 순간의 그 기쁨으로 더 큰 보상을 받는 것이다. 훗날 나를 도와준 분들에게 은혜를 보답하려 해도 이미 세상을 떠난 경우가 많다. 나도 그분들처럼 남을 도와주고 베풀면서 그때 그분들의 고마움에 감사하고 싶다.

• 할머니와 손녀가 저만치서 걸어온다. 할머니와 손녀를 바꾸어 본다. 세월의 차이를 빼면 똑같다. 할머니 속에 손녀의 예쁨과 젊음이 있고, 손녀의 앳된 얼굴 속에 훗날의 주름살이 겹쳐 보인다.

- 2018년 설 이튿날 홀로 집 옆 신사공원에 나갔다. 늘 이 공원에 가면 70대 할머니들 세 명이 모여 걷기도 하고 손뼉을 치면서 노래를 합창하는 모습을 자주 본다. 오늘은 설 다음날이라 그런지 2명만이 벤치에 앉아 노래를 부르고 있다. 손뼉을 치면서 "~하루를 살아도 행복할 수 있다면 나는 그 길을 택하고 싶어~"라고 김종환의 노래를 부르고 있다. 방해 될까 봐 천천히 그 앞을 비켜 지나가면서 생각했다. 나는 오늘 하루를 행복하게 살고 있는지.

- 아침에 일어나 창문을 열고 하루가 밝았음을 알 수 있다면 그 이상 기쁜 일이 어디 있을까. 내일도 모레도 그랬으면 좋겠다. 흐린 날도 개인날도 비 오는 날도 나에겐 다 소중하다. 그 하루가 나의 생명이니까. 나는 대자연속에 오래도록 하나의 존재이고 싶다.

- **"지금, 오래지 않아, 결국"**이라는 세 단어가 내 남은 인생을 압축해서 정리해 준다. **지금** 이대로라도 오래 살 수만 있다면 좋으련만 **오래지 않아** 나는 병들고 쇠약해지고 지금이 주는 혜택을 하나둘씩 내려놓아야겠지. 그러다 **결국** 이 세상을 떠나야겠지. 죽음도 삶의 일부니까. 살아있는 사람은 누구나 다 겪는 일이니까.

- 내 손을 본다. 아주 어릴 땐 잼잼하던 귀여운 손이었을 거야. 언제부터인가 겨울이면 항상 동상에 걸려 있던 내 손, 몽당연필을 아끼며 글씨 쓰던 내 손, 손등이 트고 손바닥에 굳은살이 박히던 일 손, 그러다 어쩌다 희고 점잖게 변한 내 손이 이제 등가죽이 쭈글쭈글하고 파란 힘줄이 굵게 돋아났네. "수고했어. 내 소중한 손아,

고마웠어."

• 밤이 늦었는데도 자기가 싫다. 잠들면 아침에 다시 못 깨어날까
봐. 그리고 밤 12시가 넘게 깨어 있으면 하루에 이틀을 사는 것 같
은 착각도 가질 수 있어 이 밤을 지새운다.

• 한해가 지나가는 12월 31일 밤이다. 전에는 마지막 지는 해를 놓
치지 않으려고 서쪽을 응시한다든가, 제야의 불꽃을 보려고 밤을
새운다든가, 카운트다운 하며 새해를 맞이한다든가 했는데, 이제
그런 의미와 감흥도 내 가슴에서 사라졌다. 고단하기만 하고 한
살 더 먹는 게 서글프기만 한 하루를 보낸다.

• 내가 아프면 내가 많이 아프면 나 홀로 갑자기 아주 많이 아프면
어떤 모습일까. 전화기를 향해 방바닥을 긁으며 기어가는 모습.
119를 부르러 기다가 그냥 쓰러지는 모습. 애들의 전화가 통화중
이고 수화기는 방바닥에 팽개쳐지는 모습. 너무 슬픈 영화 같지만
다가올 현실인 것을.

• 오래된 식탁의자의 천갈이를 했다. 20년이 넘어 색이 바래고, 군
데군데 헐고 찢어져 내 모습 같은 의자들 천갈이를 했다. 마음에
드는 벨줌제 천으로 새 단장을 했다. 이 의자가 아니라도 의자는
많다. 고친 의자에 한번 앉아보지도 못하고 내가 먼저 죽을지도
모른다. 그래도 이렇게 하는 것은 나와 같이 살아온 물건들이 헐
고 초라해지는 것을 그냥 보고 있기 싫다. 내가 그 헌 의자처럼 흉

해지기 싫은 것이다.

- 내 사는 집이 나처럼 오래 돼 벽지도 퇴색되고 배관이 낡아 누수도 걱정이다. 고치자니 앞으로 몇 년 더 살겠다고 큰 돈을 들이나 주저하다가도 앞으로의 내 인생 3-4년이 지나온 80년 못지않게 소중한 것인데…결심했다, 고치자.

- 포기할 줄 알아야겠다. 아쉬워하지 말아야 한다. 부러워하지도 말아야 한다. 합리화할 줄도 알아야 한다. 인생살이 완벽할 수 없다. 그런 대로 좋았다, 괜찮았다고 만족이란 스스로 만드는 것이다.

- 그 세월 다 어디로 갔는지 모든 것이 마치 어제 같기만 한데 애들은 그리도 빨리 자라 다 떠나가고 어제 같은 내 젊음도 찾을 길 없네. 이제 굽은 허리 백발의 내 모습 보며 Isla Grant의 노래 〈어제 같기만 한데(It seems like it was only yesterday)〉를 들어 본다.

- 언젠가부터 소식이 없는 사람, 언젠가부터 보이지 않는 사람, 언젠가부터 잊혀진 사람, 그러다 들려오는 소리. 그 친구 얼마 전에 죽었어. 이렇게 우리는 가족으로부터 친구들로부터 주위로부터 잊혀진다. 지구상에서 나의 공간이 없어진다.

- 100세 시대는 어떨까. 그 세월은 힘없고 소외되고 피곤하고 죽기보다 못한 나날일 수 있다. 그래서 지금 내 손으로 밥을 챙겨먹고, 내 발로 걸어다닐 때 나는 내 인생에서 제일 젊고 행복한 날을 살

고 있는 것이다. 그리고 지금 마무리 얘기를 하면 좀 이르지 않나 하는 생각도 들지만, 지금 내가 사는 이 세월은 덤으로 사는 것이고 마무리가 끝난 무대의 뒷정리니까.

• 오래 살았다. 덤으로 사는 이 세월은 나만의 것이 아니다. 나를 도와 준 많은 사람들과 인연이 있는 여러 사람들을 생각하며 살아야 할 날들이다. 돈은 써야 내 돈이다. 죽을 때 갖고 가는 것은 돈이 아니라, 내가 쓴 돈의 가치다.

• 나는 삶의 마지막 조각을 살고 있다. 내게 주어진 퍼즐을 이 마지막 조각으로 채우려 한다. 완성이다. 마무리다. 끝맺음이다. 어떤 모양일까. 내 삶의 모습이 멋있을까 초라할까. 내가 볼 수 없어 더 궁금하다.

• 내가 떠나갈 이 세상은 정말 살 만한 세상이었다. 아름다운 산천초목, 지저귀는 새들, 온갖 짐승과 물고기들이 살아가는 이 세상. 항상 문제가 있어 심심하지도 않았고 좋은 사람들도 많았다. 인정 있고 사랑이 있어 좋았다. 기쁨도 있고 슬픔도 있어 웃고 울 수 있어 좋았다. 살 만한 세상 살아 봐서 행복했다. 또 한번 살아보고 싶은 세상인데, 그것만은 안 된다 하네.

• 울고 싶을 때가 있다. 복받쳐 오르는 슬픔에 겨워 혼자서 가슴으로 울고 싶을 때가 있다. 잠시 동안이지만 눈시울도 뜨겁고 가슴도 미어지는 듯한 느낌이다. 닥쳐올 운명 앞에 승복하고 내 힘으

로 어찌할 수 없음을 탄식하며 스스로를 던져야 하는 그런 눈물을 흘리고 싶다. 죽음을 향한 열차에 떠밀려 타고 있는 내 모습이 슬퍼서 눈물이 난다.

• 이별이 서러워 나는 운다. 오래지 않아 떠나야 하기 때문에 나는 운다. 아침 햇살에게 저녁노을에게 봄꽃에게 그리고 단풍에게도 잘 있으라고 손짓을 하고 떠나려 한다. 이 아름다운 날 내 사랑하는 아이들을 비롯한 모든 것들과 헤어져야 하기 때문에 나는 운다. 집안에서 이방 저방을 다니며 가구들 그림들 장식품들을 바라본다. 하나같이 생생히 기억되는 추억의 옛 이야기가 배어 있다. 더 이상 이 공간이 내 것이 아닐 것임을 나는 눈물로 슬퍼한다. 예정된 이별이 슬퍼 나는 운다. 내가 두고 떠나는 모든 것들에게 나는 말하리라. 감사합니다. 사랑합니다.